LA RUE Royale

AU FIL DE LA VIE

D1096952

LUCY-FRANCE DUTREMBLE

LA RUE

Royale

AU FIL DE LA VIE

TOME II

LES ÉDITIONS
JKA

LA RUE ROYALE – AU FIL DE LA VIE
Dépôts légaux :
Bibliothèque nationale du Québec
Bibliothèque nationale du Canada

Les Éditions JKA bénéficient du Programme de crédit d'impôt pour l'édition de livres — Gestion SODEC — du gouvernement du Québec.

© Les Éditions JKA
Saint-Pie (Québec)
J0H 1W0 Canada
www.leseditionsjka.com

ISBN : 978-2-923672-37-3
Imprimé au Canada

Je dédie ce roman à ma mère Henriette
et à mon père Fernand,
qui depuis quatre ans est déménagé au Paradis
et qui, de son nuage, veille toujours
sur la rue de notre enfance,
la rue Royale.

Chapitre 1
LE BOULEVARD FISET

Août 1965

Roger et Angèle rentraient de leur séjour d'amoureux dans la belle grande ville de Québec. Une promesse était une promesse. Roger avait promis à sa belle noire il y a deux ans de l'emmener dans le Vieux-Québec tous les étés à la fin de ses vacances.

— On a passé encore une belle fin de semaine, mon Roger ! On dirait qu'à chaque fois qu'on va à Québec, on est en voyage de noces ! J'espère que les filles aussi ont passé une belle fin de semaine chez Laurette.

— Je suis pas inquiet pour ça, ma femme ! Puis nos gazelles sont quand même rendues à dix ans, c'est des grandes filles asteure ! En tout cas, je les avais bien averties de pas rester assis à rien faire puis d'aider Laurette puis sa mère ! Je sais pas si ta mère, elle, elle a eu du trouble avec les autres à Sorel.

— Bien non, mon mari, tu sais comment monsieur Cantara les fait rire, ces enfants-là ! Josée, elle l'aime comme son grand-père ! Ça va vite. Imagines-tu que dans deux ans notre bébé va aller à la maternelle ? La maison va être vide en câline !

— Bien oui, puis Martin qui a fait sa dernière année à Saint-Viateur ! Y va s'apercevoir que le secondaire au collège Sacré-Cœur, c'est pas pareil, c'est bien plus sévère avec juste des frères ! Coudon, ça va lui mettre du plomb dans la tête, ça va juste lui faire du bien parce que des fois notre gars, y donne pas sa place. Y a bien grandi aussi depuis un an. Me semble qu'à treize ans j'étais pas grand comme ça, moi !

— C'est vrai qu'y a grandi, notre Martin. Eh que ça passe vite ! T'imagines-tu que dans trois ans tu vas avoir quarante ans, mon mari ? Ça a pas de bon sens ! Les jumeaux de Richard sont déjà rendus à un an puis la petite Delphine à Yolande va avoir un an en novembre.

Ils avaient beaucoup discuté sur le chemin du retour, si bien que, quand ils arrivèrent à Drummondville, pour eux, c'était comme s'ils venaient seulement de quitter la ville de Québec.

Dans l'entrée des Beausoleil, sur la 9e Avenue, Yvette cognait des clous dans sa berçante sur la galerie et Laurette nettoyait les vitres de sa voiture.

— Allô ! Venez vous assir, je vais vous sortir des chaises ! Vous avez fait un beau voyage, les amoureux ?

— Bien oui, bien oui, Laurette. Puis les filles, eux autres, elles vous ont pas trop fait étriver ?

— Bien non, mon Roger… ces filles-là, c'est des anges ! Je vais les appeler. Elles sont parties avec les gars chez Josée puis Jocelyne sur la 7e Avenue. C'est les filles du frère de mon Paul.

Quand les filles arrivèrent, elles étaient bien heureuses d'étreindre leurs parents, mais par le fait même, bien tristes aussi. Elles n'ignoraient pas que leur prochaine visite à Drummondville se présenterait dans un temps bien éloigné, car comme la motoneige et le *sleigh ride* à Saint-Cyrille-de-Wendover, c'était chose du passé depuis le décès de leur grand-père Bermont, leur prochaine promenade aurait probablement lieu seulement aux vacances estivales et non aux réjouissances du temps des fêtes.

Olivier, à quatorze ans, mesurait déjà cinq pieds et six pouces, et David ressemblait de plus en plus à Guylaine.

— Puis vous, Yvette, comment ça va ?

— Ça va bien, ma belle Angèle. Quand les filles sont venues passer leurs deux semaines de vacances au début du mois d'août, on est allés au chalet sur le chemin Hemming. Je vous mens pas quand je vous dis que le chalet s'est mis à revivre ! On a passé deux bien belles semaines. Puis vous autres, vos vacances à Sorel ?

— Nous autres ? Ça a été pas mal tranquille cette année. On peut pas avoir le chalet de Fabien puis de ma sœur Yolande à toutes les étés, vous comprenez ? On s'est promenés un peu, on est allés au Cap-de-la-Madeleine avec ma mère puis monsieur Cantara, puis dans la deuxième semaine on a amené les enfants au Zoo de Granby. Puis vous savez comme moi que dans la deuxième semaine y a pas fait bien beau, y a mouillé à boire debout pendant quatre jours, sainte bénite ! On en a profité pour faire un bon ménage dans notre maison puis on est allés magasiner pour commencer à acheter les affaires d'école des enfants.

— Pourquoi l'été prochain vous viendriez pas passer une semaine de vacances à mon chalet ? Je suis bien prête à vous le prêter, moi ! Vous savez, Roger, du poisson, y en a dans la rivière Saint-François aussi, y a pas juste à Sainte-Anne-de-Sorel qu'y a de la perchaude !

— Dis oui, pa !

— Énerve-toi pas avant le temps, ma Rosie. On sait pas où est-ce qu'on va être rendus au mois d'août l'année prochaine ! Mais si y a rien de changé jusque-là, bien on va y aller. Ça, c'est si ta mère veut y aller, c'est bien sûr !

— Bien voyons donc, Roger ! Un nouveau chalet, sainte bénite que je serais contente !

Deux heures et demie déjà. Roger déposa les valises des filles dans le coffre arrière de la voiture et les Delormes remercièrent chaleureusement Laurette d'avoir pris soin de leurs filles. Olivier était morose ; il était bien conscient que pour les mois à venir, la seule joie qui l'habiterait serait de surveiller le facteur pour lire les lettres que Rose lui rédigerait tout au long de l'année.

— Ah bien torrieu de torrieu, si c'est pas nos vacanciers de Québec !

— Bonjour, monsieur Cantara. Puis, les enfants vous ont pas donné trop de misère en fin de semaine ?

— Tu sais bien, ma belle Angèle, que tes enfants, c'est des modèles !

— Ah ouin… Martin aussi, c'est un modèle ?

— Ah bien oui, Roger, Martin a été bien tranquille. On l'a pas entendu !

— Emma ! Ta fille est arrivée de Québec !

— J'arrive. Je finis de sortir le linge de la laveuse puis je monte !

— Bien voyons donc, je lui avais dit de rien faire ! Elle avait bien assez de s'occuper de ma gang ! Cré m'man ! Francine ! Martin !

Emma avait tressé deux nattes ornées de rubans bleus dans la chevelure de Francine. Celle-ci était bien heureuse depuis que sa mère lui avait donné son approbation pour qu'elle ait les cheveux plus longs. Mais il y avait une condition, c'était qu'elle les attache tous les jours. Si une seule fois elle revenait de l'école avec les cheveux en broussaille dans la figure, comme Angèle le lui avait dit, celle-ci les lui ferait couper. Et si elle contractait des poux, ce serait aussi irréversible.

Martin venait de descendre de sa chambre avec son livre de Tintin que monsieur Cantara lui avait acheté la veille chez Wilkie. Les livres étaient en solde à un dollar et soixante-quinze sous, et il lui en avait acheté deux à la condition que les filles puissent aussi les parcourir.

Emma et Paul filaient le grand amour, mais ils ne parlaient jamais de mariage. L'année précédente, Francine et Martin avaient eu le privilège de visiter la province de l'Ontario en leur compagnie. Emma avait eu la chance de fouiller le cimetière de Kingston pour s'agenouiller sur la pierre tombale de son Isidore, ce qui, pour elle, avait été un moment bien éprouvant, mais qui avait aussi été magique, lui offrant une libération apaisante que son cœur avait reçue divinement.

Richard avait été très ému de voir la photographie de la sépulture où était enseveli son père, mais il ne pouvait comprendre ce père qui ne s'était jamais accroché à la personne qu'il avait tant aimée jadis et qui avait pris goût à une vie qu'il avait probablement laissée dériver sous un ciel ténébreux.

Le moment le plus hilarant de leur voyage avait été un certain soir chez Gaston, le frère de Paul. Gaston était un joueur de tours. La première nuit, il s'était levé pour aller déposer sur le visage de Paul de la cire à chaussures noire pendant qu'il dormait à poings fermés sur le divan.

— Bonne Sainte Vierge, Paul, t'es-tu vu la face !

Francine et Martin avaient pouffé de rire. Le lendemain matin, à sept heures, c'était Gaston qui s'était mis à jurer :

— Baptême de baptême, il m'a mis le pot de vaseline au complet su'a tête, ce maudit insignifiant-là !

Gaston ne s'était jamais marié. Pourtant, c'était un bel homme. Il avait probablement une bonne raison de ne pas vouloir partager sa vie avec une autre personne.

— Bon bien, je vais défaire les valises, Roger, puis après je vais regarder ce que je peux faire pour le souper.

— Y en est pas question, ma femme ! Ta fin de semaine est pas finie. On est encore dimanche, non ? Choisis d'où tu veux faire venir le lunch pour souper puis vous deux, les amoureux, vous allez nous faire le plaisir de rester souper avec nous autres !

— On fait-tu venir au nouveau restaurant sur la rue Hôtel-Dieu ? C'est... ah oui... Giovanni Pizzeria !

— Oh oui, de la pizza !

— Calme-toi donc, Martin ! Je sais bien, Angèle, que tout le monde aime la pizza, mais toi, tu vas manger quoi ?

— Ah bien, regarde, j'ai le circulaire du restaurant ici... Y font pas juste de la pizza, on peut faire venir une extra large all dressed à deux piastres et demie puis moi, je vais prendre une lasagne à une piastre et vingt.

— Pour la liqueur, Angèle, hier j'ai acheté la nouvelle sorte qu'ils ont montrée dans le journal la semaine passée, la Mountain Dew.

— Je vois bien ça, monsieur Cantara, y en a un rack plein dans le frigidaire ! Ah bien, ça va faire changement du Tab puis de la Lucky One !

Emma et Paul quittèrent la maison à sept heures et les Delormes recommencèrent leur petite routine du dimanche soir : passer la soirée sur la galerie d'à côté avec Josée et ses poupées, Rose et Guylaine dans la cour arrière en train de s'amuser avec leurs jeux, et Francine et Benoît sur le perron d'en avant avec leurs guitares. Martin, lui, il était parti avec Luc et Jacques voir jouer Les Éperviers en patins à roulettes au colisée Cardin.

— Ouin, l'ouvrage demain, ma femme. Les prochaines vacances vont être juste aux fêtes... Bonyeu que ça passe vite ! J'espère que la rénovation du pont est bien avancée, y ont passé l'été là-dessus, maudit ! Mais d'un autre côté, ça va aller pas mal mieux pour le trafic quand je vais sortir de la Québec Iron à cinq heures. Pour la rue Prince puis la rue Roi, y vont mettre un one-way, ça va être moins long.

— Oui, puis la lumière qu'y vont mettre sur la route Marie-Victorin au coin du chemin Saint-Roch, ça va pas mal vous aider, ça aussi ! Passe-moi donc le journal d'hier, y est resté dans la boîte à malle.

— Tiens, ma belle noire.

— Tiens ! À Maria-Goretti, y va avoir une classe de première puis de deuxième année en anglais à l'automne ! On aura tout vu ! Puis Fernand Lefebvre, lui, y dit que si son projet marche pour la polyvalente de Sorel puis celle de Tracy, y va avoir trois mille élèves à Sorel et deux mille trois cents à Tracy en 1971. C'est tout un projet, ça !

— C'est épouvantable cette année comment que la ville de Sorel fait du nouveau ! Puis en plus, y parlent de commencer le nouveau pont au mois de novembre pour qu'y soit prêt pour l'année 67. C'est un projet de sept millions, ça, ma femme !

— Mais tu sais, Roger, tu m'avais dit y a une couple d'années que la population avait doublé entre 1941 puis 1951. C'est pas pour rien que la ville fait du changement comme ça, y parlent même de faire un aéroport à Saint-Robert, câline ! Puis là, on parle pas de la prison commune qu'y sont en train de construire sur le boulevard Poliquin, puis de l'école des infirmières qu'y ont commencé à creuser en arrière de l'hôpital ! Mon Dieu que ça change, hein, mon Roger ?

— Si ça change ! Dans cinq ans d'ici, on reconnaîtrait plus notre ville, maudit ! Tiens, Robert Bourassa vient d'être nommé... mon Dieu, c'est tout un titre, ça : « Directeur des recherches et conseiller juridique de la Commission royale du Québec sur la taxation ».

— Dire que je suis allée à la même école que sa femme à Sorel, la belle Andrée Simard !

— Ah oui ! Tu connaissais sa femme ?

— Oui, elle venait au couvent Saint-Pierre dans le temps. J'aurais jamais pensé que son Robert s'en irait dans ça un jour !

— Ah bien ! Regarde donc qui qui s'en vient... La petite Delphine avec sa mère ! Elle est-tu belle un peu avec sa petite robe rouge puis son ruban rouge sur la tête !

— Fine... fine...

— Attends un petit peu, Josée, on va lui laisser le temps de monter sur le perron, hein ! Viens ici, ma belle petite princesse. Regarde, Josée, elle veut te voir ! Puis, ma Raymonde, comment ça va ? Rolland est où, lui ?

— Ah, mon Rolland est en train de vider le jardin en arrière. Y me reste pas mal de tomates, je vais faire une recette de ketchup demain. Toi, as-tu fait ton ketchup, Angèle ?

— Oui, mais j'en ai fait juste douze pots cette année, il m'en reste pas mal de l'année passée. Ouin, ça va sentir bon demain matin sur la rue Royale ! Oh, sainte bénite que je m'habitue pas ! Le boulevard Fiset ! Ça, c'est une autre affaire... Le docteur Fiset, on l'aimait bien gros, mais de là à changer le nom de notre rue Royale pour le boulevard

Fiset, moi, je comprends pas. Notre rue ressemble pas à un boulevard pantoute ! Quand y ont donné le nom de Jean-Jacques Poliquin au boulevard à l'autre bout, ça, c'était correct parce qu'avec le nouveau pont qui s'en vient, là, ça va avoir l'air d'un boulevard !

— Bien oui, ma femme, mais vous allez vous habituer au boulevard Fiset, c'est pas la fin du monde, quand même ! Moi, personnellement, ça me dérange pas parce qu'en dedans de moi la rue Royale va toujours rester là pareil !

— Moi, Roger, j'ai de la misère pour l'adresse. Quand je malle des lettres des fois, c'est là que je m'aperçois que j'ai écrit la rue Royale dessus au lieu du boulevard Fiset. Ça fait déjà deux ans qu'on reste à Sorel puis j'ai de la misère encore !

— Oui, mais Raymonde, tu imagines-tu que moi puis Roger, on était sur la rue Royale depuis 1955 ! Puis ma mère, elle, depuis 1928 !

— Eh oui, ma belle-sœur, en plus que nous autres, les citoyens, on peut pas rien y faire ! En tout cas, le docteur Fiset, lui, y se repose au cimetière des Saints-Anges sur le boulevard Fiset puis je suis bien contente pour lui ! Avez-vous vu, dans le journal d'hier, y parlaient de nous faire un centre d'achats à Tracy à côté du centre civique ?

— Arrête donc, toi ! As-tu entendu ça, Roger ?

— Oui, tant qu'à être partis, y devraient nous faire une grosse piscine intérieure ! Y a des villes qui en ont une. Les enfants aimeraient ça, aller se baigner l'hiver ! L'année prochaine ça va être quoi ? Un pont pour traverser à Berthier ?

Qu'est-ce que vous voulez, avec toutes les usines qu'on a à Sorel, ça amène bien du monde en ville, ça ! Regardez juste l'année passée avec le nouveau développement à Sorel-Sud. Richard a même pas été obligé de se bâtir quand y a déménagé de Saint-Ours : y a acheté une maison neuve pour dix-huit mille piastres, puis y restait juste à payer son terrassement puis sa cour en asphalte !

— Bien oui ! C'est comme le champ des enfants à côté avec la grosse glissade en bois. Un beau jour je suis sûre qu'y vont faire de quoi là aussi puis que la glissade va disparaître, hein, Roger ?

— Ah… ça, je serais pas surpris, ma femme, mais je pense pas que ça sera avant une dizaine d'années. Je trouve qu'y en ont assez fait de même parce que là, nos taxes vont en manger un maudit coup l'année prochaine ! Regarde juste les deux polyvalentes. Je comprends bien que c'est pour nos enfants, mais comment ça va coûter, tout ça ? C'est pas comme dans mon temps à moi à la petite école de Saint-Robert ; on était tous dans la même classe, la première, la deuxième, puis ça, jusqu'à la sixième année ! Quand j'ai commencé ma première année, je pouvais bien me faire sacrer des volées, maudit, les grands de sixième vargeaient sur nous autres comme des forcenés, bonyeu !

— Bien oui, mon Roger, ça change, ça a pas d'allure !

Chapitre 2
L'INQUIÉTUDE

Comme tous les jeudis, Emma s'occupait de Josée pendant qu'Angèle vaquait à ses courses en ville. Aujourd'hui celle-ci devait se rendre à la pharmacie du Prince, au marché Richelieu et au Métro Guertin pour acheter les nouveaux Pop-Tarts que ses enfants, plus particulièrement Martin, lui demandaient depuis des semaines.

À la pharmacie elle se procura de la pâte à dents Listerine ainsi que du spray net pour la modique somme de quatre-vingt-dix-neuf sous. Toute une aubaine !

— Madame Delormes !

— Ah bien, madame Langevin ! Comment ça va ?

— Ça va bien… Vous êtes toujours aussi belle avec vos beaux petits cheveux courts, vous, puis vous changez pas pantoute ! Vos enfants doivent avoir pas mal poussé aussi ?

— Ah… bien oui ! Martin est déjà rendu à douze ans puis ma petite dernière a trois ans ! Ça va vite ! Puis vous, comment vous vous arrangez avec votre gang ? Restez-vous encore dans votre logement sur la rue Alfred ?

— Bien non, je suis rendue sur la rue Morgan en arrière de l'hôpital !

— Ah bon ! Vous avez trouvé un logement plus grand ?

— Non, non… Imaginez-vous donc que je me suis remariée au mois de mai passé avec mon Armand !

— Ah bien, sainte bénite, j'en reviens pas ! Vous êtes mariée ? Comment ça ? Vous l'avez rencontré où, votre Armand ?

— Vous allez pas me croire, mais je l'ai rencontré au salon mortuaire Brunette sur la rue Elizabeth !

— Mon Dieu ! C'est-tu un croque-mort ?

— Bien non, hi hi… Vous êtes drôle, vous !

— Bien là, madame Langevin, c'est parce que dans les salons mortuaires, à part des morts qui sont exposés là, y reste juste les croque-morts !

— Regardez bien ça… Avez-vous une petite demi-heure devant vous ? On pourrait aller prendre une liqueur pas loin, à la cantine du Prince. Je pourrais tout vous raconter ça.

— Moi, ma chère madame Langevin, j'ai tout mon après-midi !

— Bon bien, on y va ! Puis y a une affaire. Pouvez-vous m'appeler Annette ?

— Oui, oui. Si vous m'appelez Angèle, c'est bien sûr !

Annette fit bien rigoler Angèle au restaurant.

— Quand Julien, le frère de mon mari, Ernest, est mort du cœur, c'est au salon mortuaire que j'ai fait la connaissance d'Armand. Y travaillait avec Julien à la Tioxide. Puis quand Armand est arrivé au salon, je le sais pas comment qu'y a fait son compte, y était à genoux devant la tombe puis quand y est venu pour se relever, bien le prie-Dieu, y l'a amené avec lui! Y est tombé sur le dos devant tout le monde! Vous pouvez rire, Angèle! Je vois bien que vous êtes pas capable de vous retenir! Mais c'est comme ça que c'est arrivé pour le vrai!

— Oh, sainte bénite! Excusez-moi! Je suis plus capable de m'arrêter! Oh... Mais c'est quoi qui a fait que vous êtes mariée avec lui aujourd'hui?

— Bon, je continue... Quand y est tombé, y s'est pété la tête pas mal fort à terre puis y a vu des étoiles. Comme j'étais pas loin de lui, je lui ai offert mon bras puis j'y ai demandé si y voulait aller en bas pour prendre un café pour qu'y puisse reprendre ses esprits, vous comprenez? Mais là, ça s'est gâché, Angèle!

— Comment ça? Mon Dieu, qu'est-ce qui s'est passé?

— Bien... En descendant en bas, y a déboulé les marches au complet!

— Bien voyons donc, vous! Oh... Excusez-moi, je ris bien, mais je le sais, que c'est pas drôle! Désolée...

— Moi aussi, je trouvais pas ça drôle, mais aujourd'hui quand on en parle, je fais juste rire puis je braille en même temps!

— Oh... Qu'est-ce qui s'est passé après?

— Après? Bien... quand y a tombé de tout son long sur le tapis, je l'ai aidé à se coucher. Y avait un fauteuil en bas, puis j'ai resté avec lui jusqu'à tant qu'y soit... correct, vous comprenez? Avec tout l'énervement, j'avais pas remarqué qu'Armand, c'était quand même un beau bonhomme. Y avait une belle habit bleu marin avec une chemise blanche.

Puis croyez-moi qu'elle avait pas de cerne alentour du col! Je me suis dit qu'y devait avoir une femme bien propre. Là, je lui ai offert d'appeler sa femme pour pas qu'a s'inquiète parce qu'avec le coup qu'y venait de manger là, y était pas prêt à prendre son char tout de suite pour retourner chez eux! C'est là qu'y m'a dit qu'y était veuf depuis onze ans, mais y a été bien plus surpris quand je lui ai dit que j'étais veuve, moi aussi! C'est quand que je lui ai dit que j'avais sept enfants... bien là, y a failli tomber en bas du fauteuil!

— Eh, mon Dieu, je comprends bien qu'y doit avoir fait un maudit saut!

— Oui, mais j'ai fait un plus gros saut quand y m'a dit qu'y avait quatre gars puis deux filles.

— Sainte bénite, c'est toute une famille, ça! Qu'est-ce que ça a fait après ça?

— C'est sûr qu'on savait bien qu'on pouvait pas se fréquenter. Nous imaginez-vous au restaurant ou aux vues avec cette trâlée-là! Ça avait pas de bon sens. Pour faire une sortie à quinze, y aurait fallu louer une autobus!

— Oh... Je vais dire comme vous, un char, c'est pas assez grand! Puis après?

— Après, on voulait pas puis on voulait, vous comprenez? Bon bien, pour faire une histoire courte, on a sorti ensemble un bon deux mois pour que les enfants puissent faire connaissance un peu, puis après, on s'est mariés. Vu qu'Armand avait une maison avec trois chambres en haut, y a fini la cave puis y a fait un gros dortoir avec une séparation pour les filles puis les gars.

— Ouf… Puis pour le manger, le lavage, le ménage, ça doit vous coûter une fortune ?

— Ah bien oui, mais l'assurance que j'ai eue à la mort d'Ernest, je la mets avec la paye d'Armand puis on s'arrange avec ça ! Je vous dirais même qu'on mange des bons repas !

— Eh bien ! Mais, comme juste faire un pâté chinois, ça doit vous en prendre, du bœuf haché ?

— Oui, madame ! Sept livres de bœuf haché, cinq grosses boîtes de blé d'Inde à crème puis un bon cinq livres de patates !

— Mon doux doux, ça vous fait tout un gros pâté, ça !

— Oui, puis quand je fais des tartes au sucre, je fais pas des tartes, je fais deux grosses slides carrées à la place. Puis c'est rien, ça ! Y a Armand qui fume puis les quatre gars aussi. Puis les filles ! Ça fait huit filles en tout avec moi ! Les Kotex, on les achète à la boîte de cinquante puis les cigarettes, on les achète à coups de dix cartoons ! Quand on va faire l'épicerie, on ressort avec trois paniers. Ça prendrait quasiment la « dumpeuse » à monsieur Desnoyers des fois !

— Oh… Excusez-moi ! Mais, seigneur de la vie, vous devez toujours être encabanée dans votre maison à journée longue, ça a pas de bon sens !

— Bien non. Regardez aujourd'hui, je prends une liqueur avec vous au restaurant, c'est pas rien, ça ! Mon Armand est bien bon avec moi : le jeudi y me paye une femme à la maison de sept heures le matin à cinq heures le soir. Je fais rien de la journée ; pas de manger, pas de barda puis en plus, elle est bien fine, la Vivianne. C'est la cousine d'Armand, Vivianne Campeau. Elle reste sur la rue Guèvremont pas loin de chez nous. C'est sûr que la maison, c'est bien de l'ouvrage, mais j'ai un homme qui prend bien soin de moi puis l'important, c'est que lui, y boit pas ses payes à taverne comme mon Ernest faisait.

— Je suis contente pour vous, Annette, mais là, y est presque trois heures, puis y faut que j'aille au marché chez Thérèse pour chercher la viande pour faire un petit pâté chinois, vous comprenez?

— Hi hi... En tout cas, je suis bien contente d'avoir jasé avec vous, Angèle! On devrait faire ça plus souvent le jeudi après-midi, ça serait plaisant.

— Bien oui, pourquoi pas? Bien là, je vous laisse... puis bonne après-midi, Annette!

— C'est ça. Comme on dit, à la revoyure! Ah, juste une question, Angèle, c'est qui qui vous fait ça, cette belle petite coupe de cheveux là?

— C'est le beau Patrick au salon Trianon sur la rue George!

À quatre heures, Angèle était de retour. Elle avait rapporté pour sa mère un plat de tête fromagée provenant du comptoir de viandes de Thérèse, la cousine de Roger, et des suçons en sucre d'orge pour ses enfants, amoureux des friandises.

— Bonbons... bonbons!

— Si je te donne un suçon, ma belle Josée, c'est à condition que je te mette dans ta chaise haute! C'est trop dangereux, tu pourrais te défoncer le palais, ma petite puce. Puis toi, m'man, ton après-midi ?

— Ça a bien été, ma fille… Y a Claudia qui a appelé.

— Ah oui ? Qu'est-ce qu'elle voulait ?

— J'ai pas tout compris, ma fille, mais énerve-toi pas, hein ?

— C'est-tu grave ?

— Bien oui, ma fille… C'est Lise, en s'en venant dîner à midi. Elle s'est fait frapper sur le boulevard Fiset en face du dépanneur Allard…

— Non !… Non !… Elle est pas morte, m'man ?

— Non, mais elle est pas bien forte ! D'après ce que Claudia m'a dit, elle est pas mal maganée, la petite. Elle aurait une jambe de cassée puis une fracture du crâne…

— Non !… M'man ! A va-tu s'en sortir ?

— Là, Claudia le sait pas. Quand elle m'a appelée, y étaient en train de l'opérer, la petite.

Angèle pleura tellement qu'il ne lui restait qu'à prier le Bon Dieu pour que l'intervention soit réussie.

Quand Roger rentra de son travail, sa femme et ses enfants étaient tous regroupés autour de la table de cuisine. Angèle se mouchait, Martin pleurait avec Francine, Rose ne comprenait pas et Guylaine priait pour que Lise soit sauvée.

— Maudit ! J'ai entendu ça à CJSO, mais j'aurais jamais pu penser que ça pouvait être la fille de ta sœur ! Je m'en vais chez Gilbert !

— Bien voyons, Roger, tu sais bien qu'y a pas personne chez Gilbert ! Y sont tous à l'hôpital ! Lise est en train de se faire opérer !

— Ouin… Je vais aller à l'hôpital d'abord !

— Non, Roger ! Tu restes avec nous autres ici. M'man est avec Claudia puis c'est correct comme ça ! Elle va nous appeler quand elle va avoir des nouvelles.

— Allô…

— Allô, ma fille, c'est moi.

— Puis, m'man ?

— Elle est pas encore sortie de la salle d'opération. Je vous appelle juste pour vous dire ça parce que je sais que vous vous morfondez comme des bons à maison.

— OK. C'est qui qui l'a frappée, m'man ? On sait rien.

— Claudia m'a dit que c'était un livreur de chez Giovanni. Mais y roulait pas en fou. C'est Lise qui a pas regardé en traversant la rue ; madame Verville était assis sur son perron et elle a tout vu ça. C'est la police à l'hôpital qui nous l'a dit. Elle nous a dit que le jeune qui l'a frappée, c'était vraiment pas de sa faute puis que lui aussi, y est à l'hôpital à cause d'un choc nerveux. Bon bien, je vous laisse, je vais retourner avec Claudia puis Gilbert, ma fille.

— Comment elle va, ma sœur, m'man ?

— Elle s'est pas mal calmée. Elle dit qu'elle fait confiance au docteur puis qu'il va sauver sa fille.

— Oh, pauvre elle. Puis Gilbert, lui ?

— Gilbert, y braille sans bon sens ! Y est assis dans le corridor à côté de la salle d'opération puis depuis qu'y est là, y arrête pas de dire que si sa fille meurt, y va mourir avec elle !

— Bien voyons donc. C'est parce qu'y a trop de peine qu'y parle de même ! Y va falloir que quelqu'un lui dise qu'y a quand même deux autres enfants puis une femme ! Faut qu'y se reprenne ! Elle va s'en sortir, m'man ?

— On voudrait tous qu'elle s'en sorte, ma fille, mais tu sais comme moi que c'est en haut que ça va se décider ! Je te laisse puis je vous rappelle pour vous redonner des nouvelles… Appelle Richard puis Yolande. Moi, je retourne avec Claudia puis Gilbert.

Souvent nous disons que le temps passe beaucoup trop vite, mais en ce moment, l'attente était interminable. Déjà sept heures et toujours pas de nouvelles de la petite Lise. Richard et Yolande étaient apparus chez les Delormes à six heures et demie et le café se faisait ingurgiter à répétition.

Enfin, le téléphone. À huit heures, Emma rassura bien sa famille en leur annonçant que l'opération s'était bien déroulée et que pour l'instant tout se passait bien. Lise avait bel et bien été victime d'une fracture du crâne, mais le cerveau n'avait pas été atteint. Sa jambe, pour sa part, avait été fracturée à trois endroits.

Emma pleurait à chaudes larmes, mais à son réveil, Lise reconnut sa petite sœur Marie.

La convalescence serait longue. Lise, la petite miraculée, venait de travailler très, très fort pour demeurer avec les siens.

Quand Angèle annonça la bonne nouvelle à son monde réuni chez elle, tous se mirent à crier, à sauter, à danser la gigue en séchant leurs yeux rougis par les larmes.

— Hé, m'man !

— Oui, Guylaine ?

— Y manque les toasts !

— À matin y a pas de toasts. Mangez votre plat de gruau puis après je vais vous donner autre chose, OK ?

— Ah bon, OK.

— Hein ! Des Pop-Tarts !

— Bien oui, Martin. Ça faisait assez longtemps que tu m'achalais avec ça, toi !

— Oui, mais à la télévision, eux autres, y les font cuire dans le toaster !

— T'as juste à les mettre dans le toaster, mon Martin. T'as des bras, à ce que je sache !

— Tarts, tarts !

— Oui, ma chouette, maman va t'en donner un.

— Puis toi, ma femme, t'en manges pas ?

— Bien non. J'avais pas vu sur la boîte qu'y en avait juste six dedans !

J'en mangerai la prochaine fois, c'est tout !

— Tiens, je te donne la moitié du mien, mais la prochaine fois tu vas me faire le plaisir d'en acheter deux boîtes, ma belle noire !

Dans la matinée, aux informations locales de CJSO, on mentionna l'incident qui était survenu la veille sur le boulevard Fiset. Les policiers donnèrent un compte-rendu de l'événement en concluant qu'aux dernières nouvelles, la petite Beaucage se portait bien.

— M'man, regarde !

— Wow ! T'as gagné ça à l'école, ce beau toutou-là ?

— Oui, c'est madame Sarrazin qui l'a fait tirer !

— Où tu vas le mettre ? Y est gros en titi !

— Patou ! Patou !

— Non, Josée, c'est pas Patou ! C'est Gringo !

— Puis tu lui as déjà donné un nom ?

— Non, c'est pas moi, c'est Jean-Luc ! C'est beau comme nom, m'man ?

— Bien oui… C'est qui, ce Jean-Luc-là, Francine ?

— Ah, y va à Saint-Viateur. Y est dans la classe à Martin.

— Puis Benoît, lui, qu'est-ce que tu fais de lui ?

— Voyons, m'man ! Jean-Luc, c'est pas mon chum, c'est un ami ! C'est encore Benoît, mon chum, même si y est rendu au collège Sacré-Cœur !

— C'est Jean-Luc qui, son nom ?

— Laframboise, m'man. C'est le cousin de La Fraise !

— Martin Delormes ! Veux-tu bien arrêter, fatigant ! Je me moque pas de ta blonde, moi !

— Ah oui ! Martin, y a une blonde, Francine ? C'est qui ?

— Toi, ferme-la, Francine Delormes ! Mêle-toi de tes maudites affaires, OK ?

— C'est Diane Poulin, m'man. Elle reste dans une écurie !

— Oh… hi hi… Bon, arrêtez de vous chamailler puis allez
faire vos devoirs ! Si vous les faites pas avant souper, vous
pourrez pas écouter *Ma sorcière bien-aimée* après souper !

— Eh, maudit ! Comment ça se fait que c'est toujours moi
qui pogne la lumière rouge avant de prendre le pont, puis
quand qu'a tombe verte puis que je prends le pont, je re-
tombe sur la rouge l'autre bord ?

— Bien voyons, mon mari ! C'est parce que t'es pas chanceux ! Viens donc prendre ta petite bière, ça va te relaxer…
Puis, t'as eu une grosse journée aujourd'hui ?

— Non, pas trop. Quand ça pète pas tout en même temps,
on passe une journée pas si pire… Qu'est-ce que t'as fait
pour souper ? En passant, tes sandwichs au jambon passé
au petit moulin à midi, y étaient bonnes en maudit !

— Ah oui ? Bien, tant mieux ! On mange de la fricassée
puis au lieu de mettre les patates dedans, j'ai fait des galettes aux patates.

— Mmm… Des bonnes galettes de patates avec ton bon
ketchup ! Puis, ta journée à toi ?

— Je suis allée faire un tour chez Claudia avec la petite
pour voir Lise puis y m'ont gardée à dîner. Lise s'en vient
bien. Elle va faire enlever son plâtre la semaine prochaine,
mon mari !

— Tant mieux ! Elle l'a échappé belle, cette enfant-là !

— Bien oui ! Francine, elle, elle s'est fait un nouvel ami, c'est un Laframboise ; puis Martin, une nouvelle petite blonde, Diane Poulin.

— Mon Dieu ! C'est des drôles de noms, ça !

— M'man ! Je peux-tu appeler Solange Lebœuf pour mon devoir de mathématiques ? J'ai oublié mon livre à l'école.

— Bien oui, Rose.

— Eh bien ! Sais-tu qu'on est quasiment en train de se bâtir une ferme, ma femme ! Moi, je pense que je vais appeler Bernard Pigeon à shop pour qu'y se joigne à nous autres !

— Roger ! On rit pas du nom des autres !

— Bien, pourquoi tu ris d'abord ?

— Oh, pour rien...

Pendant le souper Angèle annonça à tout son monde comment s'était déroulée la rencontre avec leur ancienne voisine, madame Langevin, qui vivait maintenant avec son Armand, et le fou rire s'enclencha pour toute l'heure du repas.

— Allô !

— Est-ce que je pourrais parler à Rose, s'il vous plaît ?

— Oui, une minute... Rose ! T'es demandée au téléphone, ma fille !

Rose fut sidérée de reconnaître la voix d'Olivier. Il lui téléphonait dans le but de l'inviter, avec sa sœur Guylaine, à passer une partie du temps des fêtes avec eux.

Après leur conversation enjouée, Angèle discuta avec Laurette. À Drummondville, tout allait bien. Yvette commençait placidement à apprivoiser la vie familiale et elle s'était initiée au bingo, qui avait lieu le lundi soir à la salle paroissiale Saint-Jean-Baptiste. Angèle lui relata l'accident de Lise et, profitant de cet appel téléphonique, elle invita Laurette et sa famille à passer la journée du samedi avec eux, la priant également de ne pas dévoiler cette invitation afin de faire une surprise aux enfants.

Les enfants regardaient les dessins animés dans le salon. Depuis que Roger avait acheté leur téléviseur couleur, la matinée du samedi se déroulait paisiblement jusqu'à onze heures et demie.

Roger surveillait attentivement l'arrivée de la vieille Ford Victoria dans son stationnement dans le but de prier les invités d'emprunter le chemin menant à l'entrée du sous-sol.

— Rose! Guylaine! Allez en bas me chercher le linge sur la corde!

— M'man! On peut-tu y aller après Lassie?

— Ça va prendre deux minutes. C'est pour ça que je vous envoie toutes les deux, pour que ça aille plus vite! Oust, allez-y!

Ça bougonnait là. Au sous-sol, les deux filles eurent la surprise de leur vie. Tels des fantômes pétrifiés, les garçons s'étaient camouflés derrière les draps pendillant sur la corde à linge, et Laurette s'était dissimulée près de la porte derrière la fournaise à l'huile.

Quand Rose tira sur le grand drap bleu et qu'elle aperçut Olivier, elle se mit à crier en lui sautant dans les bras pour finalement lui déposer un baiser sur la joue. Guylaine se mit à fouiller partout à la recherche de David et elle le trouva derrière le grand lavabo aux pattes écartelées. David rigolait, mais en même temps, il était un tantinet déçu de ne pas avoir reçu le même privilège que celui que son frère avait récolté sur ses joues écarlates.

— Montez en haut, le monde ! C'est bien le fun, des surprises, mais y faut pas crever de faim non plus, hein !

— Bien non, Angèle, tu sais bien qu'on peut pas se passer de tes bons repas !

Le dîner était délicieux : du pâté au poulet accompagné d'une salade de chou, une tarte aux pommes et une autre à la citrouille. L'ami de Francine, Jean-Luc, arriva à la toute fin du repas, et elle obtint la permission de l'inviter dans sa chambre à la condition de laisser la porte béante. Guylaine demeura dans le salon avec David et Josée. Le divan était bondé : David, Guylaine, Patou, Grisou, Josée et Nannie. Rose s'était retirée dans sa chambre avec Olivier, où la porte était aussi demeurée grande ouverte. Martin était allé sur la rue Victoria pour rejoindre Diane.

— Aimes-tu toujours ta nouvelle école, Olivier ?

— Bien oui ! Mais là, Rose, je veux qu'on parle plus sérieux… Moi, j'aime ça quand on s'écrit des lettres, mais je m'ennuie de toi quand même bien gros ! Faudrait trouver un moyen pour se voir plus souvent, tu penses pas ?

— Je voudrais bien, moi aussi, Olivier, mais t'es à Drummondville ! C'est bien trop loin ! Moi aussi, je m'ennuie de toi, mais je pense qu'y va falloir attendre que j'aie au moins douze ans ! Peut-être que ma mère puis mon père vont me donner la permission d'aller chez vous en autobus rendu dans ce temps-là. On sait jamais !

— Oui, c'est une bonne idée, ça… Une fin de semaine toi, l'autre moi. Mais y a juste une affaire, par exemple : l'autobus qui vient à Drummondville, a passe par Saint-Hyacinthe avant, ça fait que au lieu de prendre une heure, ça en prend deux. C'est pas mal plus long !

— Moi, ça me dérangerait pas, Olivier. Mais ça, c'est juste dans deux ans. Toi, tu vas avoir seize ans, t'as le temps d'avoir une autre blonde en attendant !

— Oh non ! Je t'ai dit que je vais travailler au Bell Téléphone puis qu'on va se marier pour rester ensemble ! C'est toi qui vas être ma femme. Ça serait beau, Rose Beausoleil, hein ? Moi, je vais t'appeler Rose *mon soleil*, puis si on a une fille on va l'appeler Marie-Soleil !

Pour une seconde fois, Rose se jeta dans les bras d'Olivier, mais elle ne l'embrassa pas de peur d'être vue par ses parents.

— Regarde-les donc, Laurette, sur le fauteuil ! On dirait que Guylaine, c'est la sœur de David ! Ça se peut-tu comment y peuvent se ressembler, ces deux-là ! J'avais pas trop remarqué avant, mais là, assis un à côté de l'autre comme ça, c'est frappant !

— Bien oui, Roger... Qu'est-ce tu veux ! Mon Paul qui aurait aimé avoir une fille, pensez-vous qu'il l'aurait pas aimée, cette enfant-là ? Puis c'est normal qu'y se ressemblent comme ça, c'est des cousins !

— Puis Laurette ? Vu qu'on s'appelle par nos petits noms puis qu'on est devenues des bonnes amies, on peut-tu espérer un jour te voir arriver avec un nouveau chum ?

— Crime, Angèle ! Y me semble que je me vois pas pantoute avec un autre homme que mon Paul, moi !

— Je te comprends bien, Laurette, mais regarde ma sœur Yolande puis ma mère ! Elles disaient pareil comme toi puis aujourd'hui Yolande est mariée avec son Fabien puis ma mère est en amour par-dessus la tête, hein, Roger ?

— Oui, puis elle est bien heureuse depuis ce temps-là !

— Bien moi, je verrais pas comment je pourrais rencontrer quelqu'un de toute façon. Je sors juste pour aller au marché puis faire mon épicerie, crime !

— Mais y disent qu'à l'épicerie, c'est une bonne place pour rencontrer du monde, le marché aussi.

— Me voyez-vous, vous autres, avec un nouveau chum ?

— Bien oui, ma Laurette. Regarde l'année passée au chalet de Fabien quand t'étais venue passer quelques jours. Monsieur Brisebois à côté, il te trouvait pas mal de son goût ! Je te gage que si tu serais restée encore deux jours de plus, ça y était !

— Oh... hi hi... Je pense pas, moi. C'est sûr que j'avais trouvé qu'y avait l'air d'un bon gars, mais moi, un homme qui parle en habitant comme ça puis qui a toujours la même salopette sur le dos avec une chemise qui tient debout toute seule, non, pas pantoute, Angèle !

— Ouin… C'est sûr qu'un gars de la ville, ça serait pas mal mieux pour toi, hein !

— Regardez, les femmes, je vais zieuter ça à shop. Des célibataires puis des veufs, j'en connais en masse !

— Bien voyons, Roger ! De toute façon, je reste à Drummondville !

— Bien oui, mais je vais t'en trouver un qui a un char, bonyeu ! Puis en plus, je vais t'en trouver un qui met pas de salopette puis qui sent l'Aqua Velva !

— Ho ! hi hi…

Chapitre 3
LA NOUVELLE ANNÉE 1966

Un merveilleux Noël s'annonçait pour les enfants. La famille partait pour Drummondville. De plus, quand ils reviendraient à Sorel dans la journée du vingt-six, dans la voiture ils ne seraient que cinq, car les deux gazelles allaient poursuivre leurs vacances chez leurs cousins jusqu'au trente et un décembre.

La voiture était chargée à bloc avec les nombreuses valises et Roger ferma le coffre arrière avec toutes les misères du monde. En tous les cas, s'il vénérait la messe de minuit à l'église Saint-Maxime, il allait être ébahi quand il assisterait à la cérémonie chrétienne de l'église Saint-Jean-Baptiste sur la 11ᵉ Avenue.

Par chance, durant la nuit les déneigeuses avaient dégagé les rues de la lourde neige qui était tombée la veille. Martin était parti remettre la clef de la maison à madame Desnoyers. C'était bien excitant, les vacances, mais il ne fallait pas que Nannie, Grisou et Patou meurent de faim non plus.

Laurette avait tout prévu pour héberger ses invités. Francine, Guylaine et Rose dormiraient en travers du grand lit dans la chambre d'Olivier, Martin aurait un petit lit pliant dans la chambre de David avec Olivier, et Roger, Angèle et Josée seraient installés dans la chambre de Laurette. Cette dernière emprunterait la chambre de sa mère, Yvette, qui avait été invitée chez sa sœur Cécile à Saint-Germain-de-Grantham.

Laurette n'avait pas encore touché à l'arbre de Noël, tout frais dans le coin de son salon ; elle en réservait le plaisir de la décoration aux enfants. Les boîtes de boules multicolores, les guirlandes de lumières, les glaçons et les cheveux d'ange sommeillaient sur le divan, espérant que des petites menottes joyeuses s'en emparent pour habiller le grand conifère qui, dans sa nudité, inspirait la pitié.

Le réfrigérateur était rempli de victuailles. Pour le dîner, Laurette avait cuisiné une grosse soupe aux tomates avec des petits pains fourrés au poulet et d'autres au jambon. Au souper, elle ferait livrer de la poutine du restaurant Roy Jucep sur le boulevard Saint-Joseph, ce mets typique des Québécois qu'elle ferait connaître à ses invités. Le soir de la sainte nuit, elle servirait un ragoût de pattes de porc avec de la tourtière, et de la dinde qu'elle aurait fait mijoter toute la journée dans son bouillon doré.

Le matin, Olivier et David dégagèrent l'entrée et la galerie, et Cécile vint chercher sa sœur Yvette à dix heures en promettant à Laurette qu'elles reviendraient toutes les deux dans l'après-midi du vingt-cinq pour festoyer avec eux. Puis, les invités de Sorel furent accueillis à bras ouverts.

— Je peux-tu t'aider à mettre au moins la table, Laurette ? Ça a pas d'allure de voir tout ce que tu as fait pour nous autres ! Tu dois avoir passé deux jours dans ta cuisine, sainte bénite !

— Ah bien, oui… Mais tu sais, Angèle, quand on le fait avec la joie dans le cœur, c'est pas mal plaisant !

— T'es bien fine, ma Laurette ! En plus, ça adonne bien qu'y fasse pas trop froid. Même Roger est parti avec les enfants dehors ! Ah bien ! Veux-tu bien me dire qu'est-ce qu'y font tous dans la cour ? Sainte bénite ! Roger est en train de faire une patinoire !

— Crime ! Y a ça dans le goût ! Olivier doit avoir été chercher des pelles chez madame Coulombe à côté parce que moi, j'ai pas cinq pelles ici ! J'avais dit aux gars qu'y pourraient aller patiner à l'école Notre-Dame-du-Rosaire, mais là, y vont toujours être dans la cour en arrière, ça va être pas mal moins inquiétant ! Puis y vont pouvoir venir se réchauffer les pieds ici. C'est là qu'on voit qu'un homme dans une maison, c'est bien important, hein, Angèle !

— Un jour ça va venir, ma Laurette. T'es pas pour finir ta vie toute seule, t'as juste trente-huit ans, câline !

— Ouf… ça, je le sais pas, Angèle ! En tout cas, c'est l'avenir qui nous le dira…

Quel beau réveillon eut lieu ce soir-là ! Roger avait été ravi de la belle messe de minuit chantée à l'église Saint-Jean-Baptiste. Après avoir festoyé et distribué tous les présents, les invités s'endormirent à trois heures du matin, heureux et comblés.

Le vingt-huit décembre, une bonne précipitation de deux pieds de neige vint allègrement s'étaler sur la vieille neige récemment granulée et durcie. Sur le boulevard Fiset, les ski-doos déambulaient en rafales sans se préoccuper des véhicules qui, malgré la chaussée glacée, avaient pris le risque de s'aventurer sur les routes.

Francine voyait de moins en moins Benoît. Elle préférait la compagnie de Jean-Luc. Martin fréquentait de plus en plus la petite Poulin, et Rose rêvait toujours de devenir madame Beausoleil.

Le trente et un décembre, Emma reçut toute sa famille pour fêter l'arrivée de la nouvelle année 1966. Chaque année qui défilait, il y avait toujours un nouvel épisode de vie qui s'ajoutait aux autres. Fabien avait succédé à Gaétan, Paul était apparu dans la vie d'Emma, et trois enfants étaient nés, Sylvie, Sylvain et Delphine. Une tradition cependant demeurait inchangée : la bonne soupe aux légumes et les mokas d'Emma ainsi que la bénédiction paternelle.

— Eh, maudit ! Le mois de février est pas passé ! D'après moi, ma batterie de char achève, puis va falloir que je la change bien vite. Sais-tu quoi, ma femme ?

— Bien non, mon mari, c'est quoi la nouvelle ?

— C'est pas une grosse nouvelle, mais je pense que tu vas être bien surprise ! La nouvelle secrétaire qui avait remplacé

Raymonde y a deux ans, mademoiselle Robitaille, elle a laissé sa job puis y en ont engagé une nouvelle...

— Ah ! La connais-tu ?

— Tiens-toi bien, ma femme ! Elle s'appelle Edwidge !

— Ah bien, maudite marde ! C'est-tu une farce que tu me fais là, toi ?

— Bien non, ma femme, puis laisse-moi te dire qu'elle était pas habillée en guidoune à matin pour sa première journée !

— Elle t'a-tu reconnu ?

— Oui, elle arrête pas de dire aux gars à shop qu'elle est ma voisine.

— M'en vas y en faire une, voisine, moi ! Tu sais bien qu'elle a pas l'air d'une secrétaire pantoute ! Juste à la regarder on voit bien qu'elle a juste l'air d'une courailleuse, sainte bénite !

— Bien voyons, Angèle, elle est juste là pour travailler ! De toute façon, si elle fait pas l'affaire, y a garderont pas !

— J'en reviens pas ! On voit bien qu'a cherche juste ça, engourloucher les hommes mariés ! Si elle était belle au moins, mais elle a l'air d'un vrai pichou !

— C'est sûr que c'est pas une beauté...

— Qu'est-ce tu veux dire, Roger ?

— Rien, je veux dire que si elle continue à s'habiller comme du monde, y devrait pas avoir de problème, mais si elle commence à s'habiller comme dans la cour en arrière, y a les veufs puis les célibataires à shop qui vont loucher, c'est sûr !

— Ouin… En tout cas, c'est elle qui va avoir l'air la plus folle là-dedans si elle s'attrique comme la chienne à Jacques. Changement de propos : ton frère Marcel a appelé pour savoir si tu pouvais lui passer ton banc de scie. Il voudrait couper du bois pour faire son garde-robe de cèdre dans sa cave.

— Oui, oui… Y a juste à venir le chercher, y est dans le fond de la cave àcôté du gros lavabo. Qu'est-ce qu'on mange, ma belle femme, à soir ?

— Du jambon avec des patates rôties puis du blanc-manger.

— Mmm… Y nous reste-tu du bon sirop d'érable pour manger avec ça ?

— Oui, oui. Le gallon doit être à moitié encore… Cette année faudrait amener les enfants à la cabane à sucre.

— C'est une bonne idée, ça, ma femme ! De la bonne tire d'érable sur la neige ! Mmm… ce serait bon ! On pourrait demander à Paul puis à ta mère de venir avec nous autres !

— Va falloir que je lui demande d'avance parce que depuis que m'man est avec son beau Paul, je la vois quasiment juste quand elle vient garder Josée le jeudi. Elle a l'air bien heureuse, ma mère… Elle m'a dit qu'elle pensait de laisser sa job au Woolworth au printemps, mais y a juste une affaire qui l'inquiète. C'est sûr que Paul veut tout payer pour elle, mais si un jour ça marche plus, elle va faire quoi après ? Elle va avoir soixante et un au mois de mai. Ça y tentera pas bien bien de retourner travailler dans un restaurant !

— Qu'est-ce qu'y attendent, ces deux-là, pour se marier ?

— Je le sais pas, Roger. Je sais toujours bien que Paul, lui, y demande juste ça… Y pourrait lâcher son logement sur le marché Saint-Laurent ! C'est plate, y voyage tout le temps d'un bord et de l'autre, câline !

Après le souper Francine demanda à sa mère si Jean-Luc pouvait venir veiller avec elle, mais comme on dit, elle avait « frappé un nœud », car il n'était pas question d'inviter des amis à la maison un soir de semaine.

À sept heures, les Delormes écoutèrent *Mon martien favori* et à sept heures et demie, *Les joyeux naufragés.* À huit heures, les enfants implorèrent leurs parents d'écouter *Cré Basile,* mais malheureusement, ce n'était pas une émission à faire écouter à de jeunes enfants.

— Écoutes-tu les nouvelles avec moi, ma femme ?

— Je peux en écouter un petit bout avant d'aller me coucher. Mets-les au canal 10. J'aime pas ça, les nouvelles à Radio-Canada, mon mari.

— Bien oui, ma femme ! Puis demain, c'est quoi ta journée ?

— Chut ! Y parlent de la bière Dow !

« Ottawa fait enquête à Québec sur la mort étrange d'une quinzaine de personnes. Tout indique que les victimes sont des consommateurs de bière et qu'ils sont tous décédés d'un arrêt cardiaque. »

— Bien voyons donc, toi ! Puis qu'est-ce que la bière Dow vient faire dans cette histoire-là ?

— Écoute donc, Roger.

« C'est une bière à laquelle on a ajouté des enzymes pour faire une bière plus mousseuse. »

— Bien maudit de maudit ! Ça fait des années que je bois cette bière-là, moi ! Bien, j'en reviens pas, ma femme !

— Tu sais qu'est-ce que ça veut dire, ça, Roger ?

— Oui, oui… En plus, j'en ai une caisse pleine en dessous de l'établi en bas ! Maudit que c'est pas drôle, du vrai gaspille !

— Y vont vous remettre votre argent, tu sais bien. C'est pas du gaspillage !

— Ouin… T'as bien raison.

— Viens-tu te coucher, mon mari ?

— Oui. Je vais juste regarder nos Canadiens où est-ce qu'y sont rendus. Y faudrait bien qu'y nous gagnent une autre Coupe Stanley comme en 64 ! Je me souviens encore du beau but de Jean Béliveau quand y ont gagné quatre à trois contre les Blackhawks de Chicago. Maudit que ça avait été une belle partie ! En tout cas, de ce qu'on avait vu aux nouvelles ! Un jour, les parties vont bien passer au complet à la télévision !

— Oui, mais ça, c'était grâce au goaler aussi !

— Bien oui, ma belle noire ! Worsley, c'est le meilleur de la Ligue nationale ! Puis leur coach, Toe Blake, si y avait pas été là, je suis pas sûr qu'y auraient gagné la Coupe, moi !

— C'est toute une équipe, en tout cas. Y nous font honneur, les Canadiens !

— Oui, madame ! En tout cas, pour ma bière, je vais commencer à boire de la Labatt 50, ma femme !

— Bien oui, Roger, toi, tu connais ça !

« Ici CJSO, Radio du Bas-Richelieu. Vous écoutez *Musique choisie*. Aujourd'hui nous allons vous faire entendre les cinq premières positions de notre palmarès :

Devant le juke-box, avec Ginette Sage et Guy Boucher ;

Aline, de Christophe ;

Un jeune homme bien, de Petula Clark ;

Monsieur Cannibale, de Sacha Distel ;

et finalement, notre numéro un de la semaine, *La poupée qui fait non*, avec Bruce Huard et les Sultans. »

Toc, toc, toc !

— Allô, m'man ! T'es-tu venue à pied ?

— Bien non, ma fille, c'est Paul qui est venu me mener ! Fais ça vite, y va aller te reconduire en ville !

— Y est donc bien fin, lui, à matin ! Ce sera pas long, je m'habille ! Josée, viens voir, grand-maman est là !

Chez Cardin & frères il ne restait qu'un seul quarante-cinq tours de Jenny Rock, et Angèle l'agrippa immédiatement en même temps que celui de Tony Roman, *Do Wha Diddy*. Depuis que les filles avaient vu gesticuler ce chanteur à *Jeunesse d'aujourd'hui*, elles ne cessaient de sauter partout et de chanter avec une brosse à cheveux dans les mains.

Au marché Richelieu, au comptoir de Thérèse, Angèle croisa ses sœurs Claudia et Yolande, et elles se retrouvèrent toutes trois attablées à la cantine du Prince.

— Je pense à ça, moi là... Vous travaillez pas aujourd'hui, vous deux ?

— Bien voyons, Angèle. Depuis le temps que je travaille au United, tu sais pas encore que je suis en congé le jeudi ?

— C'est bien trop vrai ! Puis toi, Claudia, Saurel Shirt ?

— Hou, hou, ma sœur ! Depuis le temps que je travaille là, tu sais pas encore que je finis à trois heures ? Y est trois heures et quart !

— Sainte bénite ! Je suis donc bien mêlée après-midi, moi !

Elles bavardèrent jusqu'à quatre heures. Yolande informa ses sœurs que Fabien en arrachait avec son plus vieux de quinze ans. Celui-ci jurait beaucoup et quand son père lui donnait l'ordre de rentrer à dix heures le samedi soir, bien, il ne rentrait pas avant minuit.

Sa Christianne, maintenant rendue à quatorze ans, avait commencé à fumer et elle sortait avec un garçon beaucoup plus âgé qu'elle. Il se prénommait Marcelet et il avait dix-sept ans.

Depuis que Yolande demeurait avec Fabien, elle avait beaucoup modifié son style. Elle s'enveloppait de beaux vêtements et se faisait coiffer chez Guy De Verchères tous les samedis matin. Aujourd'hui, elle portait un manteau brun en vison et un chapeau de feutrine orange brûlé. Elle était coiffée comme Nana Mouskouri, la jolie chanteuse qui interprétait la belle mélodie *Un Canadien errant*.

Claudia arborait son éternel bandeau de laine et sa canadienne beige. Elle avait déjà confié à ses sœurs : « Je suis bien comme ça, moi. » Ses cheveux commençaient à grisonner, mais elle dédaignait tout colorant et toute coupe de cheveux à la mode. Pourtant, cela l'aurait rajeunie de bien des années. Eh, non ! Une toque, en 1966 ! On en voyait de moins en moins, mais Claudia insinuait que c'était encore bien moderne.

— Puis, m'man ! Ça a bien été ?

— Bien oui, ma fille ! J'ai pas entendu Josée de l'après-midi ! Y a Grisou qui est pas revenu. Je l'ai mis dehors après que tu sois partie puis je l'ai pas revu…

— C'est un courailleux ! Des fois il part deux jours de temps, m'man ! Crains pas, quand y va avoir faim y viendra bien miauler pour rentrer !… Je réponds, m'man.

— Allô ! Ah, salut, matante Aglaé ! Comment ça va ?

— Pas trop bien, ma fille… Peux-tu me passer ta mère ?

Aglaé voulait informer Emma que son Paul-Emile venait de mourir d'une crise de cœur. Pauvre Aglaé ! Une autre qui allait être obligée de vendre sa maison familiale. Affaiblie par une cassure à la hanche qui ne guérissait que trop lentement, elle ne pourrait jamais être en mesure de s'occuper de sa maison toute seule.

Le samedi douze mars, le thermomètre indiquait cinquante degrés au-dessus de zéro. Dans le logement de Paul, une grande discussion régnait. Comment Emma et lui pourraient-ils bien annoncer leur mariage prochain à leurs enfants ? Emma avait dit oui à son Paul pour le vingt-sept août.

— J'espère bien qu'ils vont être contents, Paul !

— S'ils vont être contents ? J'en mettrais ma main au feu, moi !

— Oups, laisse faire, Paul, je vais répondre si tu veux. Je suis à côté.

— Allô.

— Bonjour, madame. Je suis le sergent Godbout de la police de Sorel.

— Oui ?

— Est-ce que monsieur Paul Cantara est là, madame ?

— Oui. Je vous le passe... Bonne Sainte Vierge, Paul ! C'est la police qui veut te parler !

— Hein ! Torrieu de torrieu, c'est-tu les enfants ?

— Oui, allô !

— Bonjour. Est-ce que vous êtes bien monsieur Paul Cantara qui reste sur le marché Saint-Laurent ?

— Oui, oui, c'est moi... Pourquoi ?

— Je suis au poste de police présentement puis j'ai devant moi trois contraventions que vous auriez pas payées depuis juin 64.

— Hein ! Êtes-vous sûr de ça, vous là ?

— Oui, monsieur !

— Mais j'ai jamais pogné de tickets depuis 64 ! Vous vous trompez !

— Bien regardez, j'ai affaire à sortir du poste. Je vais me rendre chez vous avec les papiers pour clarifier ça.

— C'est très bien, je vais vous attendre, je bouge pas d'ici.

Paul n'en revenait tout simplement pas. Qu'est-ce que sa future femme allait penser de lui ?

Ding dong !

— Bonjour, monsieur Cantara, je suis venu vous montrer les tickets...

— Ah bien, torrieu de torrieu ! Je vais te tuer, mon espèce de fou !

— Bonne sainte Anne, Paul ! Calme-toi !

— Tu l'as pas reconnu, Emma ? C'est Gaston, torrieu !

— Oh... bonjour, Gaston ! Là vous nous avez fait toute une peur !

— J'ai bien vu ça, baptême ! Je pensais qu'y était pour sauter su' moé ! Eh que j'aime ça jouer des tours, moé !

— Bien, tu m'as pogné d'aplomb, mon Gaston ! J'en reviens pas ! Rentre puis viens t'assir ! Qu'est-ce qui t'amène à Sorel ?

— Bien... Depuis que vous êtes venus en Ontario avec les enfants, je crois ben que je me suis mis à m'ennuyer de vous autres, bâtard ! Comment c'est qu'y vont, Martin puis Francine ?

— Y vont bien... Je te dirais même qu'y vont avoir un nouveau grand-père !

— Non !... Ah bien, baptême ! On va aller aux noces ? Ben, ça parle au maudit ! Puis, c'est quand ?

— Au mois d'août, le vingt-sept, mon Gaston. Penses-tu pouvoir être capable de venir ?

— Bien oui ! Puis aussi, je te dirais même que je vais être par ici au mois d'août !

— Hein ! As-tu décidé de t'en revenir à Sorel, mon escogriffe ?

— Ça, c'est si tu veux de moé, c'est ben sûr, mon frère !

— Ah bien, viarge de maudit que je suis content ! Tu t'en viens quand ?

— Aujourd'hui ! Si tu veux me garder une couple de se-maines le temps que j' me trouve une maison... Y me reste juste à faire livrer mon ménage à Sorel !

— Eh bien ! Qu'est-ce qui t'a fait décider de revenir par ici ?

— Une idée de fou, je crois ben ! J'ai vendu ma shop à bois puis je me suis dit : « Pourquoi que je m'en retournerais pas à Sorel avec mon frère puis ma sœur ? » En parlant de sœur, comment a va, la Huguette ?

— Aux dernières nouvelles, tout était correct. Elle va être bien contente, la sœur, quand elle va apprendre la nouvelle ! Tu sais qu'elle t'aime bien gros !

— Oui, je sais ça. Je vais l'appeler tout à l'heure. Elle va être surprise. Bon, pas de temps à perdre... Passe-moi donc le *Rivièra* puis le *Sorelois* que je regarde pour les maisons à vendre dans le coin ! Puis vous, Emma, vous avez l'air en forme ! Toujours aussi belle à part ça !

— Bien voyons, Gaston. Faites-moi pas gêner, vous là, là... Vous cherchez quoi comme maison ?

— Là, premièrement, tu vas me faire le plaisir de me dire « tu ». Après on va jaser, OK ?

— Bien oui, Gaston. Je vais te dire « tu ».

— Attaboy ! Moi, j'aime ça comme ça ! Bon... Je veux une maison pas trop grande, ça donne rien, je suis tout seul ! Une maison avec deux chambres, ça ferait bien mon affaire.

— J'ai ma belle-sœur qui vend sa maison. C'est pas une maison neuve, mais elle a été très bien entretenue.

— Ah oui ! Elle est sur quelle rue, cette maison-là, Emma ?

— Sur le boulevard Fiset...

— Hein ! C'est où ça ? Je me souviens pas pantoute de cette rue-là dans le temps que je restais à Sorel !

— Le boulevard Fiset, Gaston, c'est l'ancienne rue Royale !

— Ah bien, pourquoi qu'y ont donné un nom de même ? La rue Royale ressemble pas à un boulevard pantoute, joual vert !

— C'est à cause du docteur Fiset ! Tu sais, celui qui était maire de la ville !

— Oui, je me souviens de lui, mais pourquoi changer la rue Royale pour lui ?

— C'est parce que quand y est mort en avril 64, y ont nommé la rue Royale le boulevard Fiset en son honneur. Robert Fiset, c'était tout un homme, tu sais !

— Ah bon... Y était pas vieux, lui ?

— Non, y avait juste soixante-cinq ans. Y est mort du cœur.

— Puis, elle est où, cette maison-là sur le boulevard Fiset ?

— Hum... Toi, Emma, qu'est-ce tu dirais d'avoir un maudit tannant de voisin comme mon frère ?

— Moi ? Je pourrais peut-être m'accoutumer à lui !

— Baptême ! Vous voulez dire que je resterais pas loin de
chez vous ?

— Oui. Au 176, boulevard Fiset, mon Gaston. C'est la
maison à côté de chez nous.

— Appelle ta belle-sœur, Emma, on va aller la visiter
aujourd'hui ! Comment qu'a demande pour sa maison ?

— Je pense que c'est onze mille cinq cents piastres, puis ça,
c'est sans les agents d'immeubles, mon Gaston !

Chapitre 4
LES SUCRES

Vu la température douce des derniers jours, les cabanes à sucre soulignèrent l'arrivée du printemps en ouvrant grand leurs portes aux visiteurs. À l'érablière Daneau, dans le rang Rhimbault à Sainte-Victoire-de-Sorel, le téléphone ne dérougissait pas. Tout le monde appelait en même temps pour faire leurs réservations. Roger et Angèle avaient pris des places pour trente personnes.

Francine était assise à une grande table avec Jean-Luc, Martin et Diane. Pour avoir la paix, comme ils le disaient, ils s'étaient installés tout près de l'orchestre, mais de l'autre côté de la salle pour éviter l'espionnage des parents et le dérangement des jeunes enfants. Aussi, il y avait nettement un moment pour se rapprocher et se câliner pendant que l'orchestre interprétait un air romanesque qui incitait les adolescents comme les grands à se plaquer les uns contre les autres et à se fredonner de petites sérénades à l'oreille.

J'avais dessiné sur le sable
Son doux visage qui me souriait
Puis il a plu sur cette plage
Dans cet orage, elle a disparu
Et j'ai crié, crié : « Aline ! » pour qu'elle revienne
Et j'ai pleuré, pleuré, oh ! j'avais trop de peine[1]

---

1 Extrait de la chanson *Aline*, de Christophe (1965).

Après s'être rassasiés d'omelettes, de fèves au lard, d'oreilles de Christ et de grands-pères noyés dans le sirop d'érable, les Delormes dansèrent sur des sets canadiens, des polkas, des cha-cha-cha et des merengues.

Puis en après-midi, juste avant d'aller manger de la bonne tire d'érable sur la neige, Paul se présenta au micro avec Emma pour annoncer leur prochain mariage, ce qui ne fut pas une grosse surprise pour la famille. Ils s'en doutaient depuis belle lurette et avaient plutôt hâte d'aller s'émoustiller et danser la rumba.

À la cabane à sucre Daneau, les parents n'étaient pas inquiets de laisser leurs enfants libres comme l'air. Ceux-ci pouvaient s'amuser partout et se promener sur la piste de danse sans risquer de tout briser.

— Attention ! Ceux qui veulent manger de la tire sur la neige, on vous invite à nous rejoindre à l'extérieur.

— Puis Roger, la Labatt 50, as-tu fini par t'habituer tranquillement ?

— Oui, oui. C'est sûr que ça goûte pas comme la Dow, mais faut croire qu'on s'habitue à tout, mon Richard ! Puis vous autres, comment ça va dans votre belle maison neuve à Sorel-Sud ?

— On aime bien le coin, puis vu que c'est un nouveau développement, y a beaucoup de jeunes enfants, ça fait que les jumeaux s'ennuient pas bien bien.

— Michèle, elle, elle s'ennuie pas trop de pas faire l'école ?

— Pas pour tout de suite. Elle est là dans la fenêtre qui mange de la tire d'érable avec les enfants puis à la regarder, je pense qu'elle est bien contente d'élever sa petite famille puis de rester à maison.

— Bien oui. Puis ta job à l'hôpital, ça va ?

— Ah bien, oui ! Tu sais, Roger, que la maladie, c'est pas bien drôle. Regarde juste le cancer : y disent qu'y a juste une personne sur trois qui peut s'en sortir, puis moi, j'ai toujours voulu sauver le monde. Ça marche pas bien tout le temps, même que ça fait mal aussi quand on voit partir un de nos patients. Mais quand je sais qu'au moins je peux leur faire du bien, ça me rend heureux. Tu peux pas savoir qu'est-ce que ça me fait en dedans !... Voyons, mon Roger, t'es donc bien émotif à midi !

— Quand je t'entends parler de même, je sais bien que c'est pas tout le monde qui ont de la chance comme nous autres d'être en santé. Regarde les parents de Guylaine... y sont morts tous les deux.

— Bien oui, mais Roger, on aurait-tu pensé pour la petite Lise, la journée qu'elle s'est fait frapper, qu'elle serait avec nous autres aujourd'hui en train de manger de la tire d'érable ?

— Oui, c'est sûr... En tout cas, moi, je demande à tous les jours au Bon Dieu de laisser la santé à mes enfants puis à ceux des autres. Je le sais pas si il va m'écouter pour bien des années, parce que moi, le repos de l'éternité, je voudrais bien que ce soit juste quand on va être bien, bien vieux...

— Oui, Roger... T'as bien raison, puis moi, je suis docteur pour ça, pour m'assurer que cette route de l'éternité là soit bien longue.

Toute bonne chose ayant une fin, il fallait laisser la place aux nouveaux arrivants qui avaient réservé la cabane à sucre pour cinq heures. Une chose était certaine, c'était que tout le monde avait passé une très belle journée, sauf que quelques mères de famille prendraient une bonne heure de leur temps pour décrasser les bottes et les souliers souillés de boue.

— Ouf... Je pense que je ferai pas à souper, Roger ! Je suis encore pleine, moi ! Faudrait qu'on fasse ça à chaque printemps, se réunir toute la famille comme ça. On le fait pas assez souvent, mon mari.

— T'as bien raison, ma belle noire !

— Qu'est-ce que t'as, Roger ? T'as l'air bien songeur...

— Bof... C'est parce que je vois encore notre Francine dans les bras de son Jean-Luc. Ça me fait tout drôle ; je me sens comme un vieux croûton, ma femme !

— Voyons donc, Roger ! À part deux ou trois petits cheveux blancs, ça paraît pas pantoute que t'as trente-huit ans !

— Eille, toi ! J'ai pas de cheveux blancs !

— Ah oui ? C'est quoi ça, d'abord ?

— Regarde donc ça, j'avais pas vu ça, moi ! Ah bien, maudit !

— Allô, ma femme ! Sais-tu que quand y disent « en avril ne te découvre pas d'un fil », aujourd'hui on pourrait dérouler la bobine au complet ? Y fait soixante-dix dehors !

— Hi hi… Viens t'assir, je vais prendre une petite bière aux tomates avec toi ! Puis, ta journée ?

— Une bonne journée, surtout que là, y commence à faire chaud pour le vrai à shop. Je te dis que l'été est pas passé ! Sais-tu quoi ?

— Non, mais tu vas me le dire…

— Edwidge m'a demandé de la voyager à Québec Iron ! Elle m'a dit que son char était au garage pour la semaine.

— Quoi ! J'ai-tu bien entendu ? Elle a du front tout le tour de la tête, elle !

— Bien voyons, Angèle, j'y ai pas dit oui !

— Que je te voie y dire oui, toi ! Y est pas question que cette femme-là assise son cul dans mon char, OK !

— Oh… Eh que tu me fais rire, ma belle noire !

— Moi, je trouve pas ça drôle pantoute ! A peut pas le demander à un autre que toi ?

— Pas bien bien, dans le coin y a juste moi qui peux la voyager. Ça serait juste le temps que son char soit réparé, c'est tout ! Mais si tu veux pas je vais lui dire…

— En plus, tu vas mettre ça sur mon dos, Roger Delormes !

— Bien là, ma femme ! Je vais lui dire quoi si tu veux pas que je lui dise que c'est toi qui veux pas !

— Arrange-toi comme tu veux, mais que je sache jamais que tu l'as embarquée avec toi !

— Es-tu jalouse, Angèle ? Pourtant, tu devrais pas avoir peur, c'est toi la plus belle femme de la terre !

— Je sais que je peux te faire confiance, Roger, c'est elle que je truste pas… La femme la plus laide de la terre peut avoir n'importe quel homme si elle a le tour de l'engourloucher ! Elle, elle a l'air d'une vraie folle puis je serais pas surprise si elle sauterait sur toi ! Regarde juste l'année passée quand elle t'a demandé d'aller chez eux pour chercher le numéro à Clarence dans le directory puis quand qu'elle a demandé à Rolland de checker l'huile de son char dans son garage, c'est pas des preuves, ça ? A cherche juste ça, le sexe, cette femme-là ! On voit bien qu'elle est toujours en chaleur, maudit !

— Bon, bon… C'est OK, Angèle, je vais essayer de trouver quelque chose pour pas l'embarquer dans ton char, comme tu dis.

— C'est ça. Puis dis-lui donc que c'est moi à part de ça. De toute façon, je m'en fous parce que je lui parle jamais, à cette nounoune-là !

— En attendant, viens donc ici que je te berce un petit peu le temps qu'on finisse notre bière.

Bonjour, Rose mon soleil,

Comment ça va ? Moi, ça va bien, j'ai commencé à travailler la semaine passée. Je travaille le vendredi soir puis le samedi toute la journée au Dominion. Je pacte les commandes d'épicerie puis David a commencé à passer le Journal de Montréal. Tu diras ça à Martin. Pour moi, c'est sûr que c'est pas le métier que je veux faire, mais en attendant, ça me fait ça comme argent de poche.

J'ai choisi dans quoi je voulais étudier plus tard quand je vais finir mon secondaire. Je vais étudier en télécommunication. Ça va me donner une chance pour rentrer au Bell Téléphone. Mais ça, c'est si je suis capable d'avoir une bourse d'études, parce que c'est pas ma mère qui va pouvoir me payer ces études-là. Puis ça se peut aussi que le cours se donne pas à Drummondville, je pense qu'y se donne à Trois-Rivières.

Sais-tu, Rose, que quand on était jeunes, toi et moi, et que je te disais que je travaillerais au Bell Téléphone comme mon père, je pensais jamais qu'y aurait autant d'étapes que ça à passer.

C'était trop facile à onze ans de penser comme ça. Quand tu me disais que je voudrais pas être ton chum parce que t'avais juste sept ans puis que j'en avais onze, présentement on voit bien tous les deux que les années ont passé et on a encore quatre ans de différence.

Je veux pas te faire de peine, je t'aime trop pour ça. Si tu veux, on va faire chacun notre chemin dans la vie. Je connais pas mon avenir, pas plus que tu connais le tien. On pourrait se dire que dans cinq ans on va sortir ensemble, mais ce serait pas correct de penser de même. La seule affaire que je sais, c'est que t'es mon amie pour la vie et que tu seras toujours mon ange.

Bye, Rose mon soleil

Olivier, ton ami pour toujours xxx

Aujourd'hui le quatre avril, Gaston prenait possession de sa maison sur le boulevard Fiset. En attendant le camion de déménagement qui arriverait de l'Ontario incessamment, Emma et Paul avaient visité la nouvelle demeure dans le but de prêter main-forte à Gaston. Ils lavèrent les murs et installèrent les rideaux, et par la suite, ils étalèrent une épaisse couche de peinture qui rafraîchit le tout.

Quand le camion arriva, ils venaient tout juste de terminer la dernière couche de peinture dans le salon et la cuisine. Les deux déménageurs déposèrent les meubles dans la cuisine en attendant que ceux-ci se dénichent une place respectable.

Quand on achète une nouvelle maison, on ne voit pas toujours les anomalies dissimulées derrière des meubles ou bien des appareils ménagers. Le salon était tellement étroit que si Gaston voulait y placer son divan trois places et son La-z-boy, il fallait qu'il troque son meuble de télévision contre un téléviseur portatif et une petite table.

Face au salon, il y avait une petite chambre pour contenir un lit de trente-six pouces, et c'était tout. La chambre des maîtres se trouvait au bout du couloir avant l'accès à la cuisine. Le mobilier de chambre pouvait y tenir à la condition d'adosser le lit contre le mur.

La salle de bain faisant face à la chambre était très exiguë. Gaston avait commenté : « Un coup que t'es assis sur la bol, tu peux te brosser les dents en même temps, baptême ! » Pour la cuisine, ça pouvait aller, mais quant au garage, il était très étroit. Le matin même, en reculant, il y avait heurté le miroir de sa voiture.

— Penses-tu que tu vas pouvoir t'habituer, Gaston ? C'est petit en torrieu !

— Bien oui, mon frère ! Après tout, je suis tout seul puis je pèse quand même pas trois cents livres !

— Torrieu… tu passerais pas dans le passage !

— Tu viens-tu dîner avec nous autres, Gaston ? J'ai fait une tranche de lard bourrée avec des patates jaunes.

— Eh, baptême ! Du lard ! Je comprends donc que je vais y aller ! Sais-tu, mon Paul, que t'es bien chanceux d'avoir déniché une perle comme Emma ?

— Si je le sais ! Je remercie le Bon Dieu à tous les jours !

— Envoyez, les hommes, on va manger tout de suite parce que je veux faire ma vaisselle avant que madame Grondin vienne faire prendre son bord de robe à une heure.

— Tu fais de la couture pour les autres, Emma ?

— Non, non, c'est juste parce que Blanche, c'est mon amie de femme puis que je veux lui rendre ce service-là ! Elle a pas le temps de faire sa couture avec son magasin.

— Quel magasin qu'elle a ?

— Le magasin de santé sur la rue Augusta.

— Baptême, y doit rentrer des bonnes payes à maison avec celles de son mari ! Y travaille où, son mari ?

— Blanche a pas de mari ; elle a jamais été mariée. Je comprends pas parce que c'est quand même une belle femme, hein, Paul ?

— Bien oui. Si je t'aurais pas connue, je serais allé acheter des petites tisanes à camomille à son magasin, c'est sûr !

— Paul Cantara ! Je te rappelle qu'on va se marier au mois d'août !

— Crains pas, ma belle hirondelle, j'ai fait mon nid au creux de ton cœur !

— Ayoye, ça fait mal, ça ! Depuis quand que tu parles de même, toi ? C'est vrai que l'amour t'a fait tourner la tête, mon Paul !

— Qu'est-ce tu veux, je l'aime !

— C'est donc beau ! Puis ton amie, Emma, a vient à une heure, tu dis ?

— Toi, Gaston, que je te voie pas venir écornifler dans ma maison !

— Bien quoi, si j'ai soif je peux aller me chercher un verre d'eau, non ?

— T'en as, de l'eau, chez vous !

— Oui, mais mes verres sont pas dépaquetés, tu comprends ?

— Bien oui, bien oui, je comprends. Tu viendras te faire un café à place, tu vas avoir l'air moins fou que de venir te chercher un verre d'eau… hi hi !

Au mois de mai, les lilas, les muguets et le fumier de poule dans le jardin de Roger s'avéraient être toute une association d'arômes. Martin bougonnait, car son père lui avait demandé de mélanger la terre avec lui. Il aurait préféré aller rendre visite à sa belle Diane.

— On va prendre un break, mon Martin, pour boire un verre de liqueur puis fumer une cigarette ! Tiens, prends une Mark Ten, ça va ménager tes Embassy.

— Merci, pa. À quelle heure qu'on va avoir fini ?

— Tu fatigues là, hein ?

— Non, non.

— Regarde, on a presque fini. Va te laver puis vas-y, voir ta Diane, je vais m'arranger avec le reste.

— Merci, pa ! Tu diras à m'man que je vais revenir pour souper.

Martin grandissait. Il allait avoir treize ans le mois prochain et il mesurait déjà cinq pieds et cinq pouces. Il gardait assidûment ses cheveux châtains frisés à une longueur exagérée et sa voix avait beaucoup mué. Quand il s'exprimait, ce n'était jamais sur la même tonalité. Sa blonde était très mignonne, toute petite avec de grands yeux verts ténébreux. Ses cheveux étaient châtains et sa coiffure imitait celle de la grande chanteuse française Françoise Hardy.

— Hé, Roger !

— Salut, Rolland. Puis, où t'es rendu dans ton jardin ?

— J'ai pas mal fini de mélanger ma terre… Veux-tu bien me dire qu'est-ce tu fais pour avoir des beaux plants de tomates de même, cibole ? Regarde les miens, c'est juste des fouettes !

— Ça, Rolland, c'est parce que je suis sûr que t'es as trop arrosés dans ta cave au printemps. C'est sombre en bas, la terre sèche moins vite ! Pour moi, tu les as noyés, tes plants de tomates !

— Pa ! Deplhine !

— Attends donc un peu, Josée !

— Passe-moi-la par-dessus la clôture, la Josée, a veut venir jouer avec la petite dans la cour. Crains pas, je vais la surveiller. As-tu vu la secrétaire en haut ? Elle est dans le beau bleu poudre à matin…

— Oh… A pourrait bien mettre du carreauté barré puis a m'attirerait pas plus, mon Rolland ! Sais-tu qu'a court pas mal après Clarence à shop ?

— Non ! Puis Clarence qui est frivole en plus ! Elle aura pas de misère à l'avoir, celui-là !

— Ça, je pense que c'est déjà fait !

— Hein ! Comment ça, t'es as-tu pognés à forniquer ensemble ?

— Quasiment, mon Rolland ! Parle pas de ça à Angèle, OK ? Elle l'haït bien gros, la Edwidge.

— Une tombe, mon Roger, une tombe. Raconte-moi ça !

— Y a pas grand-chose à raconter… du cul, c'est du cul, hein ? La semaine passée, quand je suis revenu de mon break, je les ai pognés dans chambre de bain des hommes.

— T'es as vus faire ?

— Non, mais quand je suis venu pour rentrer, y ont sorti en même temps, ces deux-là… T'aurais dû voir la face à Clarence !

— Ouf… Puis sa femme là-dedans, à Clarence ?

— Gilberte est pas mal pareille comme lui : elle fleuretait avec le beau-frère Gaétan quand y travaillait à Saurel Shirt.

— Ah bien, ça se peut-tu ! Mais Clarence, lui, y couche avec n'importe qui, d'abord ? Me semble que moi, la Edwidge, je toucherais pas à ça !

— Oh ! moi non plus ! J'aurais bien trop peur d'attraper des bébites ! Tiens, salut, ma femme ! As-tu fait toutes tes commissions ?

— Bien oui. Salut, Rolland ! Vous jasiez de quoi là ?

— Des plants de tomates à Rolland. As-tu vu ça, ma femme ?

— Oh... Pauvre Rolland ! Raymonde fera pas grand ketchup cette année. Tiens, allô, Raymonde !

— Hein, hein, vous pouvez bien rire !... Cibole ! C'est quoi, ce vacarme-là en avant ?

— Maudit ! C'est un accident ! Mets les enfants dans la cour, Rolland, on va aller voir ça !

— Sainte bénite ! Oh... Je vais aller appeler la police !

Un Mustang noir était immobilisé sur le coin de la rue Monseigneur-Nadeau. Il se dirigeait en trombe vers le boulevard Fiset quand il était entré en collision avec un Volkswagen rouge qui, à présent, était à demi juché sur le parterre de Roger. Il n'y avait aucun blessé, mais la femme qui conduisait la Volks ne cessait de larmoyer. Angèle lui entoura les épaules et l'amena s'asseoir sur les marches de sa galerie. Elle demeura à ses côtés jusqu'à ce que la voiture de patrouille arrive. Pauvre femme ! Toute jeune, elle ne devait pas avoir plus de vingt-cinq ans.

— Bonjour, madame. Vous avez rien ? Vous êtes pas blessée ?

— Non… J'ai juste les nerfs, monsieur l'agent….

— Je peux vous demander vos papiers ?

— Oui… Je les trouve pas, mautadine ! Tiens, je les ai, monsieur l'agent.

— Vous êtes bien Bibianne Tremblay ?

— Oui, monsieur.

— Hein ! T'es la fille de Robert ? Bouge pas, je vais aller l'appeler, ton père ! Je le connais, y travaille avec moi à Québec Iron. Tu restes encore sur la rue Barthe ?

— Non, je reste plus là, je reste sur la rue Deguise, mais mon père reste encore là, sur la rue Barthe.

Quand Robert Tremblay fit irruption dans l'entrée des Delormes, sa fille pleurait encore à chaudes larmes.

— Fais-toi z'en pas, ma belle fille. Ça se répare, du gazon ! L'important, c'est toi. On aurait pu faire venir l'ambulance, puis ça, ça aurait été moins drôle !

Le jeune Plante qui avait happé la voiture de Bibianne était fortement dans l'embarras, car il ne possédait pas de permis de conduire et en plus, il n'était pas le propriétaire du Mustang.

C'était monsieur Pinard du garage Pinard, situé en face de la maison de Rolland, qui était venu remorquer les voitures endommagées.

Pour comble de malheur, dans la cour arrière des Delormes, Josée et Delphine avaient déraciné tous les plants de tomates du jardin, et Patou s'était chargé de démembrer ceux-ci et de les répandre sur le gazon.

— Hon… Sainte bénite, y a pas juste Raymonde qui fera pas de ketchup cette année, je pense !

— C'est pas grave, ma belle noire ! Rolland ! Viens, on va aller au marché Richelieu acheter des plants de tomates parce que moi, pas de ketchup cet hiver, je revire fou, bonyeu !

Le dimanche midi, Francine arriva en pleurant parce que Jean-Luc avait rompu avec elle. La première peine d'amour, c'est la plus douloureuse dans la vie d'une adolescente, et Francine la gardera en mémoire toute sa vie.

Quand elle s'était rendue chez Jean-Luc, celui-ci était assis bien collé avec France sur sa galerie. France Saint-Arnaud, la soi-disant meilleure amie de Francine. Cette dernière pensa avec fureur : « Si un jour elle essaye de venir me parler, celle-là, je lui arrache les deux yeux ! »

Rose devinait bien la peine de sa sœur, car elle aussi en avait eu, du chagrin, le jour où elle avait parcouru la lettre de son bel Olivier.

Au déclin de l'astre lumineux, Roger, en compagnie de Martin, piqua de nouveaux plants de tomates dans la terre tiédie, et Patou eut intérêt à se tenir loin.

— Bien voyons, Martin, qu'est-ce tu fais là ?

— Je le sais pas, pa, ça l'a arrivé tout seul !

— Ah bien, tu pensais-tu à ta Diane ?

— Hein ! Comment t'as fait pour savoir ça ? Tu lis-tu dans ma tête ?

— Non, pas pantoute ! Juste à te regarder, je vois bien que c'est ça, mon gars !

— Oui, mais toi, quand tu penses à m'man, ça te fait-tu ça ? Puis c'est-tu dangereux ?

— Écoute, Martin, on va serrer les râteaux puis les pelles, puis après ça on va aller boire une orangeade puis fumer une cigarette chez Vic.

— Hein… tu me sors avec toi ?

— Oui, j'ai des affaires à te dire puis c'est pas devant les femmes qu'on va le faire. C'est des affaires d'hommes, ces affaires-là !

— Comment ça ? C'est-tu grave ?

— Non, mon Martin, c'est juste bien plaisant. Y faut juste que tu sois mis au courant pour quand ça va t'arriver.

— Ah bon !

Chapitre 5

Un mois de juin turbulent

Au mois de juin, les enfants étaient bien indisciplinés à cause de l'année scolaire qui tirait à sa fin.

Francine avait délaissé le ballon-panier et Guylaine avait mis fin à ses cours de piano depuis une semaine. Il n'y avait que Rose qui n'avait pas abandonné ses cours de dessin ; cependant, son professeur, madame Aussant, était tombée malade au mois de mai et elle n'était jamais retournée enseigner depuis.

Plus les enfants vieillissent, plus c'est compliqué pour eux de se fixer dans une discipline de vie, quelle qu'elle soit. Pour s'accrocher à une blonde ou à un chum, bien là, c'est une simple bagatelle.

Un soir, Martin entra dans la maison en pleurnichant : « Mon chien est mort ! » Quand Angèle arriva dans la cour arrière, Patou gisait sur le dos les quatre pattes tournées vers le ciel. Le petit chien venait de perdre connaissance après que Josée lui ait heurté le museau d'un coup de bâton de Popsicle.

— Eh, qu'y fait chaud ! Eh que j'ai hâte d'être en vacances, moi !

— Ça s'en vient, mon Roger, ça s'en vient... Puis, ta journée ?

— Oh, parle-moi z'en pas ! Denis Grenier avait mal aux dents aujourd'hui. Y était assez fatigant, y me tombait sur les nerfs bien raide ! Je lui ai dit : « Va la faire arracher, ton hostie de dent, puis arrête de te lamenter ! » Bien, y est pas allé, ma femme ! C'est sûr qu'y veut pas dépenser cinq piastres pour ça, hein ? J'te le dis, j'aurais pris une paire de pinces puis si y aurait pas été aussi moumoune, je lui aurais arraché sa maudite dent ! « Ah ! moi, je peux pas manger », « ça fait plus mal qu'à matin »... Ça se peut pas !

— Bon, es-tu correct là ? Viens, on va prendre une petite bière, mon beau chialeux ! On va-tu être bien une semaine au chalet à Drummondville au mois d'août, mon mari ?

— Ouf... Han ! On va-tu relaxer à notre goût, ma femme ? Mais je sais pas si tu vas aimer ça, dormir dans un grenier. La manière que les filles m'ont décrit le chalet, c'est pas tout à fait comme le chalet à Fabien.

— Je suis certaine que je vais aimer ça, Roger, puis c'est encore plus loin, on va se sentir plus en vacances.

— T'as bien raison, on va être au bord de la rivière Saint-François, puis en plus, je vais avoir une chaloupe pour pêcher. On va demander à la famille de venir faire un tour aussi ?

— Oui, ça, je serais bien contente, mais on va les avertir d'apporter leur manger parce que moi, je m'en vais là pour me reposer, pas pour faire à manger toute la semaine.

— Ça, c'est bien sûr, ma belle noire ! J'ai juste peur qu'on ait de la misère à amener Martin puis Francine. Ce sera pas facile de leur faire lâcher leurs amours pour une semaine…

— Bien là, quand on était jeunes, nous autres, on suivait nos parents. Y vont faire pareil comme nous autres, c'est tout. C'est pas à leur âge qu'y vont nous monter sur le dos, hein !

— Je te comprends bien, Angèle, mais nous autres, c'était dans les années quarante. Je te rappelle qu'on est en 1970, ma femme, c'est pas tout à fait pareil ! En tout cas, on verra dans le temps comme dans le temps.

— Changement de propos, mon mari : quand tu vas aller à la messe à Saint-Maxime, y aura plus de latin. Ils l'ont enlevé dans toutes les églises catholiques du Canada.

— Ah bien, maudit ! On va pouvoir dire notre *Je vous salue, Marie* puis le *Notre Père* en français !

— Bien oui ! Je me demande encore pourquoi y nous faisaient prier en latin, eux autres ?

— Ça, ma femme, je l'ai jamais compris, moi non plus !

— Oui, mais Emma, ça fait deux fois que je sors avec elle puis je suis même pas capable d'y donner un bec sur la joue, baptême ! J'ai jamais vu une femme scrupuleuse de même ! Je pense qu'all' aurait été mieux de rentrer chez les sœurs, elle !

— Regarde, Gaston, essaye donc d'être patient. Elle m'a dit qu'elle te trouvait de son goût ; laisses-y du temps, bonne sainte Anne !

La semaine précédente, Gaston avait invité Blanche Grondin au théâtre Sorel pour la première du nouveau film d'amour *Angélique, Marquise des Anges*, interprété par la ravissante Michèle Mercier. Par la suite, il l'avait invitée à prendre un café au restaurant Lambert.

Gaston la trouvait très belle. Grande femme élancée avec de beaux cheveux blonds, courts et bouclés, elle possédait, malgré une minceur évidente, un beau visage rond qui rehaussait ses menues pommettes rosées. Il n'avait pas osé lui demander son âge, jugeant que c'était malvenu pour une toute première rencontre. Cependant, le lendemain, Emma lui avait révélé qu'elle avait cinquante-huit printemps.

Après un café bouillant, il était allé reconduire Blanche chez elle sur la rue Huard et l'avait l'invitée pour une deuxième sortie. Elle ne souriait pas beaucoup, mais elle était très intéressante.

— Quand je suis allé la reconduire chez eux, j'y ai demandé si je pouvais l'embrasser puis elle m'a répondu que ça faisait pas assez longtemps qu'on sortait ensemble… J'étais frustré en baptême, moi ! Toi, mon frère, ça avait pris comment de temps avant que tu puisses embrasser Emma ?

— Bien torrieu, c'est pas de tes maudites affaires pantoute, ça ! Y a pas une femme qui est pareille ! Puis, tu vas me dire une affaire, toi, Gaston Cantara !

— Quoi ?

— Quand t'es sorti avec elle, comment t'étais habillé ? Parce que moi, je le sais que tu t'attriques bien mal des fois !

— Bien là, j'avais mis mon pantalon bleu marin avec ma chemise carreautée verte. Pourquoi ?

— Torrieu, Gaston ! Tes pantalons bleu marin, tu les avais quand t'es déménagé en Ontario ! Puis ta chemise carreautée verte, elle, elle est plus carreautée, elle est rendue unie tant qu'all' a changé de couleur ! Elle peut bien pas avoir le goût de sauter sur toi, ta Blanche ! Puis tes cheveux ! Quand est-ce que tu vas te faire faire une coupe qui a du bon sens ?

— Ouin, à t'entendre parler, je ressemble quasiment à Ti-Joe Chauvette qui vit dans le parc du carré Royal à l'année longue, baptême !

— Gaston, tu viendrais-tu avec moi magasiner en ville ? Je t'emmènerais chez Gauthier & frères pour te choisir du linge propre.

— Tu penses que ça ferait une différence, Emma ? Moi, l'habillement, je m'en fous ; c'est l'homme qu'y a dedans qui est important, non ?

— Écoute, mon frère. Blanche, tu la trouves-tu belle ?

— Elle est belle en viarge !

— Bien c'est ça : elle est toujours bien peignée puis bien habillée. Puis je te gage qu'a doit sentir bon aussi ?

— Si a sent bon ? A sent les roses, baptême ! J'ai juste envie de me fourrer le nez dans son cou !

— Ça, c'est un autre affaire aussi, Gaston : tu parles comme un homme de chantier. Tu sais, « te fourrer le nez dans son cou », si tu y dis ça, tu sais bien qu'a va reculer de cinq pieds ! En tout cas, si tu veux sortir avec elle, va falloir que tu changes ton accoutrement puis ton langage, mon frère.

— Ouin… Quand est-ce qu'on peut y aller, chez Gauthier, Emma ?

— N'importe quand, Gaston ! Je suis prête à y aller après dîner si tu veux !

— OK, madame ! Puis je me fie sur toi pour me choisir du beau linge !

— Puis tes cheveux, Gaston ?

— Bien là, tu peux-tu venir avec moi chez le barbier à matin, Paul ?

— Bien oui, je vais t'amener chez Willie Leblanc sur la rue George. Tu vas voir, y est bien smatte puis en plus, y est pas chérant !

— En tout cas, après tout ce que je vais faire pour elle aujourd'hui, all' a besoin de me trouver à son goût, la belle Blanche, parce que moi, je débarque !

Le soir même, quand Gaston arriva sur la rue Huard dans son Dodge 66, Blanche se balançait sur sa galerie. Ouf ! Quand il sortit de sa voiture, il n'eut pas le temps de grimper les marches qu'elle était déjà accolée contre lui. Le Old Spice et les roses, c'était toute une fusion !

Gaston portait un pantalon de coton kaki avec une chemise blanche aux manches courtes et une ceinture de couleur sable. Pour sa coiffure, on aurait pu le confondre avec Tony Massarelli, le chanteur de ces dames qui n'avait qu'à fredonner *Pour t'aimer j'ai menti* pour qu'elles se retrouvent toutes à ses pieds.

Dans la soirée, après avoir remis leurs vêtements, ils se demandèrent bien lequel des deux conserverait sa maison.

Enfin, l'école était terminée. Pour Angèle, une saison de surveillance venait de se déclencher. Par contre, elle ne crierait plus après ses enfants tous les matins pour les sortir du lit.

Martin était en amour par-dessus la tête avec sa belle Diane. Comme on dit, ils ne se lâchaient pas d'une semelle. Francine fréquentait toujours son nouveau copain, Claude, mais elle avait avoué à sa mère : « La chimie existe pas entre nous deux, c'est plus un ami pour moi. »

— Allô, tout le monde ! Bonjour, mad'moiselle Diane, comment allez-vous ?

— Je vais bien, monsieur Delormes.

— Puis, ma belle noire, j'espère qu'on mange pas trop chargeant à soir parce qu'y fait chaud en maudit !

— Bien non, mon mari, on mange des clubs sandwichs pas de patates frites. Ça fait-tu ton bonheur, mon mari ?

— Bien oui, avec une petite bière frette ça va être bon !... Y me semble qu'y manque du monde ici ?

— Josée est chez Raymonde à côté qui l'a gardée à souper avec Delphine, Rose puis Guylaine vont arriver... Sainte bénite ! Voulez-vous bien me dire où est-ce que vous avez passé, vous deux ? Vous êtes parties avec une queue de cheval puis vous revenez avec tous les cheveux dans la face !

— Bien… Dis-lé, toi, Guylaine !

— C'est parce que je me suis battue, m'man.

— Quoi ? Tu t'es battue avec qui, pour l'amour du saint Ciel ?

— Avec Johanne Godin.

— Maudit !

— Voyons, Angèle, ménage ton langage ! Pourquoi tu t'es battue avec la petite Godin, Guylaine ?

— On était en train de jouer à la cachette, puis quand je me suis cachée dans le *banon*, elle m'a embarrée dedans.

— C'est pas une raison pour te battre, ça, Guylaine !

— Bien là, m'man ! J'ai resté enfermée là pendant une heure ! Quand Rose est venue me débarrer la porte, j'étais assez en maud… assez choquée que j'ai sauté sur elle !

— Sainte bénite ! Puis toi, Rose, pourquoi t'as les genoux tout verts de gazon puis que t'as les cheveux comme un épouvantail ?

— C'est parce que quand Guylaine se battait avec Johanne, son frère, y est arrivé puis y a donné un coup de pied à ma sœur. Moi, j'ai sauté sur lui puis j' lui ai donné une volée.

— Oh… Là, je ris, mais c'est pas drôle pantoute ! J'espère que vous allez arrêter de vous tenir avec elle asteure ?

— C'est sûr, m'man, hein, Rose ?

— On y parlera plus jamais, à cette folle-là…

— C'était très bon, madame Delormes ! Est-ce que je peux vous aider à faire la vaisselle ?

— T'es bien fine, Diane, mais c'est Rose puis Guylaine qui vont faire la vaisselle ce soir. À quelle école tu vas, Diane ?

— Je vais à l'école Saint-Pierre.

— Ah oui, t'es en huitième année comme Martin ?

— Oui, puis j'ai treize ans pareil comme lui !

— Tu vas à la même école que je suis allée quand j'étais jeune.

— Ah bon… Ma mère aussi est allée là, au couvent Saint-Pierre.

— C'est quoi son nom, à ta mère ?

— Jeanine Poulin.

— Oui, mais son nom de fille, c'est quoi ?

— C'est Campeau.

— Hein ! Jeanine Campeau ? Est-ce qu'elle restait sur la rue Elizabeth dans le temps ?

— Ouf... là je pourrais pas vous dire.

— Tu la connais, sa mère, Angèle ?

— Bien, si c'est la même que je pense, c'était mon amie dans le temps. Tu sais, la journée que tu m'avais rencontrée aux petites vues à Saint-Maxime, tu sortais avec Antoinette Ménard !

— Oh oui, que je m'en souviens ! T'étais assez belle !

— Bon bien, c'est Jeanine qui était avec moi ! C'est elle qui m'avait dit que t'arrêtais pas de me regarder…

— Eh bien !

— Ta mère, Diane, est-ce qu'elle a un grain de beauté sur le menton ?

— Oh oui ! Des grains de beauté, elle en a partout !

— Ah bien, c'est elle, sainte bénite ! Donne-moi ton numéro de téléphone, Diane, je vais l'appeler.

— Allô !

— Allô, Jeanine ?

— Oui, c'est moi.

— Je suis la mère de Martin, le chum de ta fille Diane.

— Oui… On se connaît ? Pourtant, ta voix me dit rien.

— Quand je vais te dire mon nom, tu devrais me reconnaître !

— Ah ! C'est quoi ?

— Angèle Bilodeau.

— Hein ? Pas vrai ! Angèle ? Ah bien, ça parle au verrat ! Eille, le monde est petit, j'en reviens pas ! Ton gars qui sort avec ma fille ! Comment t'en as, des beaux enfants comme ça ?

— J'en ai cinq, et toi ?

— J'ai juste Diane. J'ai pas pu en avoir d'autres après… En tout cas, t'as pas chômé après le couvent, toi ! Puis, t'es mariée avec qui ?

— Je suis mariée avec Roger des petites vues. Tu t'en souviens, quand je t'avais dit que je l'avais revu à Odanak à la parade des Indiens en 1948 ?

— Non ! Pas le beau Roger ?

— Oui, oui ! Le beau Roger !

— Voyons, Angèle, arrête-moi ça !

— Ton mari, toi, son nom me dit rien. Diane m'a dit qu'y s'appelait Pierre-Paul.

— Tu peux pas le connaître, y vient de Saint-Hyacinthe. Je l'avais rencontré au cirque Beauce Carnaval dans le temps, puis juste avant qu'on se marie, y est rentré à Québec Iron.

— Bien voyons donc, toi! Roger travaille là aussi! Penses-tu que tu le connais, Roger, Pierre-Paul Poulin?

— Je peux pas voir c'est qui, ma femme. Je le connais peut-être de vue.

— Regarde, Angèle, y va falloir que je te laisse, je m'en vais au bingo avec ma mère à Nicolet. Donne-moi ton numéro de téléphone, je vais t'appeler demain dans la journée. Y faut qu'on se voie, on a trop d'affaires à se raconter!

— Oui, oui! Je vais attendre ton téléphone puis on va s'organiser quelque chose!

Une canicule s'était installée sur une grande partie de la province. Le vent chaud qui soufflait asséchait les terres, et les enfants passaient leurs journées entières à se rafraîchir à la piscine municipale.

Angèle avait rempli d'eau la cuvette en acier pour Josée et elle l'avait placée en dessous des deux grands érables qui, avec une persévérance stoïque, essayaient de répandre de l'ombre sur une petite parcelle de verdure décolorée. Les plants de tomates affichaient une mine de misère et la pelouse avait perdu sa teinte verdâtre pour ne ressembler qu'à de la paille desséchée. Angèle avançait de deux pas et sa sueur dégoulinait au moindre mouvement.

Nannie était à la veille d'avoir ses petits chats. Elle avait de la difficulté à se déplacer et Patou, comme on dit, « pompait l'huile au siau ». Pauvre Roger ! Avec les fours à l'usine, il devait bien faire deux cents degrés de chaleur. Ce qu'il avait rapporté à son beau-frère Gilbert au temps des fêtes prenait tout son sens : « L'argent qu'on gagne là, on la vole pas, cré-moé ! »

— Allô, ma femme.

— Pauvre toi ! T'es tout mouillé ! Ça a pas d'allure travailler avec des chaleurs pareilles ! Je pense que j'ai jamais vu une canicule de même. Y fait quatre-vingt-dix-huit dehors ! On est en train de perdre nos plants de tomates, câline !

— C'est pas grave, on achètera nos tomates au marché. Ce qui me fait plus de peine, c'est mon gazon. Y est en train de brûler, maudit ! C'est donc bien tranquille ici dedans ! T'es toute seule avec Josée, ma femme ?

— Les enfants sont à la piscine municipale puis vu qu'y fait trop chaud, elle va fermer juste à sept heures au lieu de cinq heures. Ils se sont apporté des sandwichs au beurre de peanuts dans leurs sacs de bain. C'est eux autres qui sont les mieux : y sont toujours dans l'eau !

— Ça t'a pas tenté d'aller te baigner avec Josée, ma femme ?

— Oh ! j'avais pas la force de me rendre jusque sur la rue Guèvremont. Si ça te dérange pas, on va manger des sandwichs à soir, Roger !

— J'espère bien qu'on va manger des sandwichs ! Je vais aller m'assir en dessous des arbres dans la cour avec une bière puis je vais manger plus tard.

— Bon, OK. Moi, je vais aller fermer les stores dans notre chambre puis dans celle de Martin. Le soleil est rendu en arrière puis ça va être un vrai fourneau à soir si j'y vais pas.

Nannie venait d'avoir ses bébés en dessous du lit de Martin. Trois beaux petits minous tout gris — Ho, ho ! Identiques à Grisou... Grisou venait de se retrouver père des chats de sa mère. « Ouin, espérons que les enfants ne se posent pas trop de questions », pensa Angèle.

Après deux jours le thermomètre se stabilisa à quatre-vingt-six, et un petit aquilon amena une douce fraîcheur saisonnière. Angèle commença sa liste pour leurs prochaines vacances au chalet. D'ici deux semaines, ils allaient tous « se la couler douce » sur le chemin Hemming à Drummondville.

Quand Angèle arriva au restaurant Rheault, tout de suite elle reconnut Jeanine.

— Maudine, Angèle, t'es donc bien belle ! Ça fait-tu long-temps que t'as les cheveux courts de même ?

— Ça doit faire un bon quatre ans... Eh que je suis contente de te revoir, Jeanine !

C'était bien Jeanine, sauf que le temps l'avait un tout petit peu rattrapée, à l'inverse d'Angèle qui avait conservé son entrain et son teint de jeunesse. Elle avait pris une quinzaine de livres ; par contre, elle les assumait parfaitement bien. Ses yeux noisette étaient encadrés de lunettes à monture verte, et son regard cristallin semblait toujours aussi généreux. Ses cheveux bruns étaient toujours sans fin, découpés en une petite frange dégradée au-dessus de sourcils bruns bien prononcés.

Quand Diane était née, quelques complications étaient survenues, et le docteur Dupré avait recommandé sérieusement à Jeanine de ne plus enfanter, car elle aurait pu y laisser sa vie.

Jeanine avait rêvé de donner la vie à plusieurs autres poupons, mais sa destinée s'était limitée à aimer et à protéger sa Diane.

— Angèle, ma Diane, c'est toute ma vie… Des fois, elle me dit que j'en fais trop, mais qu'est-ce que tu veux, j'ai juste elle, maudine ! Toi, t'en as cinq. Est-ce qu'y sont tous beaux comme ton Martin ?

— Toutes belles, tu veux dire ! Martin, c'est mon seul gars. J'ai quatre filles, ma Jeanine.

— Eh que t'es chanceuse !

— En fait, j'ai trois filles, plus une qu'on a pris avec nous autres en 62, mais c'est comme notre propre fille, on l'aime bien gros.

Angèle lui raconta tout sur Guylaine. La Caramilk, les oncles qui allaient en visite chez sa mère, son père Dario, le décès de sa mère, Denise, et la visite de sa tante Laurette à Sorel.

— Pauvre enfant ! Elle est bien chanceuse d'être tombée dans une bonne famille comme la vôtre. Puis, ton Roger, ça a l'air d'un maudit bon gars aussi. Y était assez beau dans le temps !

— Bien oui, y est toujours aussi beau puis en plus, c'est un bon mari.

— Je me souviens quand tu m'avais raconté comment tu l'avais revu à Odanak. Y était de Saint-Robert, lui, hein ?

— Oui, c'est ça. Y était avec son père puis sa mère. Ses parents sont morts bien jeunes. Y ont eu un face-à-face à Yamaska — j'étais enceinte de Martin. Y a eu bien de la peine, mon Roger…

— Pauvre lui ! Ta mère, elle reste-tu encore sur la rue Royale… je veux dire sur le boulevard Fiset ?

— Bien oui ! Elle se remarie au mois d'août !

— Hein ! C'est donc bien le fun, ça ! Avec qui ?

— Imagine-toi donc qu'elle se marie avec le monsieur qui avait acheté son dépanneur dans le temps sur la rue Royale ! Ça fait longtemps de ça, j'avais juste deux ans, câline ! Puis ta mère ? Ton père ? Dans le temps, y restaient sur la rue Elizabeth…

— Malheureusement, y ont été obligés de vendre la maison. Mon père est à l'Hôpital général puis ma mère reste chez son frère Camille à Nicolet.

— Hon… Ton père est bien malade ?

— Y a trois ans, y s'est fait frapper en bicycle sur la route Marie-Victorin, puis depuis ce temps-là, y reconnaît plus personne. Ça me fait assez de peine, tu peux pas savoir comment ! Je trouve ça bien dur de le voir toujours assis dans sa chaise berceuse. Quand j'arrive puis qu'y me regarde avec ses grands yeux bleus, je te mens pas, j'ai juste envie de brailler ! Y a pas de justice sur la terre, ma belle Angèle. Mon père a juste cinquante-six ans, y aurait encore plein de belles années à vivre avec ma mère !

— Braille pas comme ça, Jeanine, j'ai le cœur qui me fend en deux, sainte bénite ! Maudit que la vie est mal faite des fois !

Elles se remémorèrent leur belle jeunesse et s'entretinrent de leur vie présente jusqu'au coup de quatre heures. Les beaux souvenirs ainsi que les mauvais coups avaient refait surface et elles avaient bien rigolé. Jeanine fit la promesse de visiter la famille Delormes au début du mois de septembre.

Chapitre 6
LA VÉRITÉ

— Eh que je suis content ! Enfin, les vacances !

— Oui, viens, on va prendre une petite bière pour fêter ça. Ça va me donner la chance de prendre un break, j'ai pas arrêté de la journée !

— Bien oui… Regarde-moi donc ça ! On part pour une semaine, puis on dirait qu'y a du stock pour un mois !

— On est quand même sept, mon Roger !

— Bien oui, le chalet est pas bien grand, mais c'est pas grave, on va se coller, ma femme !

— M'man !

— Mon Dieu, Martin, qu'est-ce que t'as à pomper l'huile comme ça ?

— Ma tante Béatrice veut que je reste chez eux pendant que vous allez être au chalet. Tu veux-tu ? Dis oui, pa !

— Là, mon Martin, tu vas te calmer parce que tu m'énerves, OK !

— Oui, pa.

— C'est quoi cette idée-là qui t'a passé par la tête ? T'aimes pas ça venir au chalet ?

— Je trouve ça loin puis c'est plate, aller au chalet… Je vais coucher avec Gilles dans sa chambre ; ma tante dit que ça la dérange pas !

— Y a de la Diane là-dedans, hein ? Tu serais pas capable de te passer d'elle pendant une semaine ?

— C'est pas juste ça. Ça me tente pas d'aller à ce chalet-là, pa !

— C'est laquelle, la valise à Martin, Angèle ?

— C'est la brune là en arrière de la porte.

— Regarde, Martin. Ta valise est là ; demain tu la prendras puis tu t'en iras chez Marcel.

— Oui ! Oui ! Merci, pa !

— T'as besoin d'être à ta place puis d'être poli avec ta matante Béatrice puis ton mononcle, puis aussi t'as besoin de les écouter. Puis ton journal, lui ?

— Ça change rien, pa. Je vais venir le chercher ici sur le perron le matin.

— Bon OK, c'est réglé.

Le souper achevé, Roger prépara tout son attirail de pêche. Il se monta des kits pour la pêche à la perchaude, et les vers, il les achèterait chez Ti-Phonse Brochu sur la route de Yamaska. Angèle rédigeait sa liste d'épicerie. Elle n'apporterait qu'un minimum de nourriture vu le très petit réfrigérateur à gaz du chalet. Laurette se chargerait de la conduire au marché et à l'épicerie de Drummondville pour faire ses emplettes.

— Hé, pa !

— Voyons, Francine, as-tu vu un ours ? T'es tout énervée, maudit !

— Je peux-tu rester ici quand vous allez aller au chalet ?

— Bon, une autre ! Vous vous êtes donné le mot, on dirait !

— Pourquoi tu dis ça ?

— Martin veut pas y aller, lui non plus !

— Ça veut dire que c'est oui ?

— Woh, Francine ! J'ai pas dit oui ! Si tu viens pas, tu vas t'arranger comment ? Parce que c'est sûr que tu resteras pas ici dans la maison toute seule !

— Bien non, pa. Paule m'a invitée à rester chez eux… puis sa mère, a veut !

— Ah bien ! Mais attends une minute, c'est où qu'on est allés chercher Nannie sur la rue du Collège ?

— Oui.

— Bout de viarge, Francine ! Cette femme-là doit avoir dix enfants. Elle est pas pour s'embarrasser de toi en plus ! Ça a pas de bon sens !

— Elle m'a dit qu'elle voulait, sa mère, pa ! Je vais coucher dans la chambre à Paule avec sa sœur Colette.

— Bon, c'est laquelle, sa valise, à Francine, Angèle ?

— C'est le gros sac gris avec un zip, devant la porte du salon.

— Regarde, ma fille, ta valise est faite, demain tu la prendras pour t'en aller avec sur la rue du Collège. Mais je t'avertis, c'est les mêmes heures pour te coucher le soir, puis pour ton Claude, tu slaqueras la pédale un peu. T'es comme une vraie sangsue avec lui, maudit !

— Merci pa ! Youpi !

— Bien voyons, Roger, t'es-tu sûr qu'on fait une bonne affaire ? On les connaît pas bien bien, les parents à la petite Perrette.

— Non, mais même si c'est une grosse famille, ma femme, je me souviens quand on était allés chercher Nannie que madame Perrette, elle avait l'air d'une bonne femme puis sa maison était bien propre.

— Oui, c'est vrai... Bon bien, on n'aura pas besoin d'apporter la tente à terre. Le char va être moins bourré. Je me demandais bien où mettre tout ça, ce stock-là !

Laurette attendait les Delormes chez elle pour leur indiquer le parcours pour se rendre au chalet. Rose ne vit pas Olivier, car il travaillait à la Dominion. Laurette était toute seule avec David et Yvette. En sortant de la voiture, les filles s'empressèrent d'aller embrasser leur tante, et Josée était déjà assise sur les genoux de David sur la galerie.

David avait beaucoup grandi. À douze ans, ce n'était plus le petit cousin que Guylaine avait croisé jadis en 1962. Son tempérament réfléchi dégageait une virilité précoce, et son sourire enjôleur ne faisait que le confirmer.

Guylaine portait des bermudas rouges et un tee-shirt blanc orné de petites perles nacrées. Angèle avait natté ses cheveux noirs et au bout de sa longue tresse de jais, elle avait attaché une boucle rouge parsemée de petits cœurs blancs. Rose, la jolie fillette parvenue aux portes de son adolescence, était vêtue d'une jupe de coton blanche et d'un chandail à manches ajourées corail. Ses cheveux bruns étaient déployés sur ses épaules, retenus à la tête par un cerceau enveloppé de velours blanc.

Josée la petite colleuse portait une salopette bleu royal et un chandail en tricot rose fuchsia. Ses cheveux châtains n'ayant pas atteint une longueur suffisante pour qu'Angèle puisse en faire des lulus étaient relevés en une petite tige se déployant comme un parapluie.

Pendant que tout ce petit monde radieux parlait et gesticulait en même temps, Isabelle, une jolie fille de quatorze ans avec de longs cheveux bruns suivant la cadence de ses pas, se présenta à eux.

— Je vous présente la blonde d'Olivier, Isabelle Cardin. Ces deux-là sont en amour depuis deux mois !

Ouf… un gros coup au cœur pour Rose. Pourtant, elle ne pouvait pas désapprouver le choix d'Olivier : Isabelle était vraiment ravissante.

— C'est toi, Rose, le soleil à Olivier ? Il m'a parlé de toi bien souvent. Y m'a dit que t'étais sa meilleure amie.

— Oui, c'est moi…

— Viens-tu ? On va aller prendre une marche pour aller le rejoindre. Y vient dîner à midi. Y doit pas être bien bien loin d'arriver. Y va être content de te voir, ça va lui faire une belle surprise.

— OK. J'ai le temps d'y aller parce que je repars pas avec mon père puis ma mère aujourd'hui pour le chalet. Je reste passer deux jours chez ma tante Laurette avec ma sœur Guylaine.

Tout en marchant, Rose demanda à Isabelle comment elle avait fait la rencontre d'Olivier.

— Une journée, au collège Saint-Bernard, Olivier, y a tombé de la poutre d'équilibre dans la salle de culture physique puis y s'est ouvert le front. Quand y est arrivé à l'hôpital Sainte-Croix, juste à côté de son école, c'est là qu'y m'a vue dans la salle d'attente. J'étais assis avec ma mère. Elle s'était cassé un pouce en fermant la porte de son char. Y avait juste une place à côté de moi, la salle d'attente était pleine. Y s'est assis à côté de moi, puis juste le temps que ma mère aille faire des radiographies, on avait eu assez de temps pour faire connaissance et aussi pour que je lui donne mon numéro de téléphone. Le soir même, on est allés au théâtre Capitol sur la rue Lindsay, une autre journée on est allés se baigner au parc Woodyatt, puis depuis ce temps-là, on se voit presque à tous les jours… Tu sais, y m'a raconté aussi que quand vous étiez jeunes, y disait qu'y voulait se marier avec toi… puis que tu étais Rose son soleil.

— Oui, oui… Tu veux faire quoi plus tard ? Je sais qu'Olivier veut travailler au Bell Téléphone puis qu'y va étudier en télécommunication. Y me l'avait écrit dans ses lettres.

— Moi, j'ai pas encore décidé. J'aimerais être garde-malade puis aussi, j'aimerais être vétérinaire. C'est dur de choisir. Je voudrais travailler dans un hôpital pour soigner les enfants, mais d'un autre côté, j'aimerais guérir les animaux.

— Wow ! Irais-tu étudier avec Olivier à Trois-Rivières ?

— Oh, bien non. Les cours que je veux suivre se donnent à Drummondville.

— Mais tu vas t'ennuyer d'Olivier quand y va être parti. C'est loin !

— Oui, je le sais, mais si on veut se marier plus tard, y faut faire des sacrifices, tu penses pas ?

— Oui, mais moi, je pense que je m'ennuierais bien trop de mon chum !

— Toi, Rose, qu'est-ce que tu veux faire quand tu vas être grande ? T'as dix ans, tu dois commencer à avoir une petite idée ?

— Presque onze. Ma fête, c'est le vingt-deux août, dans trois semaines. Moi, j'ai toujours rêvé d'être une coiffeuse ou un professeur d'école comme ma tante Michèle.

— C'est bien ça, mais à presque onze ans, t'as encore le temps d'y penser… Ah tiens, regarde ! C'est Olivier là-bas !

— Rose ! Allô, ma petite cousine !

Olivier leva Rose au bout de ses bras en lui déposant un gros baiser sur le front, et ensuite, il embrassa tendrement les lèvres rosées d'Isabelle.

Même si Rosie se résignait à approuver qu'Olivier fréquente une fille de son âge, elle en avait le cœur brisé, et pour elle, les balades à Drummondville ne seraient plus aussi fréquentes.

Laurette avait laissé une note à Olivier sur la table de la cuisine pour l'aviser qu'elle était partie montrer le chemin du chalet à Roger et à Angèle et qu'elle serait de retour pour une heure moins quart.

En après-midi, les enfants allèrent s'amuser chez Josée et Jocelyne sur la 7ᵉ Avenue, et Rose s'ennuya d'Olivier.

— Comment tu trouves ça, ma femme ?

— Ça fait différent, hein, Roger ? On est bien plus dans le bois ici qu'à Sainte-Anne ! Non, Josée, maman veut pas que tu montes en haut toute seule ! Quand je vais avoir fini de placer mes affaires, je vais aller te montrer ça. En tout cas, Patou puis les chats ont de la place en masse pour courir ici ! Mais le plus drôle, c'est la pompe à eau. Je me suis jamais servie de ça ! Regarde donc, Roger, y a de l'eau à terre à côté du poêle !

— Bien oui. On va mettre une chaudière puis après je vais aller voir sur le toit d'où est-ce que ça vient. On va partir le poêle aussi le matin. Je vais couper du bois après-midi — on sait jamais, c'est humide le matin des fois — puis si on fait pas marcher le poêle, on pourra pas se faire à manger non plus, ma belle noire !

— Bien oui, on va l'allumer tout de suite si je veux faire réchauffer mon pâté au bœuf pour souper. Après, on va aller voir si y a du poisson dans cette rivière-là !

En soirée, face au feu crépitant, Roger et Angèle contemplaient leur petite dernière qui dormait à poings fermés emmitouflée dans une grande couverture de laine.

— Elle va avoir quatre ans, la petite toutoune. Câline que le temps passe vite, hein, Roger ?

— J'aimerais ça si on en aurait un autre, ma femme ! Là, on en a cinq. Faudrait bien qu'on fasse un chiffre rond pour avoir notre demi-douzaine !

— Voyons, Roger, je vais avoir trente-six ans au mois de février. Me semble que j'ai passé l'âge d'avoir des bébés ! Mais savoir que j'aurais un gars...

— Ah oui !

— Woh... j'ai pas dit que je voulais, Roger ! C'est sûr que si je serais certaine à cent pour cent que c'est un gars, on en aurait un autre, mais personne le sait, ça, ça fait qu'on va se tenir tranquilles, OK ?

— Ouin... moi, je fais ce que tu me dis, ma femme. C'est toi le boss !

— Arrête donc de m'étriver ! Viens, on va rentrer Josée puis on va aller se coucher.

Le lendemain matin, Josée était tout excitée de voir qu'elle avait dormi dans le grenier du chalet. L'arôme du café et des toasts grillés sur le poêle à bois sortit Roger du lit, et au moment où il aperçut sa femme dans son pyjama de coton lilas en train de faire cuire les œufs du déjeuner, il s'approcha d'elle en l'agrippant par la taille pour lui déposer plusieurs baisers dans le cou.

— Je t'aime, ma femme. Tu peux pas savoir comment que je suis heureux avec toi ! Sais-tu que t'es encore plus belle que jamais ?

— Voyons, Roger, t'es donc bien romantique à matin ! Moi aussi, je t'aime, t'es vraiment le mari que toutes les femmes rêveraient d'avoir, mais c'est moi la chanceuse parce que des hommes comme toi, y en a juste un puis c'est moi qui l'a !

— Je le sais pas, mais ce que je suis sûr, c'est que je veux que tu sois heureuse jusqu'à la fin de tes jours !

— Là, on va arrêter ça tout de suite parce que regarde la petite, là !

— Viens ici, toi ! Papa t'aime beaucoup, toi aussi, ma Josée !

— Je t'aime, papa. On va-tu faire de la chaloupe ?

— Après-midi, je vais t'emmener, ma belle fille. Avant on va manger nos cocos puis après on va aider maman à faire la vaisselle.

À une heure, Roger était juché sur la toiture du chalet pour remplacer quelques bardeaux afin que l'eau ne s'infiltre plus entre les rainures du plafond.

— Hé, Roger ! Y a un char qui s'en vient ici !

— C'est la Ford Victoria à Laurette, ma femme !

Laurette sortit de sa voiture soulagée de constater que Roger était sur la toiture du chalet pour dépister le problème d'infiltration d'eau qui persistait depuis l'été précédent. Elle portait un grand chapeau de paille rose cendré et une camisole blanche assortie à des bermudas noirs.

— Comment ça va, les amoureux ?

— Ça va bien. Sais-tu qu'on dort comme des marmottes dans ton chalet, Laurette ?

— J'étais certaine, Angèle, que vous dormiriez bien. Y fait noir comme chez le loup ici la nuit !

— Bien oui… Les enfants sont où, eux autres ?

— Je viens juste de les laisser à la piscine au parc Woodyatt en bas de la ville.

— Mon Dieu, Laurette, t'as l'air nerveuse. Es-tu sûre que tout va bien ?

— Oui, oui, Roger… Au fait, je suis venue pour jaser avec vous autres, puis je le sais pas par quel bout commencer !

— Sainte bénite, Laurette, c'est-tu grave ?

— Regarde, si tu veux on va se faire un café puis on va s'assir sur le bord de l'eau. Je vais vous expliquer ça, à toi puis à Roger.

Eh que ce n'était pas facile ! Laurette tremblait comme une feuille.

— Une journée, j'étais partie avec ma mère à Notre-Dame-du-Bon-Conseil pour acheter du linge à la livre, puis quand je suis revenue… Crime que c'est pas facile de vous conter ça ! Je le sais pas si vous voulez savoir ça, mais j'ai pas le choix de vous le dire, vous comprenez ?

— Laurette, on est tes amis, non ? Si faut que tu nous le dises, bien laisse parler ton cœur, OK ?

— Ouin… Quand je suis revenue, j'ai pogné mon Paul avec ma soeur Denise dans la petite maison en haut de l'écurie.

— Sainte bénite ! Tu veux dire que… ?

— Oui, c'est ça, Angèle. Mon Paul venait de coucher avec ma sœur.

— Braille pas comme ça, Laurette, t'es pas responsable de ça, pas une maudite minute ! Eh que c'est pas drôle des fois où est-ce que le cul peut amener le monde ! Roger, tu serais fin si tu irais nous faire d'autres cafés !

— Oui, je vais aller vous faire ça puis je vais vous laisser jaser ensemble. Je vais amener Josée faire un tour de chaloupe.

Laurette pleurait et Angèle lui tenait les mains. Cette dernière avait beau lui répéter qu'elle n'avait pas à être incommodée de dévoiler ce malheureux incident, elle n'arrivait toujours pas à la consoler.

— Oui, mais Angèle, je suis peut-être responsable de ce qui est arrivé ! Peut-être que je me suis pas assez bien occupée de mon Paul ?

— Mais pourquoi tu dis ça ? T'as eu de la peine sans bon sens puis tu trouves le moyen de te mettre le blâme sur le dos ? Bien là, je comprends pas !

— C'est parce que aussi, je me sens coupable vis-à-vis de Guylaine de pas lui avoir dit, Angèle !

— Pleure pas comme ça, Laurette, tu me fends le cœur ! Mais Guylaine a pas besoin de savoir ça pantoute ! Ça va changer quoi dans sa vie à elle, ça ?

— Oui, ça va changer de quoi parce que son père, c'est pas Dario, c'est Paul !

— Hein ! Bien là, ça se peut pas ! Tu savais même pas que t'avais une nièce quand ta sœur est morte ! Paul te l'avait dit ?

— Non. C'est sœur Bernadette de l'Hôpital général à Sorel qui m'a envoyé une lettre que Denise m'avait laissée avant de mourir.

— Calme-toi, Laurette. Là, tu vas prendre une grande respiration parce que tu vas t'arracher le cœur à brailler de même. Puis tu vas me dire, toi, Laurette Beausoleil, pourquoi que t'aurais de quoi à te reprocher là-dedans.

— C'est de pas vous l'avoir dit la première fois quand je suis allée chez vous à Sorel... Si je vous l'avais dit, vous auriez pu penser que je voulais vous enlever Guylaine.

— Voyons donc, pas toi ! Quand je t'ai vue la première fois, j'ai tout de suite compris que tu voulais juste te rapprocher de cette enfant-là ! J'aurais jamais, au grand jamais, pensé une affaire de même ! Là, tu vas te rentrer ça dans la tête pour que ça ressorte plus jamais. OK ?

— Oui, mais...

— Y a pas de « mais », Laurette, t'es notre amie puis ce que tu viens de nous conter là, ça va juste nous rapprocher encore plus !

— Eh que je suis soulagée ! Je voulais vous en parler avant d'en parler à Guylaine.

— Pourquoi tu laisses pas ça comme ça ? Guylaine est pas obligée de le savoir.

— Bien voyons, Angèle ! Son père, c'est Paul ! Olivier, David...

— Oh, mon Dieu ! Olivier puis David sont les frères à Guylaine ! Jésus, Marie, Joseph ! Tu veux leur dire ça quand ?

— J'ai besoin de toi pour leur dire. Veux-tu être là pour m'aider ?

— Bien oui, je vais être là ! Sais-tu, c'est pas pour rien que David ressemble à Guylaine comme deux gouttes d'eau !

— Oui, mais j'ai tellement peur de lui dire, à cette enfant-là ! Je veux pas perdre Guylaine. Puis les gars, eux autres ! Y vont penser quoi de leur père ? Y vont dire quoi quand y vont savoir que leur petite cousine Guylaine, c'est leur sœur ?

— Regarde, Laurette, tu venais mener les filles demain matin ici. Si tu veux, je vais aller les chercher avec Roger puis toi, tu peux t'arranger pour que les gars soient là aussi.

— Oui, on va faire ça comme ça. Crime que ce sera pas facile ! Je l'aime tellement, cette enfant-là ! Y a la petite Rosie qu'y faut pas oublier là-dedans, aussi !

— Inquiète-toi pas pour Rose, je vais m'occuper d'elle.

Le lendemain matin, Roger et Angèle arrivèrent chez Laurette à neuf heures. Les enfants terminaient leur déjeuner et Yvette tricotait sans vraiment faire de mailles. Ils s'installèrent tous autour de la table de la cuisine avec Laurette qui tenait dans ses mains la lettre de sa défunte sœur.

Elle donna la lettre à Guylaine en lui demandant de la parcourir au salon en compagnie d'Angèle. Elle incita Rose et ses garçons à se diriger vers la galerie extérieure pour qu'elle puisse leur expliquer cette vérité du mieux qu'elle le pouvait.

Ma chère Laurette,

Si je t'écris cette lettre, c'est que j'ai plein de remords dans le cœur et que je veux m'excuser et te demander pardon pour tout le mal que j'ai pu te faire.

Je ne sais pas pourquoi j'ai pu faire un coup de cochon semblable à une sœur que j'aimais tant! Je sais pas si un jour tu pourras me pardonner. Si j'avais pu penser avec ma tête, je serais jamais allée avec ton Paul dans l'écurie. S'il te plaît, déchire pas cette lettre tout de suite parce que j'ai autre chose de bien important à te dire...

J'ai une fille qui s'appelle Guylaine. Elle a six ans, et c'est la fille de ton Paul. Je tenais à te le dire parce que quand je suis déménagée à Sorel avec Dario, je savais que tu étais enceinte de ton deuxième. Je sais pas si tu as eu une fille ou un gars. Je connaissais juste Olivier qui avait trois ans. Mais dis-toi bien une chose : ton deuxième, que je n'ai pas connu, aujourd'hui je le vois du haut de mon paradis.

Si tu fais lire cette lettre à Guylaine un jour, je vais être tout près de mon Dario. Je voulais que tes enfants sachent un jour qu'ils ont une petite sœur qui s'appelle Guylaine Deschamps Beausoleil. Tu n'es pas obligée de lui dire non plus, ma sœur, mais si un jour tu décides de le faire, c'est que ton cœur va l'avoir décidé.

Tu pourras dire à ma fille que je vais être assise sur mon nuage pour veiller sur elle tout au long de sa vie et que je serai toujours là pour vous tous, si vous voulez encore de moi.

Je vous aime tant!

Denise

Guylaine sortit du salon en courant. Quand elle passa tout près de ses deux frères, elle s'immobilisa pour les fixer longuement et elle se précipita loin de la maison pour enfin laisser évacuer toutes les larmes qui naissaient de son petit cœur ébranlé.

C'est Roger qui accourut auprès d'elle pour essayer d'alléger sa peine. Pauvre petite Guylaine! Elle ne savait plus trop si elle devait rire ou bien s'obstiner à sangloter.

— C'est-tu vrai, pa, qu'Olivier puis David sont mes frères?

— Bien oui, ma petite gazelle...

— Je suis tannée! Là, je suis rendue avec trois pères : deux qui se reposent au cimetière, puis toi qui es là! Je suis mêlée comme ça se peut pas!

— Viens ici, j'ai envie de te serrer fort fort... C'est sûr que c'est pas facile d'apprendre une nouvelle comme ça. L'important dans tout ça, c'est que t'as plein de monde autour de toi qui t'aime... T'aurais pu tomber dans une famille pas d'enfants puis peut-être même pas à Sorel! Pourquoi tu brailles encore comme ça, ma fille? J'ai de la peine quand tu as de la peine, moi!

— C'est parce que je vais être obligée de déménager pour venir rester à Drummondville avec mes frères! Je les aime puis j'aime ma tante aussi, mais c'est vous autres, mes parents!

— Oh... T'es pas obligée de déménager, parce que t'es notre fille à nous autres aussi, puis t'as Martin, Francine, Rose puis Josée! Nous autres, on veut te garder, mais si un jour tu décides que c'est avec tes frères que tu veux rester, on va accepter ta décision même si ça nous arrache le cœur... Tu sais, si on veut que tu sois heureuse, on sait aussi qu'y faut qu'on te laisse choisir selon ton cœur. Regarde, dans la lettre que ta mère a écrit à ta matante Laurette, quand elle dit qu'elle va être assis sur un nuage pour veiller sur toi, ce nuage-là, y est au-dessus de toute la terre au complet! Que tu restes à Sorel, à Drummondville... ou bien partout dans le monde.

— Ma tante Laurette!

— Oui, ma petite Guylaine!

— Ma tante Monique puis ses jumelles à Philadelphie, c'est pas ma vraie matante puis mes vraies cousines, hein?

— Non... c'est la sœur de ton père Dario puis ton vrai père, c'est Paul, ma belle chouette. Vas-tu continuer à nous aimer pareil, Guylaine? Parce que moi, je t'aime sans bon sens! Regarde tes frères, je pense qu'ils t'aiment encore plus qu'avant!

— Oui, je vais continuer à vous aimer bien gros, ma tante. Je vais venir vous voir comme avant, mais mon père puis ma mère, c'est eux autres...

Chapitre 7
LE DÉCLIN DES VACANCES

Angèle n'était pas dans la belle ville de Québec avec son Roger comme les années précédentes, car aujourd'hui, sa mère se mariait.

Au palais de justice, tout le petit monde d'Emma était là, impatient de la voir prononcer les vœux nuptiaux l'unissant à son Paul.

Elle était resplendissante. Elle portait une robe de dentelle ivoire complétée d'un chapeau à voilette blanc, et entre ses mains fébriles, un bouquet de marguerites faisait valser un ruban couleur de miel.

Paul irradiait dans son costume brun chocolat assorti à une chemise impeccablement blanche ornée d'une cravate caramel.

Sur la grande passerelle du palais de justice, les invités étaient radieux. On aurait dit une bonbonnière. Les robes étaient toutes dans les tons pastel, que ce soit le rose pâle, le vert pomme ou bien le vert lime. La petite Delphine prenait des poses angéliques dans sa minuscule robe de satin blanc.

— Puis, mon Paul, vous allez où en voyage de noces ? Vous nous l'avez jamais dit, en fin de compte !

— On s'en va en Floride pour une semaine, mon Roger. Emma est tout énervée. Elle a jamais pris l'avion, ça va être son baptême de l'air.

— Ah oui ! Mais pourquoi vous allez en Floride au mois d'août ? Y fait chaud ici, au Québec !

— C'est pour les palmiers, mon Roger !

— Veux-tu bien me dire pourquoi tout le monde veut aller dans les pays chauds juste pour voir les palmiers, bonyeu ? Des arbres, on en a des beaux ici !

— C'est pas pareil, Roger. Quand t'as jamais vu un palmier, bien, un jour dans ta vie, y faut que t'en touches un vrai.

Pour l'ouverture de la danse des mariés, l'orchestre interpréta divinement *La chanson de Lara*. Angèle se mit à sangloter après que Roger l'ait étreinte très fort.

C'était une journée clémente pour la rentrée scolaire des enfants. Il faisait soixante-douze, et sur le boulevard Fiset, une quiétude complaisante s'était installée. Martin commençait ses cours au collège Sacré-Cœur, Francine, à l'école Saint-Viateur, et les gazelles, à Maria-Goretti.

Pour fêter le début de ses nouvelles vacances, Angèle se rendit au centre-ville avec Josée pour dîner.

— Je vous connais, vous. Vous êtes la fille d'Emma ?

— Oui... Ah, bien oui ! Gaston, le frère de Paul ! Qu'est-ce que vous faites dans le coin ?

— J'attends ma dulcinée. Elle a le magasin de santé en face. Elle finit à midi et demi puis elle s'en vient me rejoindre pour dîner.

— Bien oui, c'est vrai, c'est Blanche, l'amie de femme de ma mère. Vous aimez toujours votre maison sur le boulevard Fiset ?

— Je l'aimais, mais vu que moi puis Blanche on veut rester ensemble, c'est bien trop petit, baptême, on n'a pas de place à se grouiller là-dedans ! On pourrait rester dans la maison à Blanche sur la rue Huard, mais j'aime pas le coin. On est en train de zieuter les maisons dans le coin du boulevard Fiset là... Puis vous, une belle femme comme vous, vous faites quoi toute seule comme ça en ville à midi ? C'est dangereux, vous pourriez vous faire enlever !

— Vous êtes drôle, vous ! Je voulais profiter de ma première journée de vacances ! Les enfants ont recommencé l'école à matin puis pour moi, c'est une façon de fêter ça !

— Baptême que vous faites ben ! Parle-moi d'une femme qui sait ce qu'a veut ! Paul puis Emma ont eu un beau mariage, hein ?

— Oh oui ! Y doivent-tu être bien sur le bord de la mer main dans la main !

— C'est sûr, puis main dans la main, la balance sur le bord du chemin ! Y ont juste ça à penser ! Moi, si un jour j'vas en voyage avec Blanche, on va aller dans les îles d'Hawaï !

— Sainte bénite ! Ça va vous coûter cher !

— Pas tant que ça ! Y en a qui sont dans la dèche ben raide puis y trouvent le moyen d'y aller pareil ! Ça doit pas être si cher que ça !

— Vous êtes bien chanceux de pouvoir le faire. Nous autres, avec cinq enfants, je vois pas le jour où on pourrait se permettre ça !

— Faut jamais dire jamais, ma petite fille ! Quand vos enfants vont avoir poussé puis qu'y vont travailler, vous allez pouvoir y aller, dans les pays chauds. Puis ton mari, c'est pas un ministre sans portefeuille. À Québec Iron, y fait des bonnes payes !

— C'est sûr que si on serait juste nous deux, ça serait plus facile, mais que voulez-vous, ces enfants-là, y sont pas nés par l'opération du Saint-Esprit, hein ! On les a voulus puis on s'arrange pour qu'y manquent de rien.

Cinq heures et vingt.

— Maudit que je retomberais en vacances, ma femme !

— Bien oui, mais ça va aller juste aux fêtes, mon mari.

— Puis, l'école des enfants, comment ça s'est passé ?

— C'est correct. Rose puis Guylaine ont eu Lucie Simard, la sœur de Lucette. Tu sais, les deux jumelles !

— Oui, oui ! Elles doivent être contentes ! Puis la Francine, elle ?

— Francine ! C'est une madame Vertefeuille, puis laisse-moi te dire qu'elle est arrivée de l'école tout énervée !

— Comment ça ?

— Les gars, Roger ! La classe est mixte cette année. Je le sais pas qu'est-ce que ça va faire, cette affaire-là ! J'espère qu'y va avoir plus de surveillance dans la cour d'école !

— Bien voyons, ma femme, c'est pas parce qu'y va avoir des gars dans leur classe que ça va être plus pire ! Quand elle va traîner dans le carré Royal, la Francine, on sait pas plus qu'est-ce qu'elle fait !

— Ah, tant qu'à ça, t'as bien raison… Martin, lui, y a pas le choix de se tenir les oreilles droites au collège Sacré-Cœur. Y a pas de passe-droits là ! As-tu fini ta bière ?

— Oui, ma femme ! Les enfants, venez souper !

Venez, je vous emmène vers la rue des Pignons, je vous ferai connaître un quartier de champions !

— Lui, c'est Réjean Lefrançois, y joue dans les *Belles Histoires*. Mais elle, je la connais pas, Janine Jarry. C'est qui, cette nouvelle comédienne-là, Angèle ?

— C'est Marie-Josée Longchamps. Est-tu assez belle !

— Pas autant que toi, ma femme. Puis Flagosse Bérichon, y joue dans les *Belles Histoires*, lui aussi ?

— Bien oui, c'est Roland D'Amour, mon mari ! Y jouait dans *La famille Plouffe* aussi. Y faisait monsieur Toulouse !

— Ah oui ! Je me souviens là !

— Qu'est-ce qui joue à neuf heures, Roger ? À l'automne, y en a-tu, des nouveaux programmes ! On sait plus quoi écouter !

— C'est *La grande vallée* qui joue après, ma femme ! Y ont mis ça le lundi soir.

— Ah, OK.

— Mon Dieu! Qui c'est ça à neuf heures du soir?

Il allait y avoir du petit monde le lendemain matin à la maison. Michèle demandait à Angèle de garder ses jumeaux. Depuis deux jours elle souffrait de maux d'estomac et elle subissait des étourdissements à répétition. Angèle s'informa si elle n'était pas enceinte, mais Michèle lui répondit que c'était impossible, car elle avait eu ses règles la semaine précédente.

Michèle revint chez Angèle à onze heures le lendemain et celle-ci l'invita à dîner.

— Puis, c'est-tu une indigestion ou juste un microbe, Michèle?

— Rien de ça. Je suis enceinte, bonté divine!

— Sainte bénite! Mais t'as dit que t'avais été malade la semaine passée. Ça se peut pas!

— Le docteur Dupré dit que ça arrive des fois qu'on est menstruée puis qu'on est en famille pareil. Mon Dieu, qu'est-ce que Richard va dire?

— Tu penses qu'y sera pas content?

— Aucune idée, Angèle. Tu sais, les jumeaux déplacent de l'air en masse! Qu'est-ce que ça va avoir l'air avec le troisième?

En après-midi les jumeaux firent leur sieste dans la chambre d'Angèle et Josée s'endormit sur le divan du salon avec ses jouets. Michèle raconta à Angèle qu'elle avait croisé Fernande Nolin à l'hôpital.

Fernande était la mère de la petite Judith qui avait été une élève dans la classe de Michèle en troisième année. Le père, Rock, était un grand alcoolique, et Michèle avait prêté main-forte à madame Nolin lors de son déménagement sur la rue Chevalier. Celle-ci avait renoué avec son mari qui lui avait fait la promesse de ne plus jamais consommer d'alcool. Mais le contraire s'était produit : il buvait comme un dissolu. Fernande portait des marques de violence et s'était comportée d'une façon étrange avec Michèle.

— Qu'est-ce tu veux, ma belle Michèle ! Toi, t'as fait ton possible, mais si elle, elle aime mieux se faire battre par son mari, tu peux pas rien y faire, hein ?

Le soir, Richard ne s'attendait nullement à être informé d'une nouvelle de l'envergure de celle qu'allait lui apprendre sa femme.

— Puis, ma femme, c'est quoi que t'as ? C'est pas grave ?

— Non, c'est pas grave, Richard. C'est juste que c'est peut-être pas le bon moment pour avoir un autre enfant.

— Es-tu sûre de ça ?

— Oui, oui...

— Ah bien, calvince, je suis bien content ! Pourquoi tu brailles, Michèle ? T'es pas heureuse, toi ?

— Oui, mais c'est de ta réaction à toi que j'avais peur.

— Bien voyons donc ! Viens ici, là. Je vois bien que t'es fatiguée, aussi. Regarde qu'est-ce qu'on va faire, ma belle soie. Je vais prendre une semaine de congé pour que tu remontes la pente.

— Oui, mais une semaine sans paye, Richard, tu y penses-tu ?

— Écoute, j'ai fait de l'overtime sans bon sens au mois d'août. On peut bien se permettre ça, non ? Puis comme on dit, « l'ambition tue son maître », ça fait que je vais me reposer avec toi en m'occupant des jumeaux. On va l'avoir quand, ce beau bébé-là ?

— Au mois de mai, puis j'espère juste que ce sera pas des jumeaux parce que moi, je fais une crise de nerfs, bonté divine !

Quand Richard téléphona à Angèle pour lui confirmer la bonne nouvelle et lui raconter la grande fatigue de Michèle, elle répondit :

— Oh... Faudrait que vous soyez bien malchanceux pour avoir d'autres jumeaux, mais de toute façon, si ça arrive, vous êtes bien équipés, vous avez tout en double !

— Toi, ma sœur, s'il vous plaît, fais pas ton prophète de malheur !

Samedi matin, dans la maison, il n'y avait aucune pomme et déjà dans l'air flottait un arôme imaginaire de pommes et de cannelle. C'était la rituelle randonnée au mont Saint-Hilaire, le casse-croûte au village de Saint-Ours et le traversier sur la rivière Richelieu pour se retrouver sur la route des cerisiers sauvages sur le chemin Saint-Roch.

Tous étaient présents pour cette belle randonnée sauf Martin qui était resté à la maison après les sévères recommandations de ne pas se retrouver seul en compagnie de

Diane. Cependant, cette consigne avait chuté lourdement dans les oreilles d'un sourd.

— Martin… qu'est-ce que tu fais là ?

— Je t'embrasse. Pourquoi, t'aimes pas ça ?

— Tu sais bien que j'aime ça quand tu m'embrasses, mais tu peux-tu mettre tes mains ailleurs s'il vous plaît ?

— Voyons, je fais rien de mal. C'est par-dessus ton chandail ! J'ai pas la main dans ta brassière, torpinouche !

— Oui, mais moi, j'aime pas ça !

— Tu peux pas savoir si t'aimes pas ça si tu l'as jamais fait ! Laisse-moi faire, ma doudoune, je vais y aller tranquillement, OK ?

— Martin Delormes, je t'ai dit non, OK ?

Martin prit un air boudeur et Diane eut peur qu'il casse avec elle. Une situation analogue était arrivée à son amie Martine, et Diane se voyait bien inquiète. L'amoureux de Martine, Daniel, l'avait quittée, car elle n'avait pas accepté de poursuivre ce moment d'accolade qu'elle avait jugé déplacé. Comme Martin affichait toujours une humeur rechignée, Diane quitta la maison sur-le-champ.

Ce fut sur le coup de sept heures que Martin se décida à lui téléphoner pour s'excuser de sa maladresse. À huit heures, ils étaient tous les deux côte à côte sur le divan du salon chez Jeanine, et Diane elle-même demanda à Martin qu'ils se retrouvent tous les deux isolés à l'arrière de la construction naissante de la polyvalente sur le mont Saint-Bernard.

— Tu vas juste me faire ça, OK ? Y est pas question que tu me touches ailleurs !

— Bien oui… Tu sais-tu que je t'aime, Diane ? Moi, c'est certain que c'est avec toi que je veux me marier plus tard. J'ai jamais vu une fille aussi belle que toi !

Pendant cette grande déclaration d'amour, Diane ne discerna pas que son amoureux avait sournoisement glissé ses mains dans son soutien-gorge. Pourtant, elle ne le repoussa pas étant donné que le contact s'avéra bien agréable.

Dans la soirée, pendant que Roger écoutait son émission *La vie qui bat*, Laurette téléphona pour prendre des nouvelles de la petite famille soreloise.

À Drummondville, tout allait bien, mais Yvette avait contracté une méchante grippe et il fallait qu'elle soit hospitalisée quelques jours à l'hôpital Sainte-Croix, car ce mauvais microbe s'aggravait en pneumonie. Olivier fréquentait toujours sa belle Isabelle et David n'avait pas encore fait de rencontre galante.

Laurette annonça à Angèle qu'elle avait un nouveau compagnon depuis une semaine.

— C'est qui ?

— Y s'appelle André Manseau puis y travaille dans la construction ici même à Drummondville.

— Oh… Y a quel âge ? Est-ce qu'y a des enfants ?

— Tu me fais rire, toi ! Y a quarante-deux ans puis y a une fille de dix-neuf ans qui s'appelle Caroline.

— Sa femme est morte ?

— Non… Y est séparé ça fait trois ans puis c'est juste ça qui m'inquiète un peu, Angèle !

— Pourquoi tu dis ça ?

— Bien, je trouve qu'y me parle souvent de sa femme. Même si y me dit qu'il l'aime plus, ça me fait peur un peu, ça.

— Ah oui ! L'as-tu déjà vue, sa femme ?

— Oui, une fois. On est arrivés face à face avec elle au théâtre Capitol. J'ai trouvé que pour un couple séparé, y avaient l'air à bien s'entendre en crime ! Je trouve que ça sent pas bon, cette affaire-là, moi…

— Ah bien, c'est bizarre. Puis sa fille, elle est comment ?

— Ouf… Une vraie bêcheuse ! Une grande rousse maquillée jusqu'aux oreilles, puis quand elle m'a vue la première fois, elle m'a dévisagée comme si je venais d'une autre planète.

— Tu beurres pas épais un peu, ma Laurette ? Tu sais, aux fêtes tu disais que tu te voyais pas avec un autre homme que ton Paul. Peut-être que t'étais pas prête puis que ça va venir tranquillement avec le temps ?

— Je sais pas… J'aime ça sortir avec lui, mais faudrait pas que ça aille plus loin !

— Ah bien là, peut-être que c'est pas un gars pour toi. Je peux-tu juste te demander de quoi, Laurette ?

— Bien oui, Angèle, on est des amies, non ?

— Quand tu l'as vu la première fois, l'as-tu trouvé beau tout de suite ?

— Non, pas vraiment. J'ai même pas pensé que j'aurais envie de l'embrasser, cet homme-là. C'est pas normal, hein ?

— Non, c'est pas normal, Laurette, parce que quand un gars te regarde dans les yeux puis que tu pognes les quételles en dedans, ça, ça veut dire qu'y t'intéresse, puis que t'es prête à aller plus loin avec lui !

— Eh que t'as raison, Angèle ! Ça va finir à soir, cette affaire-là ! Si y s'est rien passé pantoute après une semaine, dans deux semaines je ressentirai pas plus de quoi !

À la toute fin de leur conversation, David demanda à parler à Guylaine. Pauvre petite ! Elle arriva de sa chambre tout incommodée. Un mois était passé depuis qu'elle avait été mise au courant de l'existence de ses deux frères et elle s'en voyait encore bien troublée. Le nom de fille de sa mère était Beausoleil et celui de son père était Dario Deschamps, mais celui-ci ne s'avérait pas être son père biologique et le nom de Paul Beausoleil s'était gravé dans sa jeune conscience comme étant celui de son géniteur. Mais aussi, sa mère n'était pas Laurette. Comment se nommait-elle, cette petite fille métissée ? Pourquoi n'était-elle pas une Delormes, puisqu'elle était la sœur de Martin, de Francine, de Rose et de Josée ?

Chapitre 8

LA DEMI-DOUZAINE

Ce matin-là, Angèle demeura alitée. Une épidémie de gastro-entérite frappait beaucoup de gens et elle n'avait pas été épargnée. Elle ne digérait aucune nourriture et le matin précédent, elle s'était levée une petite heure pour ensuite ressentir le besoin de retourner s'allonger pour la journée. Elle se plaignait de vertiges qui voilaient presque la totalité de son champ de vision.

Comme prélude au mois d'octobre, le temps était encore très doux. Le thermomètre, apposé sur le coin de la fenêtre de la cuisine, affichait soixante-huit degrés. La journée idéale pour planter les bulbes, tailler les arbustes et nettoyer les jardins pour n'y laisser que les citrouilles qui seraient récoltées pour la préparation des tartes et la grande fête tant espérée des enfants, l'Halloween.

Josée était déjà à l'extérieur en train de talonner son père comme un petit chien de poche, et Guylaine ainsi que Rose écoutaient *Les cadets de la forêt* dans le salon réchauffé par les rayons hâtifs du matin qui s'infiltraient au travers de la grande vitrine. Martin s'était recouché après la distribution de ses journaux et il était encore emmitouflé sous ses lourdes couvertures.

— Tiens, comment ça va, ma belle noire, à matin ?

— C'est pas mal mieux. J'ai mangé une toast puis je l'ai gardée.

— M'man ! Viens jouer avec moi !

— Oh non ! Les pâtés de bouette, ça va être pour une autre fois, ma Josée.

— Oh… maman !

— T'es pas mal avancé, mon Roger ! On va être prêts pour l'hiver, puis c'est vrai ! Ah bien, tiens. Salut, Marcel !

— Salut, la belle-sœur. T'as pas l'air dans ton assiette à matin, t'es blanche comme un drap, verrat ! Es-tu malade ?

— J'ai fait une gastro, mais là, ça va mieux à matin. J'ai recommencé à manger… Béatrice, elle, qu'est-ce qu'a fait de bon ?

— À matin, elle est dans le lavage par-dessus la tête. Elle est en train de tout serrer le linge d'été… Puis moi, Roger, je suis venu t'emprunter ta drille. Je suis en train de faire du radoub dans mon cabanon puis j'ai des tablettes à poser.

— Bien oui, Marcel. Va dans cave, elle est pendue au-dessus de mon établi.

— Y est donc bien quêteux, ton frère, Roger ! Des outils, y est pas capable de s'en acheter, câline ? À matin y aurait pu te rapporter ton banc de scie en venant chercher ta drille ! Y est à veille de s'ouvrir un magasin avec tous tes outils qui sont dans sa cave, sainte bénite !

— Qu'est-ce tu veux ! Y a toujours été de même, mon frère… Puis, l'as-tu trouvée ?

— Oui, oui. Je t'ai pris ton niveau en même temps. Je vais te rapporter ça tout en même temps.

— Ouin. T'oublieras pas de me rapporter mon banc de scie aussi, hein ?

— Non, non, crains pas ! Va falloir que j'aille voir les outils au Canadian Tire un moment donné. Je serais pas toujours obligé de t'emprunter les tiens, verrat !

— Sainte bénite que c'est pas drôle ! En plus, y a les pieds plus pesants que la tête ! As-tu remarqué qu'y sentait la bière ?

— Bien oui, ma femme. Je pense qu'y a recommencé à boire, ce maudit pas fin-là !

— Angèle !

— Qu'est-ce qu'y a, Raymonde ? T'es tout énervée à matin, as-tu vu un ours ?

— Viens sur le bord de la clôture, je veux te montrer de quoi…

— Delphine ! Je veux jouer avec Delphine, m'man !

— Passe-moi la petite par-dessus la clôture, je vais la faire rentrer en dedans avec Delphine. As-tu déjà vu ça, cette bébite-là, Angèle ?

— Sainte bénite, Raymonde, vous avez des punaises !

— Hein ! Rolland ! Rolland, viens ici !

Angèle était en train de façonner ses boulettes pour son ragoût quand Martin apparut avec sa Diane. Les amoureux désiraient se rendre au parc Belmont en autobus.

— Voyons donc, Martin, qu'est-ce que tu me demandes là ? Tu sais bien que ton affaire a pas plus d'allure que de monter une vache au grenier ! Vous allez vous perdre ! C'est bien trop grand, Montréal, pour aller là tout seuls ! Puis ta mère, Diane, a veut-tu, elle, que tu ailles au parc Belmont en autobus ?

— Je lui ai pas encore demandé, madame Delormes.

— Ah, OK ! Bien, demande-lui pour voir, puis après tu m'en donneras des nouvelles...

Martin et Diane remisèrent l'idée du parc Belmont dans leurs futurs projets et ils quittèrent la maison avec leurs patins à roulettes perchés sur leurs épaules pour aller sillonner la glace du colisée Cardin.

Francine passait ses journées avec France Saint-Arnaud puisque Claude n'avait fait que passer un court moment dans la vie de celle-ci. Mais, selon Rose, ce serait Claude qui aurait rompu avec elle, car Francine possédait un curieux tempérament. C'était toujours elle qui avait raison sur tout et elle prenait toutes les décisions du couple. Rose disait : « Moi, si je serais son chum, ça me tenterait pas de me faire mener tout le temps par le bout du nez de même. »

Laurette arriva sur le boulevard Fiset à deux heures pour ramener sa nièce à Drummondville, et, pour la toute première fois, Rose ne serait pas du voyage. Son moral n'y était pas pour contempler son bel Olivier qui embrasserait sa belle Isabelle devant elle durant toute la fin de semaine.

Dans la matinée du lundi, Angèle entreprit une promenade avec Josée dans le but de se rendre à l'hôpital pour consulter son frère Richard au sujet de son état de santé qui ne s'améliorait aucunement. Peut-être que ce n'était que son foie qui était engorgé, comme elle le rapporta à son frère en espérant que celui-ci lui prescrive une potion magique pour la délivrer de ses malaises qui persistaient toujours.

Un peu plus tard dans la journée, Angèle accueillit à la maison un Roger plutôt fébrile.

— Maudit que ça a pas d'allure !

— Quoi ? T'as encore pogné toutes les lumières rouges ?

— Bien non ! Regarde le char dans l'entrée, tu vas comprendre !

— Sainte bénite, tu t'es faite rentrer dedans ?

— T'as pas entendu le boum tout à l'heure, ma femme ?

— Bien non ! C'est qui qui t'a frappé ?

— Je le sais pas, puis je veux pas le savoir ! Y avait l'air d'un maudit insignifiant, ce niaiseux-là ! Y chauffait les deux yeux fermés bien raide, je pense… Appelle la police, Angèle.

— T'as laissé le gars tout seul ? T'as pas peur qu'y se sauve ?

— Bien non, Rolland est avec lui puis y peut pas aller bien bien loin, le devant de son char est tout défoncé ! Rolland a fait un maudit saut !… Après avoir appelé la police, veux-tu me chercher le numéro de téléphone de nos assurances ?

— Oui, oui… Ça va-tu nous coûter cher, Roger ?

— C'est pas supposé : c'est lui qui est dans le tort... Bon, je reviens, la police arrive.

Roger se rendit sur les lieux de l'accident et remplit sa déclaration en bonne et due forme.

— Bon, tout est réglé. Y a juste une affaire qui est plate : je vais être à pied une bonne semaine le temps qu'on fasse débosser le char !

— Qu'est-ce tu vas faire, Roger ? Puis Rolland, lui ?

— Bien, je pourrais demander à Edwidge de nous voyager pour une semaine le temps que le char va être au garage...

— Ah bien, sainte bénite ! Maudit que t'es pas drôle, Roger Delormes ! Tu dis-tu ça pour le vrai ?

— Bien non... ma femme ! Je vais demander à Gilbert de nous prendre en passant, moi puis Rolland.

— J'aime mieux ça... Je l'ai vue passer hier en avant, la Edwidge. Je le sais pas où est-ce qu'elle s'habille, cette nou-noune-là, mais on aurait dit qu'au lieu de s'en venir, a s'en allait !

— Mon Dieu, elle était si mal habillée que ça ?

— Mets-en ! Elle avait un pantalon carreauté rouge et jaune en bas du genou avec un manteau de cuir mauve ! D'après moi, a doit être daltonienne, elle !

— T'es donc bien à pic, Angèle, à soir ! Es-tu à la veille d'être dans ta semaine, coudon ?

— Non, puis je serai pas dans ma semaine avant neuf mois, mon Roger !

— Hein ? Non ! C'est pas vrai ! Es-tu sûre de ça ?

— Oui. Richard me l'a dit à l'hôpital à matin. Je suis allée le voir parce que j'étais bien tannée de vomir tout le temps. Je pensais que j'avais attrapé un autre microbe que la gastro. En plus que j'avais été malade la semaine passée, j'aurais jamais pensé que je pouvais être en famille !

— Ah bien, maudit de maudit ! Si c'est un gars, on va l'appeler comment ? Puis si c'est une fille ? Quel mois qu'on va l'avoir ?

— Calme-toi, Roger, sainte bénite ! J'ai pas pensé à ça pantoute, moi, pour le nom ! Je sais qu'y va arriver au début de juillet, mais pour les noms, va falloir y penser !

— Je le sais, moi. Si c'est un gars, on va l'appeler Gabriel, puis si c'est une fille, Fanny.

— Où t'as pris ça, Fanny, Roger ?

— Oh, je trouve ça assez beau, ma femme ! Tu sais, la chanson d'Hugues Aufray...

Dans ce bled il faisait chaud
L'ennui nous trouait la peau
On vivait sans savoir si
On reviendrait au pays
À la caserne le soir
On avait souvent l'cafard,
Heureusement y avait Fanny
J'y pense encore aujourd'hui[2]

— Oh... hi hi ! Tu fausses, Roger ! Mais t'as raison, c'est bien beau, cette chanson-là... puis le nom de Fanny aussi.

— Bien oui. Eh que je suis content ! Toi, ma belle noire ?

---

2 Extrait de la chanson *Y avait Fanny qui chantait*, de Hugues Aufray (1959).

— C'est sûr que je suis contente, puis quand je vais l'avoir, Josée va commencer sa maternelle deux mois après ! Y a une affaire que je trouve moins drôle, par exemple. Ça va être quand je vais aller chercher le bulletin de cet enfant-là.

— Pourquoi tu dis ça ?

— Bien là, Roger, je vais avoir quarante-deux ans. Je vais avoir l'air d'une mémé à côté des petites mères de vingt ans, moi !

— Ah bien, ah bien ! Ça, c'est le bout de la marde ! Tu seras pas vieille pantoute, t'as l'air au moins sept, huit ans plus jeune que ton âge ! Y a des femmes de vingt ans qui paraissent en avoir trente-cinq, bonyeu !

— Ah oui ! Peux-tu m'en nommer qu'on connaît ?

— Bien oui. Regarde la petite Bibianne qui est montée sur notre gazon en avant avec son char. Elle avait dit qu'elle avait vingt-quatre ans. Moi, je lui en aurais donné au moins trente, trente-deux !

— OK, ça en fait une. Les autres ?

— Bien… Edwidge, en arrière, elle a juste trente-quatre ans puis on lui en donnerait quarante-cinq !

— C'est vrai que elle, à courir après les hommes comme elle le fait, elle peut pas faire autrement que de paraître plus vieille. Elle a l'air usée jusqu'à la corde, câline ! Puis à part de ça, comment ça se fait que tu sais son âge, à cette grébiche-là ? C'est-tu toi qui lui as demandé ?

— Penses-tu que j'aurais fait ça, ma femme ?

— Non, c'est vrai. Mais comment tu l'as su, d'abord ?

— C'est Clarence Parenteau qui me l'a dit.

— Comment ça ? Y a-tu forniqué avec elle, lui ? Ça me surprendrait pas pantoute de lui. Y est pareil comme Gaétan, celui-là !

— Bien, mettons qu'y s'est frotté un peu sur elle à shop.

— Ah bien, viarge ! Mais ça me surprend pas de lui. Je l'ai vu juste une fois dans cour en arrière quand y était allé peinturer son logement à elle, puis laisse-moi te dire que j'en ai eu assez ! Y a l'air d'un vrai cochon ! C'est ça, c'est le vrai mot, y en a pas d'autre !

— Eille, ma femme, tu parles donc bien mal ! Viens ici, j'ai le goût de te bercer un peu. Eh que je suis heureux ! Un autre petit trésor !

Dans la soirée, Francine se présenta au salon avec une grande requête. Elle voulait avoir un manteau de cuir. Son amie Paule en possédait un ainsi que France et Geneviève. Malheureusement, elle retourna assez rapidement dans sa chambre en boudant.

— M'man !

— T'étais pas partie bouder en bas, toi ?

— Non… Si Martin veut un jacket de cuir, pourquoi y le paye pas avec sa paye du *Journal de Montréal*, lui ? Tu pourrais m'en acheter un, à moi !

— C'est parce que Martin, y dépose toutes ses payes à caisse populaire, puis si y les gaspillerait, y en aurait pas, de manteau de cuir. Puis là, Francine, on est pas des millionnaires ! Je pense que je te l'ai déjà dit, non ?

— Oui, mais mes amies en ont toutes un, manteau de cuir, maudit !

— Bien oui ! France, ses parents ont le marché Saint-Arnaud puis en plus, elle est toute seule d'enfant chez eux ! Nous autres, on va être six ! Ton amie Paule, comment qu'elle a fait pour avoir un manteau de cuir, elle ? Y sont dix enfants chez eux.

— Elle, c'est sa marraine qui y a acheté.

— Tu vois, j'étais sûre que madame Perette était pas assez riche pour lui acheter ça ! Puis l'autre, comment tu l'as appelée ?

— Geneviève, Geneviève Dufault.

— Son père travaille où ?

— C'est une police.

— Puis comment qu'y sont chez eux ?

— Elle a juste un frère.

— Tu vois bien ! Au printemps, tu vas l'avoir, ton manteau de cuir. En attendant, va te coucher, y est huit heures et vingt, ma fille.

Durant la pause publicitaire, Angèle demanda à son mari s'ils pouvaient faire une surprise à leur fille en lui donnant son manteau de cuir en cadeau pour Noël.

— T'as encore gagné, ma belle noire, on va lui acheter son manteau !

— Sais-tu, mon mari, que tu me fais bien plus plaisir à moi qu'à Francine ?

— Je le sais ! Tu te mettrais toute nue pour tes enfants !

— Pas toi ?

— Tu sais bien que oui !... Chut ! *Cré Basile* recommence.

Blanche avait emménagé chez Gaston dans son coqueron, comme elle le disait, sur le boulevard Fiset. Elle avait entreposé ses meubles dans le sous-sol en espérant que dans les mois à venir, ils se dénicheraient un petit chez-soi un peu plus spacieux et des plus confortable.

— Ça va nous faire de quoi, Gaston, quand tu vas déménager.

— Qu'est-ce tu veux, Emma ! On passe même pas deux dans le passage, baptême ! En plus, quand on est couchés puis que je me revire de bord, je me pète la face dans le mur à chaque fois. J'ai saigné du nez trois fois, bâtard !

— Pourquoi tu l'agrandirais pas, ta maison, Gaston ? Je pourrais te donner un coup de main !

— Se lancer dans le radoub à notre âge ? On est plus des petites jeunesses, mon Paul ! Es-tu pas mal bon en construction, toé ?

— Je me débrouille assez bien.

— Ça veut dire quoi, ça : « je me débrouille assez bien » ?

— Bien, j'ai déjà bâti une clôture, un cabanon, un perron…

— C'est ça que t'appelles te débrouiller dans construction ? Bout de viarge, Paul, c'est pas une cabane à chien que je veux, moi, c'est une maison !

— Je te fais choquer, Gaston. J'ai déjà aidé un de mes chums à bâtir sa maison sur la rue Évangéline à Tracy, puis je peux te dire aussi que je me débrouille pas pire en plomberie puis en électricité.

— Baptême ! Je m'en vais voir Blanche pour y dire qu'on déménage plus !

— Woh, attends ! Tu sais-tu dans quoi qu'on s'embarque, mon frère ? On va en avoir pour au moins trois mois, si c'est pas cinq ! Ta Blanche colombe est habituée de vivre dans la ouate, elle. Elle trouvera pas ça ben drôle !

— Crains pas pour ça, j'ai fait mon nid au creux de son cœur !

— Oh… ha ha ! Maudit fou !

La mode à gogo et la musique yé-yé étaient le sujet de l'heure : les bottes blanches à gogo, les ensembles à midinettes, les très courtes robes grand-mères, les grandes boucles d'oreilles en forme de cerceaux pour les oreilles percées et Michèle Richard qui chantait à répétition :

Tous ceux qui sont tristes
Ou qui s'ennuient trop
Devraient parfois visiter
Les boîtes à gogo
Oui, mes amis, là-bas on peut danser (avec les copains)
Sur des rythmes yé-yé

On peut rire et chanter !

Oui, on peut s'amuser[3]

Ce matin, à *Ce que femme veut*, à CJSO, un seul sujet occupait les esprits : la minijupe. Dans le journal local le *Rivièra*, dans la rubrique « Les coups de griffe de Pussycat », les chroniqueurs affirmaient que les femmes se permettaient toutes les folies pour conquérir leurs hommes. « Ça a-tu du bon sens ! » entendait-on clamer de partout. Un sondage avait été mené pour savoir si les hommes affectionnaient cette toute nouvelle mode un peu déshabillée.

Soixante-cinq pour cent des hommes n'aimaient pas. « Mon œil », rouspéta Angèle, bien assise avec son café dans la chaise berçante de son mari. Et ceux qui idolâtraient la minijupe voulaient seulement admirer les belles jambes des femmes.

— Imagine-toi les filles de douze ans comme Francine les jupes au-dessus du genou, ça fait plus ! Elles sont rendues avec des jupes rase-trou, sainte bénite ! Elles font juste se pencher un peu puis on leur voit toute le derrière ! Ça a pas de bon sens ! Ça change, le monde ! Ça va être beau au bureau à shop quand ta pas fine de secrétaire va se promener en minijupe devant les gars. Y vont avoir tout un show gratis ! Comment que quelqu'un lui dirait qu'elle est trop vieille pour mettre ça, c'est une femme qui comprend rien ni du cul puis ni de la tête ! Pauvre elle, a va encore penser que les hommes la trouvent belle ! Maudite niaiseuse !

---

3   Extrait de la chanson *Les boîtes à gogo*, de Michèle Richard (1966).

— Voyons, ma femme ! Laisse-la faire ! C'est elle qui est la pire !

— Pourquoi tu dis ça, « c'est elle qui est la pire » ? Elle a déjà commencé à en mettre, des minijupes ?

— Bien oui... Qu'est-ce tu veux, elle suit la mode.

— M'en vas y en faire une, mode, moi ! Aimerais-tu ça que je me promène les fesses à l'air, moi ?

— C'est sûr que non !

— Vous êtes bien tous pareils. Votre femme a pas le droit, mais pour regarder le derrière des autres, par exemple, vous vous gênez pas, hein !

— T'es donc bien susceptible à matin, Angèle. Depuis quand que tu parles mal de même, toi ? Tu commences bien ta fin de semaine !

— Hon... C'est vrai que je suis chialeuse, hein ? On dirait que depuis que je suis enceinte, toute m'énerve. J'espère que ça va passer.

— Moi aussi, imagine-toi donc ! Parce que ça va être long en titi de te voir comme ça pendant neuf mois ! Qu'est-ce qu'on fait aujourd'hui ? On restera pas dans la maison toute la journée même si y mouille ! Qu'est-ce tu dirais si on irait faire un tour de machine puis qu'on irait voir le nouveau métro à Montréal ?

— Le métro est fini ?

— Bien oui. Le maire Drapeau l'a inauguré le quatorze octobre. T'es en retard, ma femme !

— J'ai pas entendu ça pantoute ! Ce serait le fun d'aller essayer ça ! Ça doit faire bizarre de se promener en dessous de la terre… J'en reviens pas, moi, comment que ça a changé depuis cinq ans ! J'te le dis, y sont à la veille de nous faire un tunnel en dessous de l'eau pour les chars !

— Ça me surprendrait pas. Le maire Drapeau est parti en peur ! Y a aussi l'Expo qui s'en vient. Ça coûte des bidous, ça aussi ! À Sorel y ont même commencé à vendre les passes pour Terre des Hommes dans les magasins ! Regarde juste à Sorel : Maurice Martel, le député, y a dit qu'y vont commencer le nouveau pont en janvier 67. C'est une affaire de huit millions, ça aussi ! Comment tu penses que nos taxes vont augmenter quand le pont va être fini en 71 ? En tout cas, on n'a pas le choix de suivre le trafic, ma femme. On va payer comme tout le monde.

— Bien oui, mon mari, mais tout le monde va être bien content quand y va être fait, ce pont-là. Tu le dis toi-même que c'est la gale quand tu prends le pont Turcotte après l'ouvrage. Y a trop de monde qui reviennent de Tracy à cinq heures !

— Ouin… Ça, c'est à cause de toutes les usines. Y ont comme pas eu le choix de décider de bâtir un autre pont !

Chapitre 9
UN NOËL IMMACULÉ

Depuis une semaine il neigeait à plein ciel. Il n'y avait plus aucun secteur où stocker la neige. Les météorologues confirmèrent que la province de Québec avait reçu neuf pieds de neige depuis les cinq derniers jours. Chez les Delormes, les enfants en avaient ras le bol de pelleter cette neige poudreuse. Par contre, ils avaient pu échapper à une journée de classe. Angèle n'avait pas fait ses courses dans la matinée du jeudi dû au fait qu'elle ne distinguait même plus les trottoirs sur l'artère du boulevard Fiset.

C'était tellement magnifique de regarder tous ces gros flocons blancs se masser les uns sur les autres pour tapisser les grands espaces et se coller aux grands végétaux engourdis. Les maisons semblaient minuscules, car les toitures étaient constellées de cristaux rutilants. Le jour précédent, Rose avait façonné un imposant bonhomme de neige avec Guylaine, mais ce matin, en sortant de la maison, il s'était volatilisé. La bourrasque de la nuit l'avait complètement englouti.

— Tu me laisserais-tu sur la rue Goupil en passant, mon Roger ? Mon char est enterré dans neige chez nous.

— Ah bien! Les enfants, y pellettent pas ton entrée, eux autres?

— Tu rêves! Y sont bien trop paresseux! J'en viens pas à bout, d'eux autres, sainte étoile! Y m'écoutent pas pantoute, des vraies têtes croches! Y pensent juste à eux autres, puis encore! À matin, quand je leur ai demandé pour m'aider à pelleter, y m'ont répondu qu'y arriveraient en retard à l'école, ça fait que j'ai demandé à Claude Saint-Cyr sur la rue Lalemant de m'embarquer avec lui.

— T'es trop mitaine avec tes enfants, Fabien. Si tu mets pas tes culottes, dans une couple d'années, y t'écouteront plus pantoute!

— Trop tard, mon Roger. Y sont en train de m'embarquer sur la tête bien raide! J'ai quasiment hâte qu'y commencent à travailler puis qu'y sacrent leur camp de la maison. Je suis pas fin de dire ça, mais qu'est-ce tu veux, j'ai pas le dessus sur eux autres. Y écoutent pas Yolande non plus. Y ont reviré de bord assez raide parce qu'y disent que c'est pas leur mère.

— Pauvre toi, t'es pas sorti du bois... Christianne, elle, qu'est-ce qu'a fait?

— Christianne! Elle pense juste à se pomponner puis à aller courailler avec son Marcelet. Je te dis que c'est pas un gars manqué, cette enfant-là! Elle est pas mal développée pour son âge, ouf! Elle est découpée au couteau, cette enfant-là!

— Ah ouin, c'est vrai que ça fait longtemps que je l'ai pas vue. Elle s'adonne pas bien bien avec mes enfants. Yolande, elle, comment qu'elle s'arrange là-dedans ?

— Ah bien… Yolande, tu sais comment qu'elle a bon caractère ! Elle dit qu'y sont dans leur crise d'adolescence puis que ça va passer. Des fois je me dis qu'elle est trop molle avec eux autres, qu'elle devrait se choquer plus souvent puis se faire respecter, mais elle dit que ça servirait à rien d'essayer de faire quelque chose avec eux autres. Y aurait fallu leur serrer les ouïes plus jeunes, mais qu'est-ce tu veux, quand ma Françoise est morte, je les ai laissés prendre le gros bout du bâton. C'est un peu de ma faute.

— Ouin, c'est sûr que ça doit pas avoir été facile pour toi quand t'es tombé tout seul avec eux autres… Bon, t'en viens-tu ? Espérons que le char soit pas trop enterré dans neige dans le parking.

Les précipitations cessèrent dans la soirée et Roger sortit pour ôter le rempart de neige granuleuse que la grosse déneigeuse venait juste d'étendre dans son entrée. Avant de sortir, il prit soin de demander aux enfants s'ils voulaient amorcer le nettoyage de la cour arrière pour préparer la patinoire, mais il avait bien vu dans leurs regards qu'ils n'avaient aucune envie de ressortir la pelle.

Comme tous les samedis matin, Roger relaxait plus longuement que d'habitude en sirotant son café bouillant et en parcourant son journal.

— Viens donc t'assir un peu, ma femme. On est samedi, t'es pas obligée de courir comme une queue de veau, bonyeu!

— Je sais bien. On dirait des fois que j'arriverai pas à faire ma journée, sainte bénite! Puis, c'est quoi les nouvelles dans le journal?

— Ah! Y disent qu'à l'ouverture du centre culturel à Tracy, y va y avoir une bibliothèque pour les grands puis une pour les plus jeunes.

— C'est pas pratique pour nous autres, ça, à Tracy, mais de toute façon, on va en avoir une belle grosse sur la rue George. Par exemple, j'aurais bien aimé qu'y bâtissent la piscine intérieure à Sorel. Les enfants pourront pas y aller souvent, ça fait qu'on achètera pas la carte familiale pour rien.

— C'est pas si pire, ma femme. Si on va les mener pour une journée, ça coûte juste vingt-cinq cennes chaque.

— Ouin…

— Je le sais pas si notre maire, Jean-Jacques Poliquin, va gagner ses élections le vingt-trois janvier, hein? C'est pas un tout-nu qui se présente contre lui, c'est Luc Poupart, maudit!

— Moi, je dis que ça va être bien serré!

— Je le sais pas si ça va se faire, ce nouveau centre d'achats moderne là, en bas du pont Turcotte, hein, Angèle?

— Je le sais pas, mais me semble qu'en bas du pont, c'est pas la meilleure place. Y veulent le commencer quand?

— Faudrait bien qu'y le commencent tout de suite ! Y disent qu'y va être fini en 67, mais je trouve que ça branle pas mal dans le manche, cette affaire-là, moi ! Ah bien, regarde donc ! Monsieur 100 000 volts qui vient au théâtre Sorel demain soir. Y va avoir du monde là !

— Le beau Gilbert Bécaud ! « L'important, c'est la rose, l'important, c'est la rose, crois-moi. »

— Changement de propos : ta mère va venir veiller avec Paul demain soir.

— Hein ! J'étais pas au courant de ça, moi ! M'man a-tu appelé pendant que j'étais en bas ?

— Non, c'est moi qui l'a appelée.

— Pourquoi tu me l'as pas dit avant que tu les invites ? Puis coudon, depuis quand que t'appelles ma mère pour faire des invitations, toi ?

— C'est parce que quand y vont venir veiller, on sera pas ici. J'ai deux billets pour aller voir Gilbert Bécaud.

— Ah bien, maudite marde ! Roger !

— Ho ho ! Fais attention, ma belle noire, t'as failli m'arracher mes lunettes ! T'es contente ?

— Ouf... Quelle belle veillée qu'on va passer, mon Roger ! On est assis où ?

— On est assis dans la deuxième rangée en avant, ça fait que si y a une couette de travers, tu vas la voir.

— Mon Dieu que je suis mal ! Je pense que je vais brailler, sainte bénite ! Qu'est-ce que je vais mettre pour aller là, moi ?

— Mets-toi swell, ma femme, avec ton beau manteau brun sept-huitième. Je t'ai acheté de quoi pour mettre avec !

— Qu'est-ce tu me dis là, toi ? Es-tu allé au Salon des fées me chercher le beau chapeau beige qu'on a vu dans vitrine ?

— Non, ma femme, le chapeau, tu iras le chercher toi-même ! Va voir en haut dans le garde-robe à Martin.

— Oh non ! Pas les bottes russes docteur Jivago ! Oh, Roger, c'est bien trop, mon mari ! Qui t'a dit que je voulais avoir ces bottes-là, toi ?

— C'est Gilbert à Claudia quand y m'a voyagé quand le char était au débossage. J'y ai demandé qu'y demande à ta sœur quelle sorte de bottes que t'aimerais avoir, parce que tes petites noires avec un zip, y faisaient pas mal dur ! Y m'a dit que t'avais montré celles-là à Claudia avec les autres fourrées en loup-marin dans le catalogue Simpsons.

— Bien là, mon mari, j'ai des mottons dans l'estomac ! J'irai pas chercher le chapeau au Salon des fées, ces bottes-là, ça coûte une fortune, câline ! Puis en plus, on a les cadeaux de Noël des enfants à acheter.

— Crains pas pour ça, ma femme. On va pouvoir leur acheter leurs cadeaux, puis Francine, elle va l'avoir, son manteau de cuir, si c'est ça qui t'inquiète !

— Coudon, as-tu eu une augmentation sur ta paye, toi ?

— Bien oui. J'ai mangé les oreilles de mon boss !

— Roger, arrête donc de m'étriver ! As-tu eu une augmentation pour le vrai ?

— Oui ! Je l'ai eue en revenant de vacances à la fin du mois d'août. C'est pour ça que je changeais ma paye à caisse populaire en finissant à shop le jeudi pour pas que tu t'en aperçoives ! Je laissais le surplus dans le compte, puis ça fait que j'ai ramassé un bon petit coussin pour te gâter puis acheter les cadeaux des enfants.

— Cré Roger, tu me fais toujours des belles surprises, toi ! Regarde juste la première fois que tu m'as amenée à Québec ! Toi… là !

— Le dix décembre, ça va faire dix-sept ans qu'on est mariés. Tu penses pas qu'on peut se faire plaisir un peu ? Viens ici avant que Josée rentre de dehors. Tu sais, quand elle nous voit se coller comme ça, elle est jalouse, la p'tite vinyenne !

24 décembre 1966

C'était paisible dans la maison. Le souper venait de se terminer et Rose s'était allongée par terre dans le salon pour contempler l'arbre miroitant. Elle essayait de déceler où sa mère avait bien pu camoufler le petit Jésus. Habituellement elle le trouvait enseveli en dessous de la ouate, ou il était dissimulé à l'arrière de l'église cartonnée. Mais là, elle paniquait parce qu'il était introuvable.

Ce soir, un grand réveillon réunirait une brochette d'invités bien charmants. Angèle avait cuisiné toute la journée. Roger avait plaqué la table à quatre places au bout de la grande, déjà adossée au mur, et vingt-quatre chaises faisaient la ronde tout autour de la cuisine en attendant les invités qui se manifesteraient après l'homélie de minuit.

Durant le dépouillement de l'arbre, Chantal Pary chanta *Le petit renne au nez rouge*, et à chaque étrenne reçue, les cris joyeux des enfants se répandaient dans toute la maisonnée.

Des papiers d'emballage, des choux et des cartes traînaillaient partout sur le parquet de la cuisine. Francine accueillit avec exaltation son manteau de cuir marin, Martin embrassa sa guitare Yamaha, et Guylaine et Rose jubilèrent en apercevant leur nouveau tourne-disque portatif. Josée rêvait d'avoir une Barbie et elle reçut Skipper.

— Puis, Gaston, vous devez être à veille d'avoir fini l'agrandissement chez vous ?

— Y nous reste juste à peinturer puis à poser les quarts-de-rond. Ça fait changement en baptême, hein, Paul ?

— Ah, c'est sûr ! On a défoncé le salon jusque dans chambre. La chambre de bain, on l'a agrandie par la cuisine puis on a toute changé les armoires de bord.

— Votre chambre, elle ?

— Notre chambre est dans le salon, mon Roger ! On a acheté un grand fauteuil en velours bourgogne qui fait un lit. On met notre linge dans la petite chambre d'en avant puis laisse-moi te dire que je me pète plus le nez sur le mur !

— Ho ho… À part de ça, ça a l'air que Paul est pas mal bon dans toute ?

— Ouais, j'étais pas sûr au début, mais m'en vas dire comme notre vieille mère disait : « On juge pas un crapaud avant de l'avoir vu sauter ! » Y m'a bien surpris, mon frère. Y a juste que quand y a fait l'électricité, on a été une semaine dans le noir le soir !

— Eille, là ! Maudit que t'es menteur, face de ragoût ! Ça a pas dépassé un avant-midi ! Torrieu de torrieu qu'y aime ça en mettre, lui !

— En plus, ça marche ! T'es rouge comme une crête de coq, mon petit Paulo ! Y est drôle, hein ? Y a juste deux bières dans le corps puis y a les deux pieds plus pesants que la tête !

— Êtes-vous toujours en train de vous tirailler comme ça, vous deux ?

— T'as remarqué ça, mon Roger ? Mon frère Gaston puis moi, on s'aime de même ! C'est lui qui mène puis c'est moi qui le ramène quand y se met à « débretter » !

Il était déjà deux heures du matin quand Angèle étala les friandises et le sucre à la crème sur la grande table dénudée. Les jumeaux dormaient parmi les manteaux sur le lit de la chambre, David, Guylaine et Rose étaient au sous-sol en train d'écouter les Milady's sur leur nouveau tourne-disque, et Michel, Lise et Marie babillaient comme des pies dans la chambre de Francine. Lise ne portait presque aucune séquelle de son accident. Elle clopinait, mais le médecin l'avait bien rassurée en lui affirmant que dans quelques mois, plus rien n'y paraîtrait. Josée dormait comme une marmotte sur le divan près de Diane recroquevillée dans les bras de son Martin.

— Eh! mon Dieu que j'ai fait le saut!

— Y te mangera pas, Patou, Yolande. C'est juste un petit chien de laine avec une queue de coton. Y ferait pas de mal à une mouche!

— Je vois bien ça, qu'y a pas l'air mauvais, Angèle, mais tu sais, moi puis les chiens, on a jamais fait bon ménage... T'avais pas un chat aussi?

— Oui, oui. J'ai encore Nannie puis Grisou, mais quand y a du vacarme de même, y vont se cacher dans le fond de la cave. Viens t'assir, Michèle. Sais-tu que ça commence à grossir, cette bedaine-là!

— Bonté divine! Je pense que je suis aussi grosse que quand j'attendais les jumeaux! J'ai juste quatre mois de faits, puis on dirait que j'en ai sept, tornon! Regardez-moi pas comme ça, vous autres! Inquiétez-vous pas, ce sera pas des jumeaux! Le docteur m'a bien dit que je faisais de l'eau... De toute façon, quand est-ce qu'on a vu une femme avoir deux couples de jumeaux en ligne?

— Tant qu'à ça. C'est vrai que ça doit être bien rare, mais des fois...

— Toi, Claudia, essaye pas de me décourager. Le docteur m'a bien dit que c'était de l'enflure. Y m'a jamais dit que ce seraient des jumeaux! Si y m'avait dit que ça se pouvait, ça ferait longtemps que je serais en dépression!

Les hommes avaient bien du plaisir. Gilbert n'avait pas la parole facile, mais quand il commençait à raconter ses histoires, il ne s'arrêtait plus. Même Blanche, qui ne souriait pratiquement jamais, avait beaucoup apprécié cette soirée conviviale et elle remercia chaleureusement Angèle et Roger.

La maison vidée de ses convives, Laurette aida Angèle à vider les cendriers et à ramasser les bouteilles et les verres vides, et par la suite, elles ne se firent pas prier pour aller s'étirer sous les couvertures.

Laurette était bien heureuse d'être à Sorel. Allongée sur le divan du salon, elle contempla le sapin qui trônait tout en déployant son arôme et ses branches couvertes d'un épais duvet blanc. Comme par magie, l'étoile de Bethléem scintillait malgré l'obscurité de la nuit.

Chapitre 10
L'Expo 67

Fin mars 1967

Les hirondelles qui mangent la terre, c'est un signal du printemps. Les draps dansaient sur les cordes à linge, et dans le champ voisin, les enfants étaient en train de diviser leurs équipes pour inaugurer leur première partie de baseball. Pauvres petites mères! De la boue, aujourd'hui, elles allaient en récolter sur leur paillasson... Les balançoires avaient rejoint les parterres, et dans le centre-ville, les adolescentes se pavanaient avec fierté dans le but de faire admirer leurs manteaux de cuir par les envieux.

Les bourgeons voulaient éclater, et les feuillus imploraient la chaleur de l'astre lumineux pour bientôt revêtir leurs plus belles robes, tout près des conifères qui allégeaient doucement du poids de la neige leurs branches engourdies depuis le début de la saison hivernale.

L'année 1967 promettait d'être une grande fierté pour tous les Québécois; par contre, il ne pouvait pas survenir que de bons événements. Au tout début du mois de janvier, le Canadian Tire situé sur la rue Roi avait été la proie des flammes, ainsi que Kingsway Transport. On avait maîtrisé l'incendie après une longue nuit de labeur. Les pompiers avaient fait leur possible pour sauver les bâtiments, mais malheureusement, tout avait été rasé. Aujourd'hui, les citoyens de Sorel patientaient pour savoir où serait le nouvel emplacement des commerces.

À la fin du mois de décembre 1966, le bateau *Lambrose*, situé dans le port de la Marine Industries, avait aussi été incendié, mais heureusement, pas dans sa totalité. À bord, deux cent cinquante ouvriers étaient présents pour leur quart de travail. La famille Delormes avait conçu de grandes inquiétudes au sujet de Rolland qui travaillait sur ce paquebot. Par chance, il n'y avait eu aucun blessé.

Blanche, la compagne de Gaston, était hospitalisée depuis deux jours, et c'était Emma qui s'occupait de faire fonctionner son magasin de santé. Tous les vendredis soir et les samedis après-midi, Francine y travaillait déjà. Elle pesait avec la minuscule balance les herbes, les tisanes et plusieurs variétés de noix pour les ensacher et les disposer sur les présentoirs du commerce. Elle était chanceuse, car pour ce travail, elle récoltait cinquante sous l'heure. À l'hospitalisation de Blanche, Angèle expliqua à ses enfants du mieux qu'elle le pouvait que la compagne de Gaston avait fait une grosse crise de fatigue et qu'elle se reposait.

Gaston était anxieux au plus haut point. Il passait ses longues journées à l'hôpital. Les infirmières lui suggérèrent de ne pas s'y présenter aussi souvent, car s'il persistait à ce rythme, c'est lui qui écoperait d'une crise de cœur. Mais comme son frère Paul disait : « Y a les oreilles dans le crin, y est pas parlable, torrieu ! »

Pour les bonnes nouvelles, l'Auberge de la Rive, sur le chemin Sainte-Anne, allait inaugurer une grosse marina. Aussi, Maurice Martel avait assuré à ses citoyens que le début de la construction du nouveau pont était prévu pour le vingt mars et que celui-ci devrait être finalisé pour l'année 1971. La piscine intérieure de Tracy ouvrirait ses portes la première fin de semaine du mois d'avril, et en ce qui concernait le nouveau centre d'achats moderne prévu tout près du pont Turcotte, il n'y avait encore rien d'officiel.

— Qu'est-ce qu'y a à la télévision à soir, mon mari ?

— Comme d'habitude, ma femme, c'est la *Soirée canadienne*, puis les *Couche-Tard*.

— On va passer une belle veillée tranquille. Martin est déjà rendu chez sa Diane puis…

— D'après toi, Diane puis Martin, c'est-tu collé pour de bon ?

— Je le sais pas. Y ont l'air de s'aimer bien gros, mais tu sais que c'est sa première petite blonde, hein ? Y a le temps en masse de s'en faire d'autres.

— Ah bien oui, mais je trouve qu'ils vont bien ensemble, ces deux-là, moi. La petite, c'est pas une tête folle puis en plus, on connaît ses parents. C'est du bon monde.

— Bien oui.

— Ah bien ! Qui c'est ça qui cogne fort de même ? Josée, veux-tu lâcher Nannie ? Ça y tente pas tout le temps de se promener en carrosse dans la maison, elle ! Yolande ! T'es pas avec Fabien ?

— Bien non, j'avais envie de prendre de l'air.

— Viens t'assir, je vais te faire un café. T'as pas l'air de filer, ma sœur.

— Non, pas bien bien... Salut, Roger.

— Salut, la belle-sœur. Ouf ! C'est les gars à Fabien qui te donnent de la misère de même, ma Yolande, hein ?

— Qui t'a parlé de ça, toi ?

— Fabien m'en a parlé à shop. Y sait plus quoi faire avec son plus vieux. C'est un traîne-savates, y veut jamais rien faire dans la maison, puis son plus jeune, lui, y a juste le don de faire damner son père avec ses coups pendables… Je vais répondre, ma femme.

— Allô ! Non, Luc, Martin est chez Diane. Je vais lui dire que tu l'as appelé.

— Ouin, c'est pas facile. Marc est rendu à seize ans, y sait juste dire ostie puis tabarnak. Y est mal engueulé comme ça se peut pas ! J'ai essayé d'y parler puis je vous dirai même pas comment il me traite, cet enfant-là, c'est trop laid, cibolak !

— Sainte bénite ! Comment tu fais pour endurer ça ? C'est pas une vie, ça ! Une chance que ton Fabien est bon avec toi, câline !

— Ouin, y est trop bon, tu veux dire. Ça a pas d'allure ! Quand y parle à Mario, cet effronté-là y répond : « Eille, le père, prends ton gaz égal ! » Ça a-tu du bon sens pour un enfant de dix ans de parler de même à son père ! Pourquoi tu ris, Roger ?

— Excuse-moi, Yolande. C'est vrai que ça a pas de bon sens. C'est ça que Fabien m'a dit. Quand il essaie de leur serrer les ouïes, ben, c'est lui qui mange la beurrée.

— Voyons, Josée, as-tu des mains de laine ? Ça fait deux fois que t'échappes ton verre de lait ! Qu'est-ce tu vas faire avec ça, Yolande ?

— Moi, je suis au bout de mon rouleau ! Je pense que je pourrai plus rester là !

— Hein ! À ce point-là, ma sœur ?

— Je suis tannée, moi, de me faire traiter de marie-quatre-poches puis de vieille sacoche ! J'en reviens, de ça, moi ! Y me traitent comme une crotte. Va falloir qu'y arrêtent de me mettre du bois dans les roues parce que moi, je décampe, cibolak ! Pourquoi tu ris, Angèle ?

— Oh ! hi hi... Excuse-moi, Yolande, je ris, mais c'est pas drôle pantoute. C'est de la manière que tu l'as dit.

— Fabien m'en avait parlé, Yolande, mais je pensais pas que c'était aussi grave que ça.

— Bien, c'est grave, mon Roger !

— Bonyeu ! Y se sont tous donné le mot pour appeler en même temps ! Allô !

— Salut, Roger, c'est Fabien. Yolande est-tu chez vous ?

— Bien oui, mon Fabien.

— Sainte étoile que ça va pas bien, mon Roger !

— Arrête de te manger le derrière de la tête puis viens prendre une bière. On va jaser.

Une fois arrivé, Fabien opta pour écrire une lettre à ses garçons. À Marc, il écrivit que s'il ne changeait pas sa manière d'agir à compter du lendemain matin, il le prendrait par le chignon avec ses cliques et ses claques et il « le crisserait dehors à coups de pied dans le cul », et pour son plus jeune, Mario, c'était de même, sauf qu'il le placerait dans un foyer d'accueil. Pour Christianne, tout était déjà réglé. Deux semaines auparavant, elle avait eu la confirmation qu'elle attendait un enfant et elle était partie entreprendre sa nouvelle vie avec Marcelet sur la rue Montcalm à Saint-Joseph.

À onze heures, Yolande et Fabien repartirent vers la rue Goupil. Il n'était aucunement question que les garçons de Fabien gâchent les plus belles années qu'il avait à vivre auprès de sa Yolande.

Pour finir le bal, comme on dit, dimanche matin, Emma téléphona aux Delormes pour annoncer que Blanche était passée dans l'au-delà à six heures du matin et que Paul avait ramassé son frère Gaston à la petite cuillère. Avant de quitter ce monde, sur son lit d'hôpital, Blanche avait dit oui à Gaston pour le dix-huit juin.

— Je sais pas quoi te dire, mon frère ! Torrieu que la vie est mal faite des fois ! T'arrêtes de travailler pour être heureux avec ta femme, puis ça te pète dans face ! Je le sais bien, que c'est pas le temps de te parler de ça, mais je vais le faire pareil. Blanche avait pas d'enfant, son magasin était à vendre en ville, sa maison était vendue... Où est-ce que ça va aller, cet argent-là ? Vous étiez pas encore mariés.

— Cré Blanche ! Elle sentait sa mort, je crois ben. Y a deux jours, elle a fait faire un papier par la garde Sanschagrin à l'hôpital.

— Pourquoi tu laisses pas tout sortir ça, ce motton-là, Gaston, au lieu de ravaler tout le temps ? Ça te ferait du bien.

— Je suis pas capable, Emma ! C'est tout pogné en pain ici, là.

— Un moment donné ça va sortir puis tu vas filer pas mal mieux, mon beau-frère.

— Baptême que c'est plate ! Ma vie est finie, tabouère !

— Parle pas de même, mon beau-frère.

— Elle est partie les pieds devant en me disant que je l'avais bien gâtée ! Baptême, j'ai même pas eu le temps de la marier !

— Calme-toi donc. Dis-toi qu'au moins, tu l'as rendue heureuse !

— Ouin.

— Puis, qu'est-ce que ça va faire pour ses biens ? Son char, la vente de sa maison puis son magasin ?

— Ouf... Sa maison, elle l'avait vendue onze mille piastres, son char doit bien valoir encore mille cinq cents piastres, elle avait huit mille piastres à la Banque de Montréal puis le magasin vaut au moins vingt-cinq mille.

— Oh là là ! Elle était pas sur la paille, ta Blanche !

— Tu sais, elle avait jamais été mariée, pas d'enfants non plus. Elle avait juste une sœur de soixante-neuf ans à l'Hôpital général.

— C'est sa sœur qui va hériter de tout ça ?

— Non, Paul. Blanche laisse dix mille piastres pour l'Hôpital général. Pour le magasin, je voulais vous parler de quelque chose. Ça vous tenterait pas qu'on s'en occupe à trois ? Les profits seraient divisés en trois. On pourrait signer des papiers chez le notaire puis si on décidait de le vendre après, ce serait chacun notre part. Toi, Emma, tu sais comment ça marche un peu pour les fournisseurs puis pour la comptabilité ? En plus, vous êtes bien habitués, vous avez eu tous les deux le même dépanneur dans le temps sur la rue Royale. Vous êtes capables de gérer ça un bout, non ?

— Bonne sainte Anne ! Tu veux dire que t'as hérité de tout le reste ! Quarante-cinq mille piastres ?

— Oui...

— Braille, mon Gaston, ça va libérer la peine que t'as dans le cœur ! Torrieu de torrieu que c'est plate !

— C'est plate, hein ! J'ai quarante-cinq mille piastres puis ça me fait pas un pli de différence ! J'aurais aimé cent fois mieux garder Blanche avec moi ! C'est dur en baptême, vous pouvez pas savoir comment !

Le treize mai, à neuf heures, la glacière était sur le seuil de la porte, contenant les victuailles de la famille qui se rendait ce jour-là à l'Expo de Montréal. Martin, Francine et Josée monteraient en voiture avec leurs parents, et Rose, Guylaine, Emma et Gaston les précéderaient dans le véhicule de Paul.

C'était assuré que les pavillons n'intéresseraient aucunement les enfants, mais ils n'auraient pas d'autre choix que de les visiter avec les grands avant de se rendre au Village de La Ronde sur l'île Sainte-Hélène.

C'était gigantesque. Ils empruntèrent l'Expo-Express puisque Emma avait refusé d'entreprendre le circuit du téléphérique. C'était dommage, car la famille n'avait pu admirer le lac des Dauphins.

Ils poursuivirent leur balade en minirail. Il y avait même des bicyclettes taxis, des Pedicabs pour les gens qui étaient fatigués de marcher. Ils n'auraient pas le temps de visiter tous les pavillons, même que la glissade en gondole serait pour une prochaine visite. Ils explorèrent les pavillons de la Grèce, de la Tchécoslovaquie, de la Grande-Bretagne, celui des États-Unis, communément appelé « La grosse boule de verre », et la place d'Afrique.

À une heure, ils se dirigèrent vers la voiture pour s'alimenter et se reposer.

— Quand est-ce qu'on va à La Ronde, m'man ?

— Eh que vous êtes énervés ! Laissez-nous souffler un peu, sainte bénite, j'ai même pas fini de boire ma liqueur ! On va laisser Josée dormir encore un petit quart d'heure puis on va y aller après.

— Puis, comment vous avez trouvé les pavillons ? Moi, je trouve ça pas mal grand, c'est à perte de vue ! Toi, Gaston ?

— Pour être beau, c'est beau, mon Roger… J'espère qu'on se fera pas pogner par l'orage. As-tu vu le gros cul noir qui s'en vient ?

— Ça va passer en vent, ce gros nuage-là. À CJSO y annonçaient du beau temps toute la journée. Puis vous, belle-maman ? Attendez, je suis sûr que vous allez me dire que ce que vous avez aimé le plus, c'est les grosses fontaines d'eau avec les grands tapis de fleurs !

— C'est bien sûr que moi puis les fleurs, on s'entend bien, mon Roger, mais le pavillon de la Grèce, c'est pas mal mon préféré. Ça doit-tu être plaisant de passer une semaine dans ces îles grecques là ! Je sais pas si c'est aussi beau que sur les portraits. C'est quasiment trop bleu !

À deux heures et demie, le groupe arriva enfin au Village de La Ronde sur l'île Sainte-Hélène. Ils commencèrent par escalader le manège que tous les gens espéraient voir en vrai, le Gyrotron. Ce fut vraiment comme s'ils voyageaient dans l'espace. Des sons bizarres retentirent tout au long de leur trajet, et une fois qu'ils parvinrent à la sortie de ce gros monstre mécanique, une soi-disant araignée géante, en métal argenté, fit hurler Josée qui, encore, tremblait de tout son être.

Ensuite, sans Josée, Angèle et Emma, le reste du groupe s'aventura dans la grande spirale et quand ils se retrouvèrent au sommet, Roger observa qu'ils se trouvaient à deux cents pieds du sol.

Pour la Pitoune, Emma et Angèle se défilèrent. La file d'attente était d'une longue heure, mais la patience était au rendez-vous.

Roger s'installa à l'avant avec Martin et, comme on dit, ils en ingurgitèrent toute une tasse. Rose et Guylaine riaient aux éclats sans se rendre compte que leurs cheveux dégoulinaient. Martin aurait bien aimé récidiver, mais il était déjà quatre heures et demie, et il ne fallait pas omettre d'aller au Monde des Petits pour divertir Josée.

Ils firent aussi une petite halte au Village western, à l'Expo-théâtre, au spectacle de casse-cou et au Jardin des sculptures.

À six heures, quand Roger annonça qu'il était temps d'aller se restaurer d'un autre sandwich dans le stationne-ment des voitures, les enfants se mirent à protester.

— Regarde, mon Roger, je paye la traite à tout le monde, moi. Des hot dogs avec des patates frites.

— Oui! Oui!

— Calmez-vous, les enfants, vous avez l'air d'une gang de perdus, bonyeu! Ça a pas d'allure, Gaston, vous allez vous dépocher!

— Bien non, Roger, puis cet argent-là, je l'emporterai pas avec moi au paradis, baptême! Ça fait que venez-vous-en, les enfants, on va se bourrer la face, puis si votre père, y ar-rête de bougonner, y va avoir le droit d'en avoir un, hot dog, lui aussi!

— Pa!

— Oui, Francine...

— Là, là, je peux-tu fumer une cigarette? Je vais avoir treize ans dans un mois. Je suis bien tannée de fumer à cachette, moi!

— Bon! Martin, donne une Embassy à ta sœur. Quand on va arriver à Sorel, je vais lui en acheter un paquet.

— Ouais. T'as besoin de me la remettre, OK?

— Crains pas, mais je vais te remettre une Sweet Caporal parce que moi, les Embassy, c'est pas ma sorte pantoute ; ni les Mark Ten, d'ailleurs !

— Regarde, Francine, je vais te donner une Peter Jackson. Tu m'en redonneras des nouvelles !

— Oh ! merci Paul… Ah ! le boutte est blanc après ces cigarettes-là.

Le crépuscule à La Ronde était hallucinant. Ils rentrèrent à Sorel à onze heures. Angèle débarbouilla Josée de sa barbe à papa, et les autres ne protestèrent pas quand ce fut le temps d'aller au lit.

Rose se demandait bien si Olivier était allé visiter l'Expo 67 avec sa belle Isabelle. Dans sa petite conscience, le thème musical de l'événement défilait et défilait :

Un jour, un jour, quand tu viendras,
Nous t'en ferons voir de grands espaces
Un jour, un jour, quand tu viendras,
Pour toi nous retiendrons le temps qui passe[4]

Le vingt et un mai, c'était l'anniversaire d'Emma. À soixante-deux ans, elle donnait l'impression qu'au lieu de cheminer dans la vie, elle allait à reculons tellement elle paraissait jeune. Comme chaque année, Angèle l'invita à souper et lui fit son gâteau de fête glacé de crème rose et orné de petites

---

4 *Un jour un jour*, écrit par Stéphane Venne et interprété par Donald Lautrec et Michèle Richard, 1967.

billes d'argent. Paul lui fit livrer des fleurs et Gaston lui donna une eau de toilette Coty.

— Avez-vous acheté vos billets pour gagner la maison Legardeur qu'y font tirer pour le 325ᵉ de Sorel ?

— Où ça, Paul ? Je le savais même pas, moi, qu'y faisaient tirer une maison !

— Ça, mon Roger, tu vas les dénicher dans les pharmacies puis dans les magasins en ville. J'ai acheté le mien à la pharmacie Lessard. Tout d'un coup qu'on gagnerait, Emma !

— Tu sais bien qu'on la revendrait. Moi, je partirai jamais de la rue Royale ! Hum… du boulevard Fiset.

— Torrieu de torrieu, Emma, une belle maison flambant neuve, ma femme !

— Non, pas pantoute, Paul ! Toi, Angèle, tu déménagerais-tu ?

— Je pense pas, non.

— Bonyeu que vous êtes mémères, les femmes !

— Ça paraît, mon Paul, que t'as pas passé toute ta vie sur la rue Royale !

— Moi, en tout cas, je m'enfargerais pas dans les fleurs du tapis et puis je m'en irais rester dedans ! En passant, ton rosbif, Angèle, y est bon en s'il vous plaît !

— Merci, Paul. Toi, Gaston, tu parles pas fort ?

— Je jongle… Je pense que j'aurais de la misère à déménager d'à côté de chez mon frère, moi. Je pourrais plus le faire ruer dans le bacul puis je m'ennuierais de ça.

— Ah… ah ! que tu fais donc pitié, mon frère ! Veux-tu
que je me mouche avec des pelures d'oignon pour brailler
plus tant qu'à y être ?

— Laisse faire, Angèle, je vais y aller, répondre. Finis de
manger.

C'était un beau souper rempli d'agrément et quand
Angèle revint avec le gâteau, comme de raison, Emma
pleurait.

— Qui c'était, Roger, au téléphone ?

— C'était Richard. Michèle a accouché.

— Mon Dieu, on dirait qu'une brique t'a tombé sur la tête !
Ça a pas bien été ?

— Oui, oui.

— C'est quoi ? Roger, hou, hou… je te parle, câline !

— Y vont s'appeler Jules puis Julien, ma femme.

— Hon… M'man ! Dis quelque chose, sainte bénite !

— Ah moi, je suis bien contente. C'est pas moi qui vas les
élever, ces enfants-là, mais bonne Sainte Vierge que ça va
être de l'ouvrage pour eux autres !

— Moi, je trouve ça correct en baptême. Leur famille va
être toute faite, caltor !

— Mais tu y penses pas, Gaston ! Les boires, les couches,
le manger, puis les deux autres petits tannants, Sylvie puis
Sylvain, qui courent partout !

— Calme-toi, ma belle noire. Moi, j'ai une suggestion pour
les aider, ces deux-là. Vous autres, les femmes, vous pourriez lui donner un coup de main dans le manger. Mettons
que quand vous faites un pâté chinois, vous en faites deux,

puis quand vous faites une soupe, vous la séparez en deux. Moi, je suis prêt à aller faire son gazon une couple de mois puis je suis sûr que Francine puis les gazelles voudraient aller faire du ménage une fois par semaine. Là, Richard travaillera pas pendant quelques jours, mais quand elle va tomber toute seule, la Michèle, avec cette gang-là, a va bien faire une dépression, maudit !

— Je suis bien d'accord, mon gendre. Si Richard veut venir dîner à la maison le midi, ça ferait moins d'ordinaire à faire pour Michèle. Avec le manger qu'on va y faire, avec Claudia puis Yolande, elle va avoir juste à faire chauffer ses repas !

Quand Richard rendit visite à sa femme dans la soirée, elle fut bien soulagée de constater que tout son petit monde mettrait la main à la pâte pour leur simplifier les tâches domestiques. Pauvre elle ! Elle avait l'air d'une petite souris d'église tellement elle faisait pitié.

Dans la soirée, Angèle se mit à pleurer quand Michèle et Richard lui téléphonèrent pour s'informer s'ils accepteraient d'être les parrains de leurs deux garçons.

Chapitre 11
UN CADEAU DE LA VIE

Angèle était partie recevoir les bulletins de ses enfants avec sa sœur Claudia en voiture. Le fond de l'air était cuisant et à huit mois de grossesse, ses jambes avaient pris une forme volumineuse et il était impossible pour elle de faire le trajet à pied jusque sur la rue Guèvremont.

C'est Francine qui gardait les plus jeunes. Martin était chez Luc avec Jacques Daunais.

Martin avait encore grandi. À quatorze ans il mesurait cinq pieds et six pouces et il avait atteint une maturité précoce. Il avait déjà de larges épaules et de grosses mains, tout comme celles de son père, et ses cheveux étaient plus ténébreux, presque bruns. Il frisottait encore et il gardait sa tignasse assez longue, ce qui faisait damner son père.

Josée se promenait sur le trottoir avec son tricycle et elle n'y allait pas de main morte. La vitesse, pour elle, s'avérait une jubilation. Ses cheveux châtains traînaient un peu en longueur et elle était bien heureuse de se pavaner avec ses deux petites touffes nouées à l'aide de grands rubans rouges.

— Puis, m'man, les bulletins ?

— Tout est correct, Francine. Eh! qu'y fait chaud, je suis toute en sueur! Rose puis Guylaine vont aller à Saint-Viateur à l'automne. Elles vont être contentes, ça va leur faire changement : ça fait six ans qu'elles vont à Maria-Goretti!

— Bien oui. Moi, en tout cas, j'ai bien hâte de voir à quoi elle ressemble, l'école Bernard, sur la rue Morgan! Ça va faire drôle de prendre l'autobus aussi, hein, m'man? Ah oui… à soir, Nicolas va venir faire un tour pour que je vous le présente, m'man!

— J'en ai-tu manqué un bout, moi là? T'as un nouveau chum?

— Peut-être bien que oui.

— Y s'appelle Nicolas comment?

— Nicolas Larose, m'man.

— Y reste où?

— Y reste à Tracy, juste avant le village de Saint-Roch.

— Ça va lui faire une bonne trotte en bicycle pour venir jusqu'ici!

— Bien non, m'man! Y va prendre le char de son père!

— Sainte bénite! Le chum de ma fille qu'y a un char! Mais coudon, quel âge il a, ton Nicolas?

— Y a dix-sept ans, m'man… Puis y est beau!

— Bien, la Francine, y a quatre ans plus vieux que toi!

— Bien voyons, m'man, c'est pas la mer à boire! Y en a qui ont dix ans de différence, puis des fois vingt!

— En tout cas, je vais en parler à ton père au souper.

Quand Nicolas arriva dans l'entrée au volant de son Rambler rouge 67, Roger présuma immédiatement :

« Ouin, y doit marcher dans le beurre sans se graisser les pattes, lui ! Ça a l'air d'un petit gars à papa ! » Mais erreur, il venait de se méprendre. Après avoir conversé avec ce grand gaillard, il se rendit à l'évidence que Nicolas était un garçon réfléchi et bien raisonnable.

Nicolas avait quitté les bancs de l'école à l'âge de quatorze ans pour travailler auprès de son père dans la construction et pour, éventuellement, prendre la relève de la compagnie familiale.

C'était un beau grand garçon costaud avec des cheveux noirs bien courts. Il portait un jean bleu et une chemise de style safari beige. Ses yeux, d'un vert très clair, paraissaient être des vitres. Quand Roger alla examiner son Rambler, Nicolas lui offrit les clefs pour qu'il aille « se rendre malade », comme on dit. C'était comique, car Roger n'avait jamais conduit d'auto à quatre vitesses. Arrivé devant la minime pente du stade municipal, il pouffa de rire quand Nicolas lui dit de se mettre sur le « petit bœu » pour la gravir.

— Je suppose que tu t'es rendu malade, mon Roger ?

— C'est sûr ! Un char neuf, ça roule bien en maudit ! Mon Impala roulait bien aussi en 62, mais y a déjà sept ans, ce char-là, ma femme. C'est un 61 ! Y est à la veille de se faire manger par les bébites à fer !

— Tu penses pas que t'en rajoutes un peu trop, toi ! Les bébites à fer ! C'est pas encore rendu une barouche, ce char-là, sainte bénite !

— Non, mais dans une couple d'années d'ici, va falloir y penser ! Tu veux-tu une bière ou une liqueur, mon garçon ?

— Si vous prenez une bière, je veux bien vous accompagner, mais juste une parce que j'ai le char à mon père et je voudrais pas pogner un accident... Tu me fais-tu une petite place à côté de toi, Francine ?

— T'as le char à ton père, mais si y en a de besoin pour une urgence, y faut qu'y soit capable de te rejoindre. Tu restes quand même assez loin !

— Y a pas de problème. Le char, y le prend juste les fins de semaine avec ma mère ; dans la semaine y prend toujours son truck.

— OK. Êtes-vous une grosse famille chez vous ?

— J'ai deux sœurs plus vieilles que moi : Julie a dix-neuf ans et elle travaille au Salon des fées, puis Cathy, vingt et un ans, est secrétaire chez Atlas.

— Ouin, une belle famille ça... Bon, tu viens-tu, Angèle, on va laisser les jeunes tranquilles. On va aller écouter Gaston Montreuil puis son bulletin de nouvelles à Radio-Canada.

— C'est pas Gaston, Roger, c'est Gaétan. Déjà dix heures moins quart... Toi, Francine, je sais bien que t'as plus d'école, mais j'aimerais que tu sois couchée à onze heures, pas plus tard, OK ?

— Bien oui, m'man !

Francine avait gagné beaucoup de maturité. Elle mesurait cinq pieds et deux pouces, mais malheureusement, elle ne serait pas une grande femme de cinq pieds et six comme sa mère. Elle était toute mince, ne pesait que cent deux livres et, malgré tout, elle avait de beaux petits seins ronds, une taille fine et des cheveux longs jusqu'à la naissance de ses reins. Elle avait commencé à couvrir ses cils de mascara et à se farder les joues de poudre rosée. Nicolas lui avait déjà confié qu'elle avait des petits yeux de chat et une bouche vermeille qui avait la succulente saveur du thé des bois.

Au salon, Roger se cala dans le fauteuil aux côtés d'Angèle.

— Viens te coller, ma belle noire. J'ai-tu hâte de lui voir la face, à ce bébé-là, moi ! T'as été chanceuse à date, on est presque à la fin de juin puis on n'a pas eu de grosses chaleurs encore !

— Non, mais là, je commence pas mal à me sentir comme un gros béluga, mon mari !

— Un petit béluga, ma femme ! Veux-tu que je te frotte le dos puis les jambes un peu ? Ça pourrait peut-être t'aider à dormir mieux.

— Oh ! tu serais fin... Changement de propos : Yolande, ça a l'air d'aller mieux avec sa gang ? Oh ! oui, là, ça fait du bien !

— Fabien m'a dit à shop que ses gars se tiennent pas mal le corps droit puis les oreilles molles ! Avant, quand il essayait de leur mettre du plomb dans la tête, ça tournait toujours en eau de vaisselle, mais là, y dit qu'y fait juste prononcer leurs noms puis la tête leur rentre dans les épaules... Pourquoi tu ris, Angèle ?

— Parce que tu me chatouilles ! Frotte un peu plus fort, mon mari. Je suis pas faite en vitre, y a pas de danger, tu me casseras pas en deux !

— Bien oui, t'es ma petite poupée de verre ! Eh que je peux t'aimer, toi ! Grrrrr...

Pour la Saint-Jean-Baptiste, Laurette vint chercher les gazelles le jeudi vingt-trois juin pour, par la suite, les ramener le deux juillet, le lendemain de la fête du Canada. Guylaine était bien contente de retrouver ses frères et sa tante. Rose était heureuse aussi, mais elle avait encore de la difficulté à voir son Olivier auprès de sa belle Isabelle.

Guylaine embellissait de jour en jour. Roger affirmait qu'elle était la copie conforme d'une petite Indienne avec ses grandes tresses noires et ses grands yeux bleus, et que son visage était un petit minois de porcelaine.

Dans la soirée, Laurette, Yvette et les enfants allèrent au parc Saint-Jean-Baptiste. Il y avait un orchestre et ils s'attardèrent sur le terrain jusqu'à onze heures pour admirer le feu d'artifice. Les pétarades avaient toujours effrayé Rosie, mais elle ne pouvait s'empêcher de regarder ce spectacle magique dans le firmament du soir. Laurette avait apporté une grande couverture de laine et Guylaine posa sa tête sur les jambes d'Yvette pour contempler ce moment féerique qui se déroulait devant eux, c'est-à-dire au plus haut des cieux.

Le lendemain matin, ils étaient tous en train de déjeuner quand Olivier sortit du lit. Il ne travaillait pas, car le Dominion était fermé en raison de la fête nationale.

Au mois de septembre, il amorcerait son cours de technicien à Trois-Rivières. Il travaillerait tout l'été dans le but d'amasser des économies pour le prochain trimestre et il avait réussi à obtenir une bourse d'études qu'il allait rembourser quand il serait un employé au Bell Téléphone.

— Où tu vas rester, Olivier, à Trois-Rivières ?

— Pour cette année, je vais aller au collège Marie-de-l'Incarnation pour le cours, puis au mois de septembre 68, le cégep va ouvrir sur la rue De Courval. C'est là que je vais aller. Je vais me chercher une chambre dans ce coin-là.

— Tu vas rapporter du manger quand tu vas venir à Drummondville les fins de semaine ?

— Bien non, Rose, je vais venir à Drummondville juste à Noël, à Pâques puis aux vacances d'été.

— Sainte ! Ta mère puis ton frère vont s'ennuyer de toi ! Puis Isabelle, elle ?

— Ça, c'est le sacrifice que j'ai à faire, mon petit soleil ! Puis en plus, j'en ai pour trois ans. Et aussi, c'est sans savoir où est-ce que je vais travailler après !

— Hein ! Tu travailleras pas au Bell Téléphone sur la rue Saint-Laurent ?

— J'aimerais bien ça, mais va falloir que j'aille travailler où est-ce qu'y va y avoir une place pour moi ! On va voir ça dans trois ans, Rose.

— Mais Isabelle, elle ?

— Regarde, Isabelle va faire son cours de vétérinaire. C'est la même chose pour elle : elle va aller travailler dans une ville où est-ce qu'y vont avoir de l'ouvrage, puis aussi, un vétérinaire, ça soigne pas juste les oiseaux puis les chats ! Y a les gros animaux qui restent sur les fermes, aussi ! Les moutons, les vaches, les chevaux… Coudon, Rose, je te regarde là, t'as donc bien grandi, puis t'es donc bien belle !

— Bien là, Olivier, j'ai plus sept ans, sainte ! Je vais avoir douze ans dans deux mois !

— Je vois bien ça. Je t'appellerai plus Rose mon soleil, je vais t'appeler Rose ma beauté !

Rose devint écarlate. Elle était de la même taille que sa sœur Francine, et la monture de ses lunettes, ovale et cuivrée, s'harmonisait bien à ses cheveux brun chocolat.

Pour la fête de la Confédération, le premier juillet, Laurette amena les enfants au parc Woodyatt. Tous les parents avaient apporté un pique-nique. Les monitrices maquillèrent les jeunes enfants et les organisateurs divertirent petits et grands avec des jeux de style olympique, une course à relais, une autre avec des sacs de pommes de terre, et une chasse au trésor.

La température était torride avec, à l'ombre des feuillus et des sapins bleus, un accablant quatre-vingt-dix degrés. Laurette proposa donc de retourner souper à la maison et elle ajouta, comme le disait Bermont : « On reviendra pour le feu entre chien et loup. »

La décision de Laurette s'avéra bonne, car Roger la contacta pour annoncer la naissance de Gabriel, un beau gros « tocson » de neuf livres et huit onces, en pleine santé, aussi beau que son père et avec des cheveux d'ébène tout comme sa mère.

L'accouchement s'était bien déroulé. Le travail avait commencé le matin à six heures et à onze heures, Gabriel s'aventurait tout doucement dans la vie.

— Eh que je suis contente, Roger ! Je vais lâcher un cri aux filles, elles sont dans la cour.

— Non ! Attends, Laurette ! J'aurais un service à te quêter !

— Tout ce que tu veux, Roger !

— Tu serais bien de service si tu gardais les filles une couple de jours de plus, le temps qu'Angèle va rester à l'hôpital, puis j'aimerais que tu leur dises pas pour le petit. On veut leur faire une surprise. Angèle va être sortie de l'hôpital... excuse, Laurette... je pense que c'est les émotions qui sortent.

— Y a pas de gêne à brailler, Roger, laisse-toi aller. De toute façon, je sais que tu vas être encore le meilleur père de la terre pour cet enfant-là, crime !

— Bien là, Laurette, tu m'aides pas bien bien en me disant ça ! J'ai encore le cœur bien plus gros là !

— Bien, regarde-moi donc là, c'est moi qui morve, crime ! Bon bien, c'est assez là ! On va prendre sur nous autres, mon Roger ! Quelle journée que tu veux que j'aille te mener les filles ? Moi, je peux bien les garder encore six mois si tu veux !

— T'es drôle. Je le sais bien que tu les aimes, mais au mois de septembre, elles recommencent l'école… Regarde, Angèle sort de l'hôpital le cinq au midi, puis là, on est le premier.

— Bien oui, ton Gabriel est né la journée de la fête du Canada ! Crime, c'est le fun !

— Bien oui. Elle était supposée de l'avoir au début de juillet. J'aurais jamais pensé que ce serait pour la Confédération !

— Je vais arriver avec les filles le mercredi après-midi vers quatre heures pour laisser le temps à ta belle noire de s'installer avec le bébé.

— Merci bien gros, Laurette. Tu peux pas savoir comment on apprécie, moi puis Angèle ! Ça va être plus facile à la maison avec juste les trois autres, parce que quand Angèle a eu Josée, j'étais en vacances, mais là, vu que Francine est bien habituée de garder, je manquerai pas mon ouvrage lundi. Je vais prendre congé juste mercredi pour aller la chercher à l'hôpital… Ah oui, Richard travaillait à matin. C'est sûr que c'est pas lui qui a accouché Angèle, mais on a eu sa visite à toutes les heures dans la chambre.

— Ça devait être beau de voir ça, la sœur puis le frère, surtout que son frère, elle l'aime bien gros.

— Bon, je vais te laisser parce qu'Angèle me fait des signes depuis tout à l'heure. Elle dit que je suis une vraie machine à paroles !

— T'es encore à l'hôpital ? Je pensais que t'étais chez vous, moi !

— Mais non ! C'est pour ça que ma belle noire me fait des signes. Elle a hâte de te parler !

— Eh que je suis contente ! Passe-moi-la, Roger !

Les filles étaient bien heureuses de rester à Drummondville jusqu'au mercredi. Laurette ne dit pas un mot au sujet de leur petit frère. Elle leur fit tout simplement savoir qu'elle avait appelé leur mère pour lui demander si elle pouvait les garder encore quelques jours.

Pendant que Laurette préparait le souper avec Rose qui l'aidait à décortiquer la salade et à trancher les tomates, David jouait aux cartes avec Guylaine sur la table du salon.

— C'est lui, le premier ministre du Canada, dans la télévision, m'man ?

— Oui, oui, David, c'est Lester B. Pearson. Y est premier ministre du Canada depuis 1963.

— Ah bon. Je savais que c'était Daniel Johnson, celui du Québec, mais celui du Canada, ça fait la première fois que je le vois !

— Bien oui. Pearson, c'est un conservateur puis Johnson, c'est l'Union nationale.

— Ah bien là, moi, je comprends rien là-dedans ! Tu viens-tu, Guylaine ? On va aller jouer une partie de billes dehors.

— J'aimerais mieux jouer au ballon coup de poing, moi.

— OK. De toute façon, tu vas voir que je suis pas mal bon, moi aussi, au ballon coup de poing !

Les filles passèrent une journée au chalet sur le chemin Hemming, une autre à la piscine, et le mardi elles montèrent des Lego, cuisirent des biscuits et jouèrent au Monopoly avec Yvette. Elles restèrent la journée entière dans la maison puisque la pluie ne cessa de tambouriner sur les toits.

Le mercredi arriva bien vite. Avant que Rose retourne à Sorel, Olivier lui demanda d'aller marcher avec lui. Une petite promenade d'adieu, pensa-t-elle, avant qu'il parte pour Trois-Rivières à la fin du mois d'août.

— Vas-tu m'écrire, Rose, pendant que je vais être parti à Trois-Rivières ?

— Hein ! Pourquoi tu veux que je t'écrive ? Isabelle va le faire, elle !

— C'est pas pareil ! Je vais m'ennuyer de toi aussi. Y faut que tu me donnes de tes nouvelles, mon soleil ! Veux-tu ?

— Si tu veux... Envoie-moi la première lettre avec ton adresse et je vais pouvoir te répondre. Je vais être contente de recevoir de tes nouvelles, Olivier, parce que t'es mon ami.

— Oui, je suis ton ami, et toi, t'es mon ange. Pourquoi t'as pas le même âge que moi, Rose ?

— Pourquoi tu dis ça ? Isabelle, c'est ta blonde puis elle a le même âge que toi !

— Je sais bien. Isabelle, c'est que... ah ! puis, laisse faire...

— As-tu cassé avec Isabelle, Olivier ?

— Non, c'est juste que c'est une fille bien spéciale... Je t'en parlerai peut-être dans mes lettres, OK ?

— OK... Va falloir que je retourne à la maison. Mes bagages sont pas faits puis Guylaine doit me chercher partout.

— Attends ! Je peux te prendre dans mes bras, Rose ? Inquiète-toi pas, je t'embrasserai pas, c'est juste que j'en ai de besoin... Je te regarde puis j'ai juste envie de te serrer fort fort !

— OK... Mais après on s'en va.

— Promis.

Quand Olivier l'étreignit, elle se colla à lui tendrement pour savourer cette douce chaleur qui l'enveloppait.

— Allô, les gazelles ! Allô, Laurette ! Allô, David !

— Viens t'asseoir, Laurette, je vais te faire un café.

— Merci, Roger.

— Pa ! M'man puis Josée sont où ?

— Ta mère est partie chercher Josée chez ta matante Béatrice, Rosie. On l'a fait garder à matin, on avait des commissions à faire.

— Ah bon !

Angèle attendait, dissimulée dans la chambre de Josée, avec le bébé.

Les enfants commencèrent à raconter leurs vacances à leur père, mais Rose sentait bien qu'il se passait quelque chose d'un peu anormal. Patou se collait à la porte de la chambre de Josée et il ne cessait de geindre.

Quand Angèle sortit de la chambre avec le nouveau petit frère dans ses bras, le cœur de Rose se mit à tressaillir.

— Je veux le prendre, m'man !

— Assis-toi sur la chaise berceuse, Rose, tiens... Dix minutes, pas plus, OK ? Après on va le passer à Guylaine. Pas trop longtemps parce que Francine et Martin ont pas arrêté de le tripoter ! Y est déjà gâté, cet enfant-là, sainte bénite !

— Martin doit être content, Angèle, d'avoir eu son petit frère ?

— Si y est content ? Il l'a pas lâché deux minutes. Y a juste quand je l'ai changé de couche qu'y a pas rouspété, hi hi... Bon, donne ta place à Guylaine, ma Rosie.

— Y sent bon, m'man, puis y a les cheveux noirs pareil comme moi !

Laurette admirait Gabriel les yeux remplis de larmes.

— Bon, Roger, tu peux-tu le prendre, cet enfant-là, pour le mettre dans les bras de sa marraine pour qu'il fasse connaissance avec elle ?

Ah bien là, Laurette n'avait pas seulement les prunelles qui lui roulaient dans une mare d'eau, elle pleurait comme une Madeleine !

Gabriel était bien choyé : il venait d'hériter de deux marraines, sa tante Laurette et sa grand-maman Emma.

Chapitre 12

L'ADOLESCENCE

Vendredi 20 juin 1969

— Nous autres aussi, on trouve ça dur, ma Laurette. Une chance qu'on a Gabriel puis Josée. Les plus vieux, on les voit quasiment juste le soir quand y viennent se coucher. Ça a changé bien gros. Au moins, on n'a pas arrêté de se voir, nous autres, parce que les gazelles, tu les verrais pas souvent, toi non plus ! Qui aurait dit que tes deux gars feraient leurs études à Trois-Rivières ? Tu vas t'ennuyer moins quand tu vas déménager avec ton beau Serge à Saint-Bonaventure sur une grande terre de même.

— Bien oui, puis ma mère, je pense qu'elle devrait bien aimer ça. Une pépinière, c'est grand en crime. Elle va se retrouver en campagne pareil comme à Saint-Cyrille ! David va venir à toutes les fins de semaine puis Olivier va bien venir faire son tour de temps en temps même si y a décidé de rester à Trois-Rivières tout le temps pour faire son cours de technicien. Ça paraît pas, mais en soixante-dix, y va être prêt à travailler, mon grand… C'est dans un an, ça, ça va venir vite ! Je le sais pas où y va se placer après ses études. J'espère juste que ce sera pas à l'autre bout du monde, crime !

— Bien oui, y s'est-tu fait une autre blonde depuis Isabelle ?

— Y en a eu quelques-unes, mais ça a jamais duré long-temps. Mais là, y est loin, hein ! Je le sais pas qu'est-ce qu'y fait de ses fins de semaine là-bas, puis de toute façon, rendu à dix-huit ans, j'ai plus d'affaire à lui dire quoi faire. David, lui, ça fait pas encore un an qu'il est rendu là, puis il est assez occupé avec ses cours en communication qu'il a pas le temps de penser à se faire une blonde ! Mon Dieu, y a du brouhaha en arrière de chez vous à matin. Ça déménage !

— C'est Edwidge qui déménage à Joliette avec son mari. Elle est venue sur le bord de la clôture hier soir pour faire ses adieux. J'ai laissé Roger tout seul avec ; moi, je suis pas capable de la sentir, sainte bénite ! J'ai poigné Gab puis je suis allée m'asseoir sur le perron d'en avant. Je le sais pas c'est qui qui a loué ça. Je les connais pas, je connais juste leur fille, Geneviève. Elle se tient avec Francine. Je sais que c'est du bon monde. Son père est dans la police. Puis toi, tu déménages toujours à la fin du mois, Laurette ?

— Oui, puis j'espère que vous allez venir voir ça, cette belle grosse maison de campagne là ! C'est grand là-dedans, ça a pas de bon sens ! Ça a été tout un adon quand y m'a passé un caillot de planter un sapin sur le coin de ma galerie, mais qu'est-ce tu veux, quand un beau grand célibataire de même te dit : « Pourquoi vous voulez acheter un sapin quand vous pouvez avoir la pépinière au complet ? » Je te dis, Angèle, que je suis restée l'air bête en crime quand y m'a lancé ça !

— Mais comment ça qu'il savait que t'étais célibataire ? On dit pas ça à une femme qu'on a jamais vue, câline !

— Oui, mais avant qu'il me dise ça, tu sais bien qu'y avait fait son enquête ! « Oubliez pas de dire à votre mari qu'il mette de l'engrais puis qu'il l'arrose au moins pendant une semaine à tous les soirs. » Qu'est-ce tu penses que je lui ai répondu ? Que c'était moi qui le plantais, ce sapin-là, crime ! Ah, je l'aime assez ! C'est mon gros toutou, Angèle !

— Sainte bénite, Laurette, t'avais pas mordu de même quand t'avais rencontré André Manseau ! Tu m'avais dit que t'avais même pas eu envie de l'embrasser, celui-là !

— Eh oui ! Mais Serge, lui, je lui mangerais la face tout rond, crime ! Y fait juste me prendre par la taille puis j'ai envie de sauter sur lui ! Ouf… une chance que ma mère m'entend pas, elle me traiterait de dévergondée puis de femme en chaleur, hi hi !

— Hi hi… je suis bien contente de te voir heureuse de même, Laurette. J'ai bien hâte de faire sa connaissance. Pourquoi tu l'amènerais pas souper quand tu vas venir pour la fête de Gab le premier juillet ? Tu sais que Gabriel, faut qu'il ait sa marraine avec lui la journée de sa fête !

— T'es bien fine de me dire ça. Gabriel, c'est comme mon gars, Angèle… Je l'aime assez, cet enfant-là ! Tu sais, quand tu l'as mis dans mes bras la journée que t'es sortie de l'hôpital pour me dire que je serais sa marraine…

— Tiens, elle morve encore, sainte bénite ! Ma mère aussi, elle a braillé quand on lui a demandé d'être l'autre marraine. Cré m'man ! Elle vient encore garder le jeudi après-midi, puis à soixante-quatre ans, elle joue encore à quatre pattes à terre avec le petit ! Elle est pas mal en forme depuis que Gaston a vendu le magasin de santé en ville. Tu sais, à soixante-cinq ans, Gaston a bien beau être en shape, mais voyager à Montréal deux fois par semaine pour aller chercher de la camomille puis des pains aux raisins... je pense qu'il aime bien mieux couper son gazon puis s'occuper de sa belle Arthémise ! Viens-tu, Laurette, on va aller en dedans un peu pour se faire une bonne salade de jardin avec des œufs à la coque ? Je commence à avoir faim, moi.

L'autobus de l'école Martel arriva sans Martin sur le coin de la rue Monseigneur-Nadeau. Celui-ci avait décidé de fêter la fin de son année scolaire en compagnie de ses amis en ville. À seize ans, Martin était rendu bien sérieux. Les fins de semaine, il travaillait au garage Pinard, et le *Journal de Montréal,* pour lui, c'était du passé. Certainement, il fréquentait toujours sa belle grande Diane et il venait d'obtenir son permis de conduire. Le vendredi soir, on les voyait tous les deux se pavaner avec la Chevrolet Cougar 69 de Roger, parcourant le carré du centre-ville avec la musique au fond, comme le disent les gens.

Martin écoutait beaucoup de musique québécoise, mais son groupe préféré de l'heure était Led Zeppelin. Et quand il promenait sa Diane, c'était du Françoise Hardy ou bien du Eric Charden qui jouait dans le « huit tracks » de la voiture.

Enfin, il n'avait plus l'allure d'un pouilleux. Il n'avait pas eu le choix de faire raser sa grande tignasse brune, car il ne voulait plus friser. Il avait le même gabarit que son père, cinq pieds et dix pouces, et il fumait encore ses cigarettes Embassy, communément appelées « rouleuses ». Leur prix était moins élevé, et depuis qu'il travaillait au garage Pinard le samedi et le dimanche, il s'occupait lui-même de payer ses cigarettes et son habillement. C'était aussi inévitable pour ses vêtements, et étant donné la nouvelle mode qui était de porter des jeans toute la journée, c'était plus dispendieux. Il réservait ses jeans Levi's pour les fins de semaine. Les filles aussi arboraient les jeans. On n'aurait pas vu cela il y a dix ans, car, disait-on, les *overalls*, c'était pour travailler sur la terre et pour faire le train, pas pour aller faire un défilé de mode en ville.

Francine venait de terminer sa dernière année scolaire à l'école Bernard. L'automne suivant, elle serait inscrite à la nouvelle polyvalente Fernand-Lefebvre, ainsi que son frère et ses deux sœurs. Elle n'avait pas eu d'autre copain depuis que son beau Nicolas était parti travailler à Mont-Tremblant au mois de décembre 1968. Une première grande peine d'amour, la pauvre ! Nicolas avait dix-huit ans et elle n'en avait que quatorze. Quand il était parti, il n'avait pas pu l'emmener, mais il lui avait fait la promesse de lui écrire jusqu'au temps où elle aurait atteint ses seize ans pour qu'ensuite ils puissent enfin se marier. Les mois avaient passé et, pour Francine, il était préférable de l'oublier. Le facteur n'avait jamais déposé une lettre de Nicolas dans la boîte aux lettres des Delormes.

Elle travaillait toujours au magasin de santé chez monsieur Déziel. Elle avait grandi un tantinet jusqu'à atteindre cinq pieds et quatre pouces, mais Rose la dépassait avec ses cinq pieds et cinq. Une fois, Francine lui avait dit : « Ça me purge que tu sois plus grande que moi. » De toute façon, Rose n'avait jamais été très proche de sa sœur : *Eh qu'elle me tape sur les nerfs ! Pour elle, je fais jamais rien de bien, c'est elle la plus fine puis j'ai jamais raison avec elle. Je pense bien qu'elle me prend pour une crotte de chien. Depuis que je me suis fait couper les cheveux courts comme ma mère, elle arrête pas de m'appeler ti-gars, puis quand elle est avec un gars, elle m'appelle son p'tit chien de poche devant lui. Elle me fait bouillir la tête, ça se peut pas ! Une chance que j'ai ma sœur Guylaine parce que ce serait pas vivable dans cette maison-là. Je ferais une fugue, sainte ! Guylaine a pas changé, elle. Elle est même pas dans ma classe à Didace-Pelletier puis elle vient toujours me rejoindre avec son amie Marie-Martine à la récréation ou sur l'heure du midi… Y en a qui l'appellent la squaw, ma sœur, mais c'est pas méchant parce qu'elle est tellement belle avec ses grands cheveux noirs puis sa petite face de porcelaine. La fin de semaine, on va sur la rue Barabé au Pot au Beurre parce que nos chums restent là, en face de chez ma tante Claudia. On les a rencontrés cet hiver au colisée Cardin en faisant du patin.*

Samuel et Michaël Lemoine étaient des jumeaux identiques de seize ans. Leurs vêtements étaient le seul moyen de les distinguer.

Samuel avait un grain de beauté sur le pouce gauche, et le beau Michaël en détenait un aussi. Samuel avait une rosette sur le côté gauche du front ; Michaël en avait une aussi. Roger les trouvait bien aimables et bien éduqués, mais quand il les voyait apparaître dans sa maison avec leurs cheveux qui traînaient sur leurs épaules, il avait juste envie de prendre le *clipper*, comme il le disait, et de le leur mettre dans la tête : « Y ont pas besoin d'avoir l'air des pouilleux, maudit bonyeu ! Quand Samuel est avec toi, on dirait que c'est lui qui fait la fille, bâtard ! »

Josée venait de terminer sa première année scolaire à l'école Maria-Goretti. Ses cheveux châtains étaient un peu plus drus, car Angèle les lui coupait régulièrement.

Gabriel avait toujours les mêmes cheveux noir-bleu de sa mère et il allait avoir deux ans le premier juillet. Lui, il en déplaçait de l'air, comme le disait sa mère. Aussitôt qu'elle avait le dos tourné, il ne pensait qu'à faire des coups pendables. La veille, il avait fouillé dans le réfrigérateur pendant qu'elle faisait les lits et il avait lancé deux œufs sur le plancher. Pour le sermonner, Angèle avait beaucoup de difficulté. Elle disait qu'il faisait pitié quand il la regardait avec ses grands yeux bleus repentants.

— Salut, Raymonde, viens t'assir. Laurette est ici, on va jaser. Va voir Josée, Delphine, elle est dans sa chambre. Elle vient juste d'arriver de l'école. Ta petite Grace elle est où, elle ?

— Elle s'est endormie avec ma mère, ça fait que j'en profite pour venir prendre un café avec toi. Bonjour, Laurette !

— Allô, Raymonde. Vas-tu me la montrer, ta fille, quand elle va se réveiller ?

— Bien oui. Traversez tout à l'heure, vous allez voir ma mère en même temps ! Ça arrive pas souvent qu'elle sort de Repentigny pour venir nous voir, elle ! Mais ça fait bien mon affaire ; elle s'occupe bien gros des petites puis j'ai au moins la joie d'aller faire mon épicerie toute seule... Grace a juste dix mois, c'est pas toujours facile de la forcer à rester assise dans le panier d'épicerie. Delphine, qui a juste quatre ans, à date elle a cassé un pot de betteraves, une grosse bouteille de jus de pruneau puis un pot de Maxwell House sur le plancher du magasin. Une chance que monsieur Letendre m'a pas fait payer, sapristi, ça m'aurait coûté toute une beurrée !

Pour souper, Angèle avait préparé une grosse lasagne. Ceux qui seraient là à cinq heures et demie allaient pouvoir « se bourrer la panse » et ceux qui allaient se pointer le bout du nez après six heures et demie, bien, crèveraient de faim, car Angèle devenait harassée à toujours réchauffer le souper. C'était la nouvelle directive à suivre pour l'été 69.

— Non, non, Gabriel, tu restes sur le perron avec nous autres ou tu vas aller te coucher tout de suite dans ta chambre !

— M'man !

— Gabriel ! Attends-tu que je me lève ? Je vais te prendre par le collet puis ton lit, tu vas le voir assez vite, mon gars !

— Bien là, Roger, vas-y pas si raide avec lui, sainte bénite !

— C'est ce qu'y faut faire, ma femme. Avec ta petite voix mielleuse, c'est pas comme ça que tu vas te faire écouter. À cinq ans, y va te monter sur la tête, maudit !

— Êtes-vous en train de vous chicaner, vous deux, là ?

— Bien non, Laurette, Roger puis moi on parle ! Pourquoi tu ris ?

— Oh... c'est parce que c'est la première fois que je vois ton Roger en beau maudit comme ça !

— Je t'ai pas trop fait peur, ma Laurette, au moins ?

— Bien non, Roger, j'ai eu plus de fun que d'autre chose à te voir parler fort de même ! Tiens, ton grand Martin qui arrive, Angèle. Trop tard, Martin, la lasagne est serrée dans le frigidaire !

— J'ai pas faim pantoute, j'ai juste envie d'aller me coucher, moi ! Bien voyons, m'man, t'as changé la poignée de porte ?

— Sainte bénite, Roger, Martin est saoul ! Qu'est-ce que t'as à rire ?

— Rien, ma femme. Martin ! Veux-tu bien me dire où est-ce que t'es allé te traîner les pieds, bonyeu ?

— Je suis allé en ville avec Luc puis Joël Mercier. On a fêté notre dernière journée d'école !

— Puis ta Diane, elle ? Je pense que t'as oublié que t'allais la chercher chez eux pour aller en ville. Elle a appelé deux fois depuis six heures !

— Ah, ma belle Diane... On va se marier dans deux ans, quand je vais avoir fini mon cours de mécanique.

— Si elle te verrait là, mon Martin, je suis pas sûr qu'elle voudrait se marier avec toi, moi ! Coudon, qu'est-ce que t'as fait à ta moustache ?

— Hon... hi hi... Je pense que j'en ai oublié un bout, moi, parce qu'y m'en manque un morceau, hein ! Maudit Joël ! Oups...

— Ouache ! Maudit cochon ! T'aurais pu essayer de te rendre dans la chambre de bain ! Viarge que t'es pas drôle ! Tiens le petit, Angèle, je vais aller chercher la hose en arrière, puis toi, ma face de carême, oublie pas de te prendre une chaudière pour mettre à côté de ton lit ! Quand on sait pas boire, Martin Delormes, bien, on boit pas, maudit verrat ! Pourquoi tu ris, Angèle ?

— Oh... c'est sa première brosse, Roger. T'en as pas eu une, première brosse, toi ?

— Bien oui, ma femme. Moi, j'avais quatorze ans puis j'ai renvoyé à côté de mon lit à terre, puis quand je me suis levé, j'ai glissé puis j'ai tombé dedans.

— Oh ! hi hi.... C'est pour ça, la chaudière ? Hi hi... Viens, Laurette, on va prendre une marche jusqu'au dépanneur Allard puis après je vais aller te montrer la petite à Raymonde... Hi hi ! je suis crinquée pour la veillée, moi, j'en ai mal au ventre, câline !

Laurette reprit la route pour Drummondville à sept heures et Angèle téléphona à Diane pour lui dire de ne pas s'inquiéter pour son Martin, qu'il s'était endormi et qu'il lui téléphonerait le lendemain matin.

— Tu parles d'une journée plate pour déménager ! Ses meubles vont être tout mouillés, sainte bénite ! Son visage, à cette femme-là, me dit quelque chose. Pas toi, Roger ?

— Non… En tout cas, on sait de qui Geneviève retient, c'est une belle femme ! On peut pas en dire autant de son mari. Il est laid, ça a pas de bon sens ! On lui voit juste le nez dans la face, maudit !

— Bien voyons, Roger, parle pas de même ! Y est peut-être bien fin, cet homme-là !

— J'espère pour lui, parce qu'à part de ça, on peut pas dire qu'y a été gâté par la vie ! Les enfants doivent prendre leur trou quand y est en habit de police ! Imagine-toi rencontrer ça dans le fond d'une cour à dix heures du soir ! En tout cas, moi, je ferais un maudit saut !

— Oh… hi hi ! Voyons, mon mari, c'est pas de sa faute s'il est laid ! Oups ! Allô, Geneviève, reste pas là, monte sur le perron, tu vas être mouillée comme un canard ! Francine est dans sa chambre en bas… On dirait que ça va s'éclaircir, mon mari. On va pouvoir tailler la haie en avant. Viens, Gab, on va aller mettre la table pour le dîner.

C'était beaucoup de besogne, posséder une maison. Roger n'arrêtait pas cinq minutes, et comme s'il n'en avait pas assez, Angèle avait réussi à le persuader d'acheter des lapins pour Josée.

Au début, c'était bien amusant d'avoir deux beaux petits lapins blancs, mais là, Blanchette était rendue avec douze petits, et ainsi, Roger n'arrêtait plus de les nourrir et il était bien excédé de nettoyer cette cage-là tous les jours. « Des vraies machines à crottes, ces lapins-là, maudit ! »

— Ouin, c'est des beaux plants de tomates, ça, monsieur !

— Tiens, salut. Vous êtes notre nouveau voisin ?

— Bien oui. Moi, c'est Charles puis lui, c'est Dany, mon plus jeune.

— Enchanté, monsieur… ?

— Dufault, Charles Dufault. Vous êtes monsieur Delormes, vous. Geneviève m'a parlé de vous. Elle m'a dit que vous travailliez à la Québec Iron.

— En plein ça !

Charles Dufault, un homme imposant d'environ six pieds, était au début de la quarantaine. On ne pouvait pas discerner la teinte de ses cheveux du fait qu'ils étaient chapeautés d'une casquette noire ; par contre, ses yeux étaient très bleus, surmontés de gros sourcils gris. De près, ce n'était pas un homme laid, à part son nez protubérant.

Dany, lui, était un petit maigrichon avec les cheveux longs et bruns aux épaules. « Un autre pouilleux, maudit ! » pensa Roger.

— Viens, Antoinette, je vais te présenter notre nouveau voisin !

Antoinette était en train de secouer ses tapis sur la galerie. C'était une belle grande femme blonde de cinq pieds et six pouces avec une taille de guêpe. Jamais on n'aurait pu croire que cette femme avait pu porter deux enfants tant elle était parfaite.

— Ah bien, maudit de maudit, Antoinette Ménard !

— Bien, j'en reviens pas ! Comment ça va, Roger ?

— Tu le connais, mon petit pinson ?

— Bien oui, mon ti-gros ! Roger, c'est mon premier chum ! Eh que le monde est petit, hein ? T'as pas changé, Roger, à part tes lunettes. J'en reviens pas ! Ça fait deux ans que nos filles se tiennent ensemble puis on était même pas au courant, christie !

Les côtelettes de porc étaient délicieuses. Geneviève en avala deux. Cette très jolie jeune fille était attentive à tout ce qui s'échangeait à la table des Delormes.

— Quand tu nous parlais de ta mère, Geneviève, je savais pas que c'était Antoinette !

— Tu la connais, Roger, sa mère ?

— Bien oui, c'est Antoinette Ménard, Angèle !

— Hein ! La coqueluche du couvent Saint-Pierre ?

— Pardon ? Pourquoi vous dites ça, madame Delormes ?

— Oups ! C'est parce que, imagine-toi donc, Geneviève, que quand j'ai connu Roger la première fois aux petites vues à Saint-Maxime, il sortait avec ta mère !

— Hein ! C'est pas vrai ! Ah bien, mautadine !

Chapitre 13
WILDWOOD

La fête du Canada cette année-là était un mardi et Angèle avait décidé de fêter l'anniversaire de naissance de Gabriel en cette même journée, car le lendemain, tous les commerces étaient fermés et la plupart des gens ne travaillaient pas. Laurette arriva avec Serge et Yvette à trois heures. La sauce à vol-au-vent, la salade de chou et le gâteau d'anniversaire avaient déjà été cuisinés.

Yvette avait les cheveux tout blancs et Guylaine avait constaté qu'elle avait encore rétréci. Elle portait une jolie robe chemisier en jersey bleu sarcelle incrustée d'immenses boutons blancs. La pauvre ! Elle avait de la difficulté à se déplacer. Elle était atteinte de rhumatisme tout comme son regretté Bermont.

Serge était plus petit que Laurette. Ses cheveux étaient bruns, frisés et très courts. On aurait pensé qu'il ne possédait qu'un seul sourcil tellement les deux étaient contigus, et sous cette arcade sourcilière très accentuée, des yeux vert tendre scintillaient. Sans être un homme corpulent, il possédait un abdomen assez ventru. Il portait fièrement un polo blanc sur lequel apparaissait un logo exhibant le nom de sa pépinière, assorti à un pantalon gris. Son parfum boisé taquinait l'odorat sans trop déranger les plus proches. Laurette affichait sa féminité dans sa camisole rose et sa jupe-culotte bourgogne. Pour faire une variation, au lieu de porter un chapeau de paille, elle était allée chez sa coiffeuse pour se faire faire des tresses françaises.

— Viens voir ta marraine, mon beau filleul. On va aller chercher ton cadeau de fête dans le char de mononcle Serge !

— Sainte bénite, Laurette, tu le gâtes bien trop, cet enfant-là ! Un bicycle à trois roues ! Le vieux bicycle va prendre le bord des poubelles. Y a pogné les bébites à fer ! Celui-là, Roger va lui poser des blocs de bois sur les pédales pour commencer, puis je suis bien contente parce que Gab va l'avoir longtemps. Reste dessus, Gab, maman va prendre un portrait avec ta marraine.

Angèle avait aromatisé le gâteau d'anniversaire aux cerises et l'avait recouvert d'un crémage blanc sur lequel elle avait déposé deux grosses bougies rouges et quelques cerises au marasquin. Guylaine et Rose avaient pris le repas de fête avec eux, mais elles venaient de partir vers le centre-ville pour les festivités de la Confédération. Pour Martin, Angèle disait qu'elle était sur le point de payer une pension chez Jeanine, car il y passait toutes ses soirées. Francine restait chez Marjolaine Yergeault au village de Saint-Roch pour trois jours.

— Puis toi, Serge, t'as jamais été marié avant ?

— Bien non. Faut croire que j'étais fait pour attendre après Laurette. Elle est arrivée sur le tard dans ma vie, mais crois-moi qu'on va reprendre le temps perdu, hein, ma belle violette ? Puis en plus, ça valait la peine d'attendre : j'ai hérité d'une belle-mère en or !

— Voyons, Serge, mets-en pas tant ! Je suis pas toujours facile à vivre avec mes soixante-huit ans bien sonnés !

— Ça, c'est vous qui le dites parce que moi je trouve que vous êtes quand même pas mal en forme avec tout ce que vous faites dans la maison puis sur la pépinière ! Moi, je dis qu'on fait une maudite bonne équipe tous les trois ! Mais là, Laurette vous a pas tout dit, parce que je lui ai appris cette nouvelle-là avant de la déménager à Saint-Bonaventure. Y fallait bien que je me vide le cœur, puis je voulais pas commencer ma nouvelle vie avec une bébite noire, vous comprenez ?

— Câline, c'est-tu grave ?

— Non, mais dans le temps je l'avais pas trouvée drôle, moi, même qu'aujourd'hui, j'y pense encore, même que je rêve de la voir débarquer chez nous à toute minute !

— De qui tu veux parler, Serge ?

— Regarde, Roger, je te vois avec ta belle Angèle puis tes six beaux enfants, maudasse que je t'envie ! Moi, j'ai une fille. La dernière fois que je l'ai vue, elle avait cinq ans.

— Comment ça ? Un accident ? Mais tu dis que t'as jamais été marié !

— Bien non, Roger, la mère de Lizette a jamais voulu qu'on se marie parce que j'avais pas de métier dans le temps. Dans ce temps-là, j'avais dix-huit ans, je restais sur la terre à bois avec mes vieux à Sainte-Rosalie, puis Lizette, c'était la fille des Rivard qui restaient dans le 2ᵉ Rang. J'ai tout fait pour la marier, mais les Rivard ont toujours essayé de me mettre des bois dans les roues. J'allais voir Catherine aussi souvent que je pouvais. Mon vieux est tombé malade au printemps puis y a rendu l'âme à l'automne. La petite avait quatre ans. C'est moi qui a pris la terre à ma charge. Ça rapportait pas bien gros, mais qu'est-ce tu veux, on bourrait notre pipe avec le tabac qu'on avait. Puis je pouvais pas laisser ma vieille mère toute seule pour m'en aller travailler en ville… Quand elle a enfin décidé de vendre la terre puis qu'on s'est trouvé une petite maison à Drummondville, je me suis dit : « Elle va bien venir me rejoindre avec la petite quand je vais me trouver une job ! » Savez-vous quel coup de cochon qu'elle m'a fait quand je lui ai dit que je travaillais pour la voirie de Drummondville ?

— Non… Qu'est-ce qu'elle a fait ?

— Bien, elle cachait bien son jeu en maudasse. Ça faisait un an qu'elle forniquait avec un gars de Saint-Norbert ! Elle a sacré son camp avec lui puis la petite, puis quand lui, y s'est trouvé une job à Saint-Jérôme, j'ai jamais revu ma petite Catherine. Je peux vous dire qu'y a pas une journée que je pense pas à elle. Je le sais pas, si un jour cette enfant-là pourrait peut-être juste penser un peu qu'elle a un père qui l'attend depuis vingt ans…

— Pauvre toi ! Mais elle est donc bien sans-cœur, cette femme-là, de priver son père de voir son enfant, bonyeu ! Dis-toi bien qu'un jour, elle l'emportera pas au paradis, un jour ça va lui retontir dans la face… La loi du retour, c'est fort en maudit !

— Oui, Roger, ça je le sais…

— Mais t'as jamais fait de recherches à Saint-Jérôme ?

— Non, Angèle. C'est comme chercher une aiguille dans une botte de foin. J'ai jamais vu ce gars-là, puis je connais rien de son pedigree. Je sais juste qu'il s'appelle Damien. Je suis même retourné chez les Rivard deux ans après, puis ils m'ont dit : « Marie-toi donc devant ta porte avec quelqu'un de ta sorte. » Ça fait que j'ai bien compris qu'eux autres aussi l'avaient jamais revue, la petite, puis qu'ils savaient bien que leur fille, c'était pas une fille pour moi. Quand Lizette restait là, dans le 2ᵉ Rang, la chicane était toujours pognée dans la cabane. La mère Rivard voulait élever la petite à sa manière puis elle, elle défaisait tout par-derrière. Ça fait que c'est ça. Vous savez mon histoire, puis moi, j'ai le cœur en paix de vous l'avoir racontée.

— Sainte bénite que je vous souhaite donc de la revoir, cette enfant-là !

— Bien oui, Angèle… Bon, on va pas brailler sur mon cas toute la veillée ! Qu'est-ce que vous diriez de faire un petit voyage de cinq jours avec nous autres au mois d'août ?

— Hein ! Où ça ?

— Dis-lé, toi, Laurette !

— C'est parce que Serge, y a une roulotte, puis on aimerait ça vous inviter pour venir avec nous autres à Wildwood.

— Mon Dieu, Roger, as-tu entendu ça ?

— Bien là, je sais pas quoi dire... Aller se baigner dans la mer ?

— Oui, puis faire du camping, se faire griller la couenne puis se promener en bicycle sur le Boardwalk.

— Mais ça a pas de bons sens : on a six enfants à faire garder, câline !

— Voyons, ma belle noire, on a juste Josée puis Gab à faire garder, puis à part de ça, Francine puis les deux gazelles peuvent garder. Elles gardent bien les deux couples de jumeaux à Richard ! On peut demander à ta mère de venir faire son tour aussi !

— Oh ! Me baigner dans l'eau salée, j'ai jamais connu ça !

— Crime, Angèle, je pensais pas que tu le prendrais de même. J'ai le cœur tout à l'envers juste à te voir !

— Ça, Laurette, ça veut dire qu'elle veut y aller, en vacances, ma belle noire ! C'est sûr qu'elle va être bien énervée jusqu'au mois d'août, mais quand elle va avoir les orteils dans l'eau, elle va décompresser assez vite... Vous allez là quand au mois d'août, Serge ?

— Regarde, Roger, moi, je prends mes vacances la deuxième puis la troisième d'août. T'as qu'à choisir dans le tas, puis ça va être tiguidou pour nous autres !

— On va y aller dans la troisième semaine. Notre fin de semaine à Québec, on va la remettre l'année prochaine. Ça, c'est si ma femme veut la manquer pour aller à Wildwood. Qu'est-ce t'en penses, ma femme ?

— Voyons, Roger, ça se discute pas... Une folle dans une poche, hein !

Mi-juillet. Les parterres n'étaient pas seulement jaunis, mais brûlés, et les plants de tomates de Roger étaient à l'agonie.

En sortant de son travail, il se rendit au Canadian Tire pour acheter un ventilateur sur pied dans le but de l'installer dans sa chambre, mais il fut obligé de changer son fusil d'épaule, car il n'en restait plus un seul dans le magasin. Il revint avec une piscine ronde de douze pieds.

Trois heures plus tard, quand il mit le boyau d'arrosage dans la piscine, le thermomètre indiquait quatre-vingt-douze degrés avec l'humidité persistante. Angèle avait couché Gabriel en bas dans la chambre de Francine, et elle et Roger veillèrent sur la galerie jusqu'à une heure du matin en compagnie de Patou qui « pompait l'huile au siau ».

— Bien voyons, Angèle, c'est à la dernière minute de même que tu t'aperçois que t'as plus de costume de bain ! Laurette va arriver dans une demi-heure, bonyeu !

— Là, Roger, arrête de m'énerver, OK ! Je pensais pas que je l'avais jeté, ce costume de bain là, moi ! Je vais aller au Miracle Mart à côté pour m'en trouver un, puis si Laurette arrive avec Serge, dis-lui que je vais revenir, ce sera pas long… J'espère juste que je vais m'en dénicher un qui va me faire, sans ça, je fais une crise de nerfs, sainte bénite !

— Achète-toi donc un beau deux-pièces, ma femme. Me semble qu'avec la taille que t'as là, tu pourrais te permettre d'en porter un.

— Roger, penses-y deux minutes : j'ai eu cinq enfants puis je suis rendue à trente-neuf ans, câline ! Je veux pas faire peur au monde, moi, je veux juste aller me baigner !

— Tu penses pas que tu te sous-estimes un peu, ma femme ? Y a des femmes de trente ans qui ont pas la chance d'avoir une belle silhouette comme la tienne, maudit ! Dis donc oui ! Faut que tu la fasses griller, cette bedaine-là !

— Ouin… En tout cas, je vais voir les modèles qu'ils ont. En même temps, je vais acheter de la crème à bronzer ; la Tropic Tan est en spécial cette semaine à une piastre et soixante-quatorze.

Finalement, cela lui prit une heure pour se choisir un maillot de bain. Elle en essaya au moins dix avant de se décider pour un deux-pièces orange brûlé. Comme il était en vente à deux piastres et quatre-vingt-sept sous, elle magasina une paire de sandales de plage brunes. Elle mit tous ses achats sur sa carte Chargex pour ne pas toucher à l'argent qu'elle avait sorti de la caisse populaire pour les dépenses à Wildwood.

— C'est pas trop tôt, ma femme. Étais-tu en train de dévaliser le Miracle Mart au complet ?

— Roger, un costume de bain, ça se choisit pas en criant ciseau ! Toi, c'est pas pareil, t'as encore le même costume bourgogne que t'avais dans le temps à Saint-Robert !

— Woh ! Je te demande bien pardon, Angèle, c'est pas celui de Saint-Robert, c'est celui que j'avais acheté quand on
restait sur la rue George !

— Hi hi… ça fait quand même vingt ans de ça. L'as-tu essayé pour voir s'il te faisait encore ?

— Eille, toi ! Même si j'ai pris une couple de livres, ça s'éti-
re, cette affaire-là, puis si je me regarde comme il faut dans
le miroir, je roule pas encore, bonyeu !

— Hé ! les vacanciers ! Vous êtes sur les nerfs pas à peu
près. Ça fait dix minutes que vous vous engueulez pour un
costume de bain, crime !

— Oh, pauvre Laurette ! Je pense qu'on est énervés un peu,
hein ?

— Si vous êtes énervés ? Depuis qu'on est arrivés que vous
arrêtez pas de vous relancer, crime !

— Eh que j'ai hâte d'être rendu sur le bord de la mer, vous
pouvez pas savoir comment ! C'est-tu vrai qu'on va voir New
York, Serge ?

— On peut pas dire qu'on va voir New York, Angèle, mais
je peux te dire qu'on va le traverser puis ça va te donner une
bonne idée quand même. Wildwood, c'est dans l'État du
New Jersey, à cinq milles d'Atlantic City… Bon, on y va ?

Roger et Angèle donnèrent leurs dernières directives
aux enfants ainsi que les numéros de téléphone du service
d'incendie, et du service ambulancier, qui était le même numéro que le poste de police.

L'important, en arrivant à Wildwood, était de se trouver
un terrain de camping, même si cela devait occuper tout le

reste de la journée. Quand ils dénichèrent et payèrent enfin un terrain au camping Seashore, à cinq minutes de la plage, la pluie commença à inonder les terrains. Ils remarquèrent bien que c'était un très bel emplacement malgré la tornade qui, une semaine auparavant, avait déraciné plusieurs végétaux arrivés à maturité.

— Bon bien, on va attendre qu'il arrête de mouiller puis je vais aller brancher l'eau puis les égouts.

— On a même une toilette, Serge ? C'est le gros luxe, ça !

— Oui, regarde, t'as un lavabo aussi. C'est pas grand, mais c'est bien d'adon.

— Je vois bien ça.

— Vous allez coucher dans la chambre puis moi, je vais coucher sur la table de cuisine avec ma violette.

— Ça a pas de bon sens, c'est bien trop petit !

— Bien non, Angèle. Je vais te montrer après le souper qu'est-ce qu'on peut faire avec cette banquette-là.

Dans la soirée, ils n'eurent pas l'occasion de visiter les lieux. Des éclairs lumineux jaillissaient à répétition, suivis par le tonnerre qui grondait sourdement. Mais, ils rigolèrent bien. Roger n'aurait jamais pu imaginer que Serge était un aussi bon conteur d'histoires. Une histoire se terminait et l'autre enchaînait, et ce, sans interruption des auditeurs.

— La pauvre femme s'est fait livrer une pleine dompeuse de laine d'acier pour l'hiver…

— Hein ! Qu'est-ce qu'elle voulait faire avec ça ?

— Elle voulait se tricoter un poêle à temps perdu !

— Oh! Hi hi! Si ça a du bon sens! Là, arrête un peu, Serge, je suis plus capable de reprendre mon souffle!

— C'est comme le vieux puis sa vieille qui sont assis sur leur perron en campagne. Sa femme voit le bœuf dans le champ embarqué par-dessus la vache. Elle dit à son vieux : « Ça te tente-tu de faire pareil comme eux autres, mon mari ? »

— Crime, elle était en forme, la vieille!

— Ben oui. Son mari lui a dit — je pense qu'il était pas aussi en forme qu'elle : « Vas-y, je vais t'attendre. »

— Oh! Hi hi! Roger, donne-moi donc une Mark Ten ; j'ai le goût d'en fumer une avec ma bière.

— Hé! ma femme, es-tu devenue délinquante, ma foi du Bon Dieu ? Une cigarette ?

— Elle fait bien, Roger, ta femme. Elle est en vacances, crime, laisse-la faire! Puis toi, Serge, donne-moi donc une Player's!

— Tiens, une autre dévergondée, maudasse! Si ça continue, les femmes, avec vos énervouillages, demain matin, c'est vous autres qui allez le regretter quand vous allez vous lever le derrière devant!

— Vous allez voir qu'on est pas des petites natures, moi puis Angèle. On est capables d'en prendre plus que vous pensez!

— Ouais… Changement de propos : Serge, ton char prend du gaz en s'il vous plaît. T'as tinqué deux fois en s'en allant!

— Oui, mais oublie pas que ce char-là, y traîne la grosse Bertha en arrière !

— Ouin, c'est vrai. En tout cas, je veux que tu me dises comment ça va avoir coûté pour le pétrole parce que je veux t'en payer la moitié, moi.

— Y en est pas question, mon Roger. Même si vous seriez pas venus, moi puis Laurette, on partait pareil, ça fait qu'achale-moi pas avec ça si tu veux pas t'en revenir sur le pouce, OK ?

Le lendemain matin, à neuf heures, c'était encore tout brumeux à l'extérieur. Mais le soleil persistant se chargea de chasser un à un les nuages qui s'ingéniaient à s'accrocher au firmament.

Au point du jour, à Wildwood, c'était la promenade à bicyclette sur le Boardwalk et dans l'après-midi, c'était le relâchement sur le sable chaud tout près des vagues bleutées.

Le sac de plage était rempli de crèmes à bronzer, de Noczema, de grandes serviettes, sans omettre les pommes, les oranges, les chips et les bouteilles de Coca-Cola.

Quand Roger vit sa femme enlever son grand tee-shirt et qu'il aperçut le deux-pièces orange brûlé, il la trouva bien attirante.

— Viens, ma femme, on va aller plus loin dans la deuxième vague. Ici, c'est des vagues de quêteux. Moi, je veux me faire brasser un peu plus que ça…

— Tu sais bien, Roger, que je nage comme une roche. Si j'y vais, t'as besoin de pas me lâcher !

— C'est pas dangereux, on a de l'eau jusqu'à la taille. Viens donc, ma femme !

La deuxième vague était bien pesante et Angèle se retrouva à cul plat dans le fond de la mer salée.

— As-tu vu, Roger ? C'est ça, un deux-pièces : tu te retrouves les boules à l'air, sainte bénite !

Le lendemain matin, pendant que les femmes allèrent faire une petite brassée de lavage à la buanderie du camping, les hommes lavèrent la vaisselle et firent les lits. Sur la chaîne radiophonique de New York, depuis le transistor que Roger avait emprunté à Martin, l'animateur assura les auditeurs d'un quatre-vingt-six degrés pour la journée.

Le Boardwalk était à perte de vue. Laurette et les siens louèrent leurs vélos à dix heures. Ils visitèrent une boutique pour acheter des tee-shirts aux enfants, ils firent une halte dans une bijouterie, car Laurette voulait se procurer une montre-bracelet, et ils s'attablèrent dans un café puisque Angèle eut envie d'un expresso. Par chance, ils ne visitèrent pas les parcs d'attractions, car ils en auraient eu pour toute la journée.

Pour la toute dernière soirée, Roger et Serge sortirent en ville pour se procurer une douzaine de beignes dans un Dunkin' Donuts. Enfin, ils allaient pouvoir goûter à ces pâtisseries ! Depuis le temps qu'ils voyaient la publicité au canal anglophone de leur téléviseur ! On ne sait jamais, peut-être qu'un jour il y en aurait au Québec, des Dunkin' Donuts, et si ce n'était pas le cas, bien, ils auraient le plaisir de dire qu'ils en ont déjà mangé.

— Ça a-tu du bon sens, Roger, de se bourrer la panse de même avant d'aller se coucher !

— On va juste virailler un peu plus cette nuit, ma femme !

— Ouin, je vais dire comme ma mère : « Tu vas rêver au loup-garou cette nuit. » Pourquoi tu ris, Angèle ?

— Oh ! Hi hi ! C'est drôle, moi, ma mère nous disait : « Vous allez rêver aux bilous. » J'ai jamais compris qu'est-ce qu'elle voulait dire !

> *La mer*
> *Qu'on voit danser*
> *Le long des golfes clairs*
> *A des reflets d'argent*
> *La mer*
> *Des reflets changeants*
> *Sous la pluie*[5]

---

5   *La mer* (1945). Paroles de Charles Trenet ; musique de Charles Trenet et Albert Larsy.

Chapitre 14
LA RENTRÉE SCOLAIRE

Roger entreprenait sa deuxième saison de quilles avec comme coéquipiers Fabien, Denis Grenier, Pierre-Paul Poulin et Charles Dufault. L'équipe jouait tous les dimanches matin à dix heures.

« Qu'est-ce que ça donne de se morfondre à vouloir essayer d'envoyer les enfants à l'église Saint-Maxime quand ils ne veulent plus rien savoir de la messe ? Ils disent qu'ils aiment mieux aller à celle de cinq heures et souvent, ils oublient d'y aller du fait que le samedi soir, ils rentrent très tard et même que parfois ils dépassent minuit », disait Fabien.

Parfois, Francine faisait du gardiennage jusqu'à deux heures du matin chez les Roberge en plus de travailler au magasin de santé le vendredi soir. Rose et Guylaine, quand elles n'étaient pas avec leurs copains, les jumeaux Samuel et Michaël, gardaient les deux couples de jumeaux de Richard et Michèle.

Quand Roger était aux quilles le dimanche matin, Angèle prenait sa pause café avec Antoinette, la femme de Charles, et par moments, Jeanine, la femme de Pierre-Paul, les accompagnait quand elle ne faisait pas la grasse matinée.

C'était terminé, le rosbif pour dîner accompagné du sucre à la crème chaud. Premièrement, quand les enfants se levaient à l'heure du midi, pour eux, c'était le temps de déjeuner, et Roger dînait au restaurant Rheault avec ses amis après son tournoi de quilles.

— Non, Roger ! Moi, si je joue encore une fois contre cet épais-là, je débarque ! Tu sais bien qu'il a la danse de Saint-Guy, ce gars-là ! Même quand y joue pas, y fait juste des maudits grands sparages puis y nous dérange tout le temps, barnache !

— Bien là, essaye de le toffer, mon Charles. On va peut-être jouer juste deux fois contre lui dans toute la saison ! Oui, mademoiselle, je vais prendre un café avec votre dessert du jour s'il vous plaît.

— Je veux bien croire, Roger, mais qu'est-ce que Clarence puis Wildor ont pensé quand ils l'ont pris dans leur équipe ? Y a toujours les dents mêlées, ce gars-là, puis je te parle pas de son petit flacon qu'il traîne toujours dans sa poche.

— Ouin, c'est vrai qu'y tinque pas mal fort, le Donald. Si Clarence pense qu'y vont se classer avec cet étourdi-là, bien, y a baisé son lièvre. Y faudrait qu'il le débarque de son équipe puis qu'il en prenne un qui a pas les deux yeux dans le même trou. Puis toi, Denis, ça paraissait que t'avais pas mal à nulle part à matin ! T'as joué cent quatre-vingts, maudit !

— Pourquoi tu dis ça, Roger ? C'est pareil comme si je me plaignais tout le temps ! Quand je me lève le matin puis que j'ai le dos plié en deux, je me pète trois aspirines en arrière du casseau puis quand j'arrive au bowling, ça paraît plus pantoute ! Je vais aller faire brailler Madeleine, moi.

— Ouin, son maudit mal de dos. Faut endurer son Antiphlogistine toute l'avant-midi ! Remarque que j'aime mieux ça que l'Absorbine Junior ; ça sent le diable à plein nez, cette affaire-là ! Qu'est-ce que t'as à rire de même, Roger ?

— T'en souviens-tu, Fabien, à shop, quand il avait mal aux dents ?

— Ah ! Parle-moi z'en pas ! J'étais en train de revirer fou, sainte étoile ! Je lui ai dit cinq fois d'aller se la faire arracher, sa dent.

— Ça, c'est à part des autres fois que tu lui as dit, toi aussi. Il est jamais allé. Il est bien trop peigne-cul pour donner cinq piastres au dentiste, tu comprends bien ! Moi, à sa place, je les ferais toutes arracher. Y a la bouche comme un clavier de piano !

— Qu'est-ce tu veux, Fabien ! Denis, c'est un maudit bon gars, mais bonyeu qu'y est baise-piastre ! Des fois j'ai honte, puis je te gage en plus qu'y laissera pas une cenne de tip à la serveuse.

Eh oui ! Les hommes laissèrent tous leurs cinquante sous de pourboire, mais Denis ne laissa rien sur la table. Ce n'était pas parce qu'il n'avait pas d'argent : il ne savait pas vivre.

— Puis, as-tu gagné, mon mari ?

— Bien oui, bien oui... On a fini avec un gros cent soixante-dix-neuf de moyenne, ma femme !

— Sainte bénite, vous avez tiré pas mal fort à matin ! Nous autres, on a bien ri à matin. Antoinette nous a raconté comment elle avait rencontré son gros Charles. Elle était allée à la pêche à Contrecœur avec son cousin puis sa cousine ; Charles, lui, il était avec son frère à peu près à dix pieds de leur chaloupe. Sais-tu ce qu'il lui a dit ? Hi hi !

— Quoi ? Mon Dieu, ma femme, t'as eu du fun à matin, toi !

— Bien oui. Il lui a dit : « Si je serais Jésus, je ferais un miracle puis je marcherais sur les eaux pour aller te rejoindre dans ta gondole. »

— Ouin, c'est un romantique, ce Charles-là !

— Oui, puis Antoinette lui a dit : « Ouin, ouin, des beaux parleurs comme toi, ça pond juste des œufs de coq puis ça chie toujours sur le bacul à la place d'agir ! »

— Antoinette a pas dit ça ?

— Hi hi... Oui !

— Bonyeu, je pensais jamais qu'Antoinette était capable de parler de même ! Charles doit pas l'avoir trouvée bien drôle !

— C'est là que tu te trompes, Roger. Y a plongé puis il est allé la rejoindre dans sa chaloupe !

— Tout habillé ?

— Oui... Une chance que c'était au mois de juin, mais même si ça aurait été au mois d'octobre, je pense qu'il aurait plongé quand même.

— Eh bien ! Qui aurait pu penser qu'un jour mon ancienne blonde s'adonnerait de même avec ma femme ! Voyons, ma Rosie, t'es donc bien piteuse après-midi ! Es-tu malade ?

— Bien non, pa, c'est Samuel.

— Comment ça, ma fille ?

— Ouf… Tout ce que je peux vous dire, c'est que j'ai cassé avec lui.

— Mon Dieu, ma fille, je voyais bien qu'il avait l'air un peu plus frais chié que Michaël, mais là, je suis bien surprise. Tu veux pas nous en parler, ma fille ?

— Oui, m'man, mais je vous avertis que j'ai rien fait de mal, moi !

La veille, Samuel était allé la chercher pour l'amener faire un tour en ville après avoir emprunté l'auto de son père, Basile. Mais ce n'était pas en ville qu'il l'avait conduite. Ils s'étaient retrouvés côte à côte sur une grosse pierre au bord du fleuve Saint-Laurent à la marina Beaudry.

Samuel affichait une allure bizarre, même que Rose pensa un instant qu'il avait fumé de la marijuana, car il avait les yeux ternis.

En s'approchant pour l'embrasser, elle constata bien que ce n'était pas seulement ce qu'il espérait d'elle. Il venait de détacher sa braguette et il haletait de plus en plus fort.

Quand il essuya le refus de Rose, il se mit à tempêter et il lui demanda de regagner la voiture sur-le-champ. Sur le chemin du retour, ils s'arrêtèrent au carré Royal et tout en déambulant sur les allées bétonnées, ils aperçurent Guylaine et Michaël en train de fumer et prendre de la bière.

— Hé ! ma sœur, t'es boutonnée comme une jalouse !

— Oh… merci Guylaine. Bien oui, regarde donc ça, j'ai la blouse toute croche, sainte !

— Ah bien ! Vous venez d'où, vous deux, là ?

— C'est pas de tes affaires, ça, Michaël Lemoine ! Ce que je fais avec ton frère, ça te regarde pas pantoute, maudit senteux !

— Bien, tu sauras que ça me regarde parce que… attends une minute, veux-tu une bière, mon frère, avant que je finisse de toutes les boire ?

— Ah bien, oui.

— As-tu vu la fille qui se trémousse là-bas, Samuel ? C'est pas du petit lard, ça ! Lui as-tu vu les fesses ?

— Michaël Lemoine ! Pourquoi tu dis ça ? T'es donc bien épais, toi ! Moi, je m'en vais, puis si t'arrêtes pas de boire, tu vas dégueuler ici. T'as les yeux comme des culs de bouteille, t'es paqueté bien raide !

— Arrête donc, ma petite Guylaine d'amour. Tu sais bien que je serai pas malade, tu t'énerves le poil des jambes pour rien là… hi hi… On leur dit-tu ?

— Dire quoi ? Toi, Samuel, arrête de rire ! C'est quoi qui se passe ? Pourquoi vous êtes comme ça, tous les deux ? On vous reconnaît pas !

— Hi hi ! C'est parce que quand tu me parles, ma petite coquerelle, tu parles à Michaël, hi hi !

— Quoi ! Ah bien, maudite marde ! Toi, Michaël Lemoine, t'es juste un gros salaud ! Puis toi, Samuel, je veux plus jamais voir ta maudite face d'hypocrite ! Comment avez-vous pu nous faire ça, à moi puis à ma sœur ?

— Hé, Rosie, on voulait juste vous jouer un petit tour, nous autres !

— Un tour ! Tu m'as amenée chez Beaudry pour me tripoter puis tu voudrais que je rie de ça ! Es-tu viré sur le couvert, Michaël Lemoine ? Viens, Guylaine, on s'en va !

Angèle et Roger écoutaient leur fille. Ils se doutaient bien qu'un jour les jumeaux leur joueraient de petits tours, mais de là à pousser leurs gestes à l'extrême, cela, Roger ne l'accepta pas. Il partit directement au Pot au Beurre sur la rue Barabé rendre une petite visite à Basile Lemoine. Mais tout tourna au vinaigre, car Basile se mit à se moquer de lui. Pauvre Roger ! Il revint avec un œil au beurre noir et les cheveux tout ébouriffés.

— Roger ! Tu t'es battu avec lui ?

— Bien là ! Y faisait juste rire de moi, cet épais-là, ça fait que je lui ai envoyé mon poing dans la face. Maudit gros colon de mes deux !

— Hi hi… Excuse-moi, mon mari. Si ça a du bon sens d'agir de même. Y aurait pu te massacrer bien plus que ça !

— Je le sais bien, ma femme, mais moi, quand on touche à mes filles, je réponds plus de moi-même !

— J'espère juste qu'il va s'en souvenir, ce Basile-là !

— Je pense bien que oui. En tout cas, quand il a rentré dans sa cabane, je suis sûr qu'y a fallu qu'il ait une maudite bonne explication à donner à sa femme, parce que toi, si tu me verrais rentrer avec deux dents pétées puis la perruque dans la main, tu te poserais des questions.

— Oh ! hi hi... Tu lui as pas pété deux dents pour vrai ?

— Oui, puis en plus, je lui ai pété ses deux grosses Chiclets d'en avant ! Ça va lui prendre un partiel s'il veut pas rester la face de même. Ça lui apprendra à laisser ses deux gars plonger dans le vice de même, maudit !

— Hon... pauvre lui, y doit pas être beau à voir !

— Non, puis en plus, y doit avoir été le dernier à piger dans le sac à faces parce qu'y est laid en bonyeu. Y fait peur !

Cet automne Josée commença son école le trois septembre à Maria-Goretti, et Martin, Francine, Rose et Guylaine entreprirent leur secondaire plus tard à la polyvalente, le vingt-deux septembre, du fait que les travaux n'étaient pas encore achevés.

Le midi, Josée dînerait à Maria-Goretti, et les quatre autres iraient dîner à la maison en marchant de la rue du Collège, en traversant la voie ferrée, à la rue Monseigneur-Nadeau.

« Ici CJSO, Radio Richelieu. Vous écoutez *La boîte à musique* avec Claire Gagné.

Dis-moi ce qui ne va pas,
car tu mets de l'ombre sur mes joies

Quand je vois tes yeux, tristes ou fâchés,
je suis perdu dans mes pensées[6]... »

Ding dong!

— Ah bien! Viens voir, Gabriel, on a de la visite! Ôte-toi donc de là, Patou! Rentre, Michèle. T'es en congé à matin?

— Si on veut... Ma mère m'a donné congé pour une partie de la journée. Mon père va venir la chercher quand il va avoir fini sa journée d'ouvrage à son garage à Saint-Ours.

— Viens t'assir, je vais te faire un bon café, ma belle-sœur! Puis, comment ça se passe avec ta gang à la maison?

— Ça va quand même assez bien, je suis bien surprise. Je trouve ça plus facile à quatre que quand j'avais juste Sylvie puis Sylvain. Mais des fois, j'aimerais bien me secouer les plumes plus souvent, bonté divine! Je te dis que les racoins de la maison, je les connais par cœur, ma chère!

— Perds pas patience, Michèle. Quand y vont être rendus à l'école, tu vas respirer un peu plus. Coudon, Sylvie puis Sylvain, y ont cinq ans? Comment ça se fait qu'ils ont pas commencé leur maternelle cette année?

— C'est parce que Richard y a pas voulu. Vu que c'est pas obligatoire, y aimait mieux qu'ils commencent leur école en première année. Il dit qu'ils sont trop jeunes puis que c'est trop dangereux. Il les voit pas pantoute sur le trottoir à neuf heures du matin. Des fois, je me dis que c'est lui qui aurait dû faire la mère. Bonté divine qu'il est père poule! Y arrête pas de les couver, ces enfants-là! Pourtant, j'aurais pas eu

---

6 *Dis-moi ce qui ne va pas*, Enrico Macias, Jacques Demarny et Jean Claudric (1969).

de la misère à les faire lever le matin, ces enfants-là. C'est eux autres qui réveillent le coq à tous les matins !

— Ah bien ça, Michèle, y faut que tu sois patiente jusqu'à l'année prochaine. Les fleurs poussent pas plus vite même si tu leur tires sur la queue, hein !

— Bien oui, c'est en plein ça... Mais là-dedans, c'est Richard qui écope !

— Pourquoi tu dis ça, Michèle ?

— C'est parce que quand il veut mettre une bûche dans le poêle le soir, je suis bien trop fatiguée de ma journée, j'ai la queue sur le dos, bonté divine !

— Hi hi... Moi puis Roger, on a passé ça aussi, cette période-là. Surtout quand j'ai eu ce petit monstre-là qui dormait presque jamais. Le poêle chauffait pas bien fort chez nous non plus ! Tu vas voir quand ta gang va être à l'école. Tes patates vont coller au fond du chaudron le midi quand ton Richard va aller dîner !

— Oh ! Hi hi ! On les mangera pareil. Comme on dit, si c'est bon pour minou, c'est bon pour pitou !

— Tu vois, tu vas déjà mieux. Tu commences à rire ! Tu dînes-tu avec nous autres ? Les enfants vont arriver de la polyvalente à midi moins cinq puis j'ai un gros pâté chinois dans le fourneau.

— C'est bien tentant, Angèle, mais je veux pas laisser ma mère trop longtemps avec les enfants. Tout d'un coup que j'arrive après dîner puis qu'elle a plus un cheveu sur la tête à cause d'eux autres !

— Regarde, tes enfants, c'est pas des monstres, puis je connais ta mère : elle a les cheveux durs... Attends, je vais l'appeler, moi.

Les enfants étaient toujours affamés ; quand ils posaient un pied sur le seuil de la porte, ils sautaient sur leur dîner.

— Voyons, Francine, comment ça se fait que je t'ai fait cette jupe-là aussi courte que ça, moi ? J'ai mal mesuré, câline ! Il me semble que je te l'avais faite pour qu'elle arrive juste aux genoux ! On te voyait pas les cuisses de même ! Montre-moi donc ça pour voir...

— Bien non, m'man, elle est bien correcte de même, ma jupe...

— Ah bien, maudite marde ! T'as roulé ta jupe !

— Seigneur de la vie, m'man, c'est plus à la mode, une jupe aux genoux, maudit ! J'ai l'air d'une vraie habitante !

— Là, tu vas me la dérouler, puis que je te voie plus jamais avec une jupe rase-trou, m'as-tu bien compris, là ?

— Ouin, t'as pas besoin de te crêper le chignon pour ça, m'man !

— Francine Delormes, si tu me manques de respect encore une fois, c'est à ton père que tu vas avoir affaire à soir ! Puis vous deux, essayez pas de copier sur votre sœur, OK ?

— Bien non, m'man...

Chapitre 15
LA FÊTE DES ENFANTS

En ce début de décembre, la neige n'avait pas demandé de permission pour venir s'installer. Déjà, un six pieds était tombé et Gaston était au bord de la crise de nerfs. Le chauffeur qui conduisait la grosse déneigeuse vint lui emprunter une pelle, car il s'était enlisé dans son entrée. Gaston le reçut, comme on dit, « avec une brique et un fanal ».

— Comment veux-tu que je te passe une pelle quand j'en ai pété trois pour enlever la marde que t'as mis dans mon entrée, baptême ! On dirait que tu te caches sur le coin de la rue pour m'en remettre d'autre quand je viens de finir de pelleter ma cour, bâtard ! Je sais bien que c'est pas de ta faute, mais tu pourrais pas la mettre ailleurs, ta maudite neige ?

— Bien là, monsieur, moi, je fais juste ma job. Je suis toujours bien pas pour m'apporter un chalumeau pour la faire fondre à mesure, cibolak !

— Je le sais bien, que c'est pas de ta faute, mais maudit que je suis tanné de toujours recommencer !

— Sainte pitoune, Gaston, fais-y un café, à ce pauvre homme. Tu vois bien qu'il a le trou du cul en dessous du bras ! C'est à peine si y tient debout, tornon ! Vous devez avoir commencé bien de bonne heure à matin, vous, avec la tempête qui a commencé hier soir ?

— Ah bien oui, madame Joyal. J'ai sorti ma charrue à une heure hier soir puis j'ai pas encore fini ma journée !

— Tu le connais, Arthémise ?

— Oui, c'est Ti-Clin Chouinard. C'est lui qui déneigeait les rues à Saint-Robert quand je restais là dans le temps !

— Le monde est petit, hein ! Viens t'assir pour te réchauffer, je vais te mettre une rasade de gin dans ton café... Quand tu déneigeais à Saint-Robert, les trottoirs étaient-tu bien roulés ?

— Hi hi ! Les trottoirs, on les roule à l'automne avant que les frettes pognent !

— Gaston, arrête donc de l'étriver !

— C'est pas grave, madame Joyal, je suis capable d'en prendre !

En tout cas, l'hiver est pas passé !

— Mais pourquoi tu déneiges à Sorel asteure, Ti-Clin ?

— Ça, madame, c'est une longue histoire. Je vous la conterai pas toute au complet parce que quand je vais avoir fini, vous allez bayer aux corneilles, tabouère !

— Ah, qu'est-ce qui est arrivé ?

— Vous vous souvenez de ma maison sur la rue Principale pas loin du salon mortuaire ?

— Oui, oui, je m'en souviens. C'était une maison centenaire, ça appartenait aux Ledoux avant.

— En plein ça. Bien, imaginez-vous donc que j'ai passé au feu !

— Saint ciel ! Comment ça ?

— C'est mon plus jeune, Louis-Paul, qui a mis le feu en s'allumant une cigarette sur le rond du poêle !

— Je veux bien vous croire, mais comment qu'il a fait pour faire passer la maison au feu au complet ?

— Cet innocent-là, quand le feu lui a pogné dans le toupet, y a pris le linge à vaisselle pour se tapoter la tête puis il l'a remis sur le poêle, ce lunatique-là. Après, il est parti dans la grange continuer son train. Y avait la tête comme une peau de fesse, christie !

— Hon... hi hi ! Pourquoi vous avez pas rebâti ?

— J'aurais bien voulu, mais les assurances m'ont dit que cette maison-là, c'était un nic à feu puis que je pouvais pas la remettre sur le piton. Fallait changer la plomberie puis l'électricité au complet ; ça aurait coûté trop cher. Avec le montant que l'assurance m'a donné, j'en avais pas assez pour me bâtir une autre maison, ça fait que j'ai pris un logement à Sainte-Victoire.

— Eh bien ! Veux-tu encore un petit gin, mon Ti-Clin ?

— Non, non, j'ai encore trop d'ouvrage, mais je vous remercie bien gros. Vous êtes bien aimable, monsieur... monsieur ?

— Cantara, Gaston Cantara. Puis si vous repassez dans le bout, arrêtez pour venir vous réchauffer.

Gaston avait rencontré son Arthémise au magasin de santé de Blanche du temps de son vivant. Elle s'y était rendue pour se procurer des cubes de bouillon de soya et à sa grande déception, il n'en restait plus. C'est Gaston qui était allé lui en livrer chez elle après être allé chercher sa commande à Montréal-Nord.

— Bien voyons, monsieur Gaston, c'était pas nécessaire de faire un détour jusqu'ici pour ça !

— J'ai pas fait aucun détour, madame Joyal. C'est parce que je vous ai déjà vue sur votre perron sur le coin de la rue Limoges ; c'est pour ça que j'ai décidé de vous les laisser en passant. Je reste pas loin sur le boulevard Fiset !

— Ah bien, merci beaucoup, monsieur Gaston. Je viens de me faire du thé. En prendriez-vous une tasse avec moi ?

— Votre mari, lui ?

— Craignez rien, mon mari est mort d'un accident de chevreuil ça fait déjà dix-neuf ans.

— Un accident de quoi ?

— Bien oui, y a rentré dans un chevreuil avec son char à Yamaska. Faut croire que les chasseurs les avaient pas toutes tuées à l'automne, ces bêtes-là !

— Ben voyons, madame Joyal, on dirait que ça vous fait pas un pli sur la différence qu'y soit mort, votre pauvre vieux !

— Si vous seriez au courant de la vie que j'ai menée avec Mathias Joyal, vous, vous penseriez pas de même, monsieur Gaston !

— Il vous battait ?

— S'il me battait ? Je me suis déjà retrouvée à l'hôpital Richelieu avec deux côtes de fêlées puis une clavicule cassée ! Quand arrivait la fin de semaine, il prenait ses guenilles pour aller voir sa grosse Paméla à Yamaska. Ça fait que quand je vous dis qu'y a pas volé la place de personne quand y est mort…

Arthémise Joyal avait l'air bien mauvaise, mais c'était uniquement quand elle tenait des propos sur son Mathias. C'était une belle carrure de femme de cinq pieds et six pouces. Elle avait soixante-trois ans, mais on ne lui en donnait que cinquante-cinq. Son Mathias ne lui avait jamais donné d'enfants, mais elle se reprenait bien en gâtant ceux des autres. C'était une très bonne cuisinière et, de plus, elle était l'ancienne voisine d'Emma.

Cette année-là, à Noël, Angèle avait décidé de faire plaisir à ses enfants. Le vingt-quatre décembre au soir, ça allait « swinguer dans la cabane ».

La table de cuisine avait été adossée contre le mur pour faire de l'espace supplémentaire, et Roger « callait » un set canadien d'Isidore Soucy, *Le reel du pendu*.

La liste des invités avait été rédigée la semaine précédente et Angèle avait été contrainte d'en éliminer quelques-uns. Même si elle avait bien voulu qu'ils soient tous présents à la grande fête de Noël, la maison n'était malheureusement pas assez spacieuse.

France Saint-Arnaud et Paule Perette s'étaient présentées les premières avec leurs copains et Francine avait demandé à Benoît de l'accompagner en ami.

Martin avait invité son ami Luc et sa petite copine, Johanne, et il était allé enlever sa belle Didi avec la Cougar de son père sur la rue Victoria.

Guylaine était avec son amie Marie-Martine Thériault, et Laurette était arrivée avec David en après-midi. Celle-ci n'avait pas voulu prendre le risque de braver la tempête, car le bulletin météorologique prévoyait une bonne bordée de neige dans la soirée. Sur la route 122, les rafales donneraient naissance à de la grosse poudrerie opaque et la route deviendrait impraticable.

Par chance, les enfants ne demeuraient pas loin des Delormes. Si, après la fête, la tempête était achevée, ils allaient pouvoir se déplacer à pied, sinon c'est Roger qui les accommoderait à la fin de la soirée.

Rose avait téléphoné à Joël Mercier, l'ami de classe de Martin. Il avait été informé par Martin qu'elle l'appellerait pour l'inviter. Elle ne l'avait jamais rencontré, mais Martin lui avait assuré que Joël était un beau garçon. À sa grande satisfaction, son frère ne lui avait pas posé de piège.

Joël portait un col roulé rouge avec un jeans. Depuis un temps, Rose aimait beaucoup le rouge écarlate. Elle-même portait souvent un chandail rouge, elle peignait ses ongles en rouge, sa canadienne d'hiver était rouge, et ce soir, pour faire bonne impression devant Joël, elle portait une robe de crêpe rouge avec des souliers à talons hauts noirs. Dans ses cheveux courts et bruns, une barrette en pierre du Rhin était agrafée, et elle avait parsemé ses paupières de brillants dorés.

Joël faisait cinq pieds et huit pouces, avait des cheveux noirs à la Elvis Presley, et des lunettes noires encadraient ses beaux yeux bleu clair. Son sourire, hum… il était parfait puisque Rose était séduite quand elle percevait un sourire immaculé.

Josée, elle, avait invité sa petite amie Vivianne Cantin. Angèle n'aimait pas du tout cette petite fille : « Je trouve que c'est un visage à deux faces, cette fille-là, moi. Elle est bien belle avec ses grands cheveux frisés et noirs, mais maudit qu'elle est haïssable ! »

Gabriel, c'était un danseur-né et un romantique. Il n'avait que deux ans et les paires de cuisses des filles, il les avait déjà toutes essayées, comme l'avait fait remarquer sa mère quand elle l'avait aperçu sur Paule.

Dans la chambre, sur le lit des parents, reposaient une montagne de manteaux et les chats, bien à l'abri de tout ce vacarme qui régnait dans la maison.

Roger était le barman. Il avait préparé son bar sur le comptoir de la cuisine : le Beefeater, le Tia Maria, l'abénaki, le blanc d'œuf et le jus de citron pour le mélange de ses boissons, sans oublier la Labatt 50 et le jus de tomate.

Angèle déroula sur la table la nappe avec les pères Noël et y déposa les chandeliers de sa grand-mère Ethier, un plateau de sucres à la crème, des noix, des chips Fiesta, des bretzels, des jujubes et des crottes au fromage, sans oublier le pop corn rose qu'elle chérissait tant.

À la suite du set canadien, ce fut au groupe numéro un de l'heure, Shocking Blue, de les faire danser sur *Venus*, puis d'autres grands classiques des temps modernes se firent entendre : *As Tears Go By, Spirit in the Sky, Instant Karma*, de John Lennon, et la préférée de Rose, *No Matter What*, des Badfinger.

Quand ce fut le temps de se coller, tous les invités se levèrent pour suivre le tempo du slow langoureux de Johnny Hallyday, *Que je t'aime*.

Rose fut bien soulagée quand son petit frère, Gab, lui demanda de le prendre pendant qu'elle dansait avec Joël. C'était étrange, car ce garçon lui donnait la chair de poule, mais dans le bon sens du mot.

— Voyons, Roger, es-tu gêné de te coller sur moi devant tes enfants ? On dirait qu'on danse chaque bord de la cuisine tellement on est loin, câline !

— Bien non, ma belle noire, c'est juste que je guette les enfants.

— Hi hi ! Inquiète-toi pas, y feront rien ici devant nous autres. Si ils ont à forniquer, y vont se trouver un petit coin pour le faire.

— C'est en plein ça, maudit !

— Pourquoi tu dis ça ?

— Quand je suis allé chercher ma caisse de bière en dessous de l'établi dans la cave, j'en ai pogné deux en train de se bécoter en arrière de la grosse fournaise.

— Sainte bénite, qui ça ?

— J'aimerais mieux pas te le dire, ma femme. Je les ai fait monter en haut assez vite, tu peux me croire !

— Y faisaient-tu des affaires de pas catholiques ?

— Non, non, mais si je serais pas allé chercher ma caisse de bière, une demi-heure plus tard, je pense qu'ils auraient communié, bonyeu !

— Mon doux doux, Roger, va falloir y voir ! C'est qui ?

— C'est Rosie.

— Hein ! Avec Joël ?

— Bien non, avec le Saint-Esprit, ma femme !

— Ah bien, c'est vrai qu'il est pas mal ragoûtant, le Joël !

— Il est peut-être bien beau, ma femme, mais c'est pas une raison d'aller se cacher dans la cave comme des hypocrites !

— Oui, mais regarde-les danser là. Y sont pas trop collés puis ils arrêtent pas de placoter.

— Hum... d'après moi, y doivent parler de moi puis y doivent me traiter de vieux jeu.

— Bien non, mon mari ! Hi hi...

— Pourquoi tu ris de même, Angèle ?

— C'est parce que ta moustache me chatouille dans le cou. Je pense que j'aimerais ça qu'a me chatouille ailleurs, hi hi...

— Angèle Bilodeau, t'es pas catholique à soir, mais j'aime bien ça, ma belle tigresse d'amour... Grrrrrrrr !

À deux heures, Angèle revêtit son tablier bleu imprimé de fleurs vertes et elle sortit son buffet du réfrigérateur. Elle espérait qu'après s'être bien repus, les enfants commenceraient à partir. Mais...

Well, shake it up, baby, now
Twist and shout
Come on, come on, come on, come on, baby, now[7]...

— Bien coudon, on se couchera à l'heure des poules.

À quatre heures, Roger commença sa run de taxi et il se coucha à cinq heures et demie. Pour le souper de Noël, ils étaient tous invités chez Claudia et Gilbert au Pot au Beurre.

1ᵉʳ janvier 1970

— Qu'est-ce qu'y avait de bon à la télévision, mon mari ?

— Wow ! t'es en beauté, ma femme ! Maudit que ça te fait bien, du bleu pâle ! Tu vas être encore la plus belle à soir chez ta mère ! Où t'as pris ça, ce beau costume-là ?

— Je l'ai pris chez Louise Péloquin. Il était en spécial, ça fait que je me suis payé la traite !

— T'as bien fait parce que t'es belle en maudit ! À la télévision, j'ai écouté les discours de bonne année de Pierre Elliott Trudeau, puis laisse-moi te dire que son français s'est pas amélioré pantoute depuis 68 ! Jean-Jacques Bertrand, lui, y a fait un beau discours, mais y me semble qu'on serait dus pour du changement au Québec, ma femme. J'aime bien Robert Bourassa, mais j'aimerais ça voir ce que René Lévesque pourrait bien faire avec son Parti québécois puis

---

7   *Twist and Shout,* interprétée par les Beatles, composée par Phil Medley et Bert Berns en 1961.

sa souveraineté du Québec, moi ! Peut-être qu'un jour, y va pouvoir faire ses preuves, on sait jamais !

— Ah, ça, mon Roger, on va voir ça aux prochaines élections au mois d'octobre. Bon, vas-tu faire chauffer le char, mon mari ? Il est déjà quatre heures.

— Bien oui, c'est qui qui embarque avec nous autres là ?

— Y a Josée, Gab puis Guylaine. Joël va venir chercher Rosie, puis Martin est déjà chez Diane sur la rue Victoria. Y vont s'en venir à pied chez m'man. Francine est déjà rendue, elle ; elle est allée aider ma mère dans ses préparatifs.

Chez Emma, comme la tradition l'imposait, la table était dressée et les mokas ainsi que la bûche de Noël reposaient sur le comptoir de la cuisine.

La petite cuisine d'été était réchauffée pour Josée, Gabriel, Marie, Michaël et les deux couples de jumeaux de Michèle et Richard.

Le nombre de personnes assises à la table des adultes dans la cuisine avait doublé. Avec tous les adolescents accompagnés et Arthémise qui avait été invitée avec son Gaston, ils étaient trente-trois convives dans la maison et, comme par magie pour le rituel du jour de l'An, la neige virevoltait dans tous les sens. Les entrées extérieures des maisons étaient bondées de voitures et les fenêtres étaient embuées en raison de la chaleur que tous les visiteurs exhalaient dans ces maisons chaleureuses et enjouées.

— Puis, Arthémise, vous vous êtes-vous accoutumée de rester avec mon grognon de frère ?

— Oh oui, mon Paul ! Y est bien fin, mon Gaston. Y a juste une affaire qui me tombe sur les nerfs.

— Baptême, Arthémise, c'est quoi qui te chicote ? Me semble que je suis bien correct avec toi, moi. Depuis que tu restes avec moi que je me force tout le temps !

— T'es bien correct, mon Gaston, mais sainte pitoune, on dirait que tu fumes de la bourrure de boghei quand t'allumes ta grosse pipe !

— Batêche, t'aurais pu me le dire avant, je vis pas dans ta tête, moi !

— Bien là, je voulais pas te rendre mal à l'aise avec ça ! Y doit bien exister du tabac à pipe qui sent bon ! Mon père, quand il achetait sa main de tabac au magasin général puis qu'il allumait sa pipe à côté du poêle, ça sentait le sapinage. J'me tannais jamais de cette senteur-là, moi !

— Ah bien, on va aller au marché puis on va trouver quelque chose qui sent bon, ma belle Georgette ! Puis si y en a pas, je connais des bonnes tabagies à Montréal. En allant faire un tour de machine, on va aller voir.

Dans la petite cuisine, les enfants attendaient impatiemment leur dessert. Emma leur avait mélangé un gros plat de jello avec des pêches et des poires et un bol de crème fouettée à 35 %.

— Ma tante Michèle !

— Oui, Rosie.

— C'est parce que Sylvain saigne du nez, viens !

— Encore ! Bonté divine, ça finira jamais, cette histoire-là !

Ce n'était pas la première fois que Sylvain saignait du nez. Michèle, au début, était persuadée que c'était dû au chocolat qu'il mangeait. Mais Richard avait amené son fils au bureau pour le faire examiner par le docteur Lussier. Après une prise de sang, ce dernier avait diagnostiqué que le petit faisait un peu d'anémie. Richard avait informé le médecin qu'il était souvent fatigué et qu'il dormait un peu partout dans la maison.

— Attends, Richard, je vais lui mettre ma croix en fer dans le cou. Ça devrait arrêter de saigner.

— Viens, mon gars, papa va te mettre une ouate dans ton nez puis y va aller te coucher dans le lit de grand-maman le temps que ça passe.

Richard demanderait un nouvel examen pour Sylvain avec le médecin Lussier après les fêtes, car, avec les pilules de fer que celui-ci lui avait prescrites, il n'y avait eu aucune amélioration.

— Paul, viens m'aider à reculer la table pour danser !

Dans la soirée, des sets canadiens, des cha-cha-cha, des merengues... Ça « swinguait en masse » ! Benoît avait apporté sa guitare et, à l'oreille, il était doué pour accompagner tous les gens qui chantaient.

À dix-huit ans, il possédait une carrure masculine assez impressionnante, avec des cheveux longs séparés d'une raie au milieu. La couleur était difficile à déterminer ; on aurait dit de l'acajou. Roger ne l'avait jamais traité de pouilleux, car ses cheveux étaient très propres et il donnait l'image d'un garçon très sérieux.

Gilbert raconta une demi-douzaine d'histoires, et si Angèle n'avait pas commencé à interpréter sa chanson du prisonnier, il en aurait narré jusqu'au lendemain matin.

À la grande surprise de toute la famille, Francine chanta avec Benoît *Le sable et la mer* de Ginette Reno et Jacques Boulanger. En tout cas, s'ils ne sortaient pas ensemble, ces deux-là, ils cachaient bien leur jeu, car on les voyait toujours ensemble.

Emma fit danser ses proches sur un set canadien en jouant sur son accordéon, accompagnée par Benoît. Il ne manquait que le violon de Fabien, mais ce n'était pas obligatoire. Celui-ci le sortit tout de même de son étui. Les gens l'applaudirent très fort en espérant que son répertoire soit restreint. Eh bien, non! Il joua un *reel* qui ressemblait plutôt au grincement de la porte du haut côté dans la maison de Séraphin Poudrier. C'était malheureux pour lui, car il s'imaginait qu'il jouait comme Monsieur Pointu.

Chaque année, le caribou et le gros gin étaient un rite et il y en avait toujours un ou une qui se « paquetait la fraise ». Cette année, ce fut au tour de Roger. Il amorça sa tournée avec sa bouteille de Beau Geste pour en offrir aux hommes en leur divulguant que cette eau miracle était parfaite pour aiguiser leurs sifflets juste avant de chanter. Mais son sifflet à lui, il lui en avait payé toute une traite.

— Ouf... je suis magané à matin, moi! Pourtant, j'ai bu juste deux bières puis une couple de bouchons de gin, moi!

— Roger, va raconter ça aux pompiers puis y vont t'arroser, sainte bénite ! Après avoir fait ta tournée de gin, t'es tombé à pleine face dans le caribou !

— C'est-tu vrai ? Ouch, ma tête !

— Une chance que Gilbert est venu nous reconduire. Tu serais encore après caller l'orignal à côté de la bol de toilette de ma mère !

— Réprimande-moi pas, ma femme !

— Bien non, mon mari. Tu sais bien que je le sais, que t'es pas un ivrogne ! Sais-tu c'est quoi qui te remettrait d'aplomb, mon mari ?

— Dis-moi-le, je boirais n'importe quoi pour filer mieux. J'ai mal aux cheveux comme le verrat !

— Une bière aux tomates, ça a l'air que ça ramène le Canayen.

— Eurk ! Veux-tu m'achever, ma femme ? Penses-tu que je vais filer mieux après dîner ? Faut que j'aille pelleter l'entrée puis c'est pas Martin qui va pouvoir m'aider, y est parti dîner chez Jeanine puis Pierre-Paul !

— Ah, ça Roger, y a juste le Bon Dieu qui le sait puis le diable s'en doute !

— Angèle !

Chapitre 16
QUARANTE PRINTEMPS

Cinq heures et vingt.

— Ça a pas de bon sens ! On va être rendus au mois de juin puis on va pelleter encore, maudit ! Bien voyons, qu'est-ce que t'as, ma belle noire ? T'as braillé ?

— Oh, Roger ! C'est le petit à Richard. Y est à l'hôpital Sainte-Justine à Montréal !

— Hein ! Lequel ?

— Sylvain, sainte bénite !

— Eh, maudit ! C'est-tu son histoire de saignage du nez ?

— Oui. Y a passé des tests après le jour de l'An, puis le docteur Lussier a dit à Michèle qu'il faisait encore de l'anémie. Y fallait qu'il se repose bien gros sinon ils étaient pour le rentrer à l'hôpital.

— Mais comment ça se fait qu'il est à Sainte-Justine, ma femme ?

— À matin, il s'est mis à saigner du nez quasiment en hémorragie, ça fait que Richard a laissé sa job pour aller le chercher puis le ramener à l'hôpital pour le faire réexaminer par le docteur Bérubé. C'est lui qui était de garde à l'urgence. Y a décidé de l'envoyer à Montréal pour lui faire passer des tests plus approfondis.

— Richard est à Montréal avec Michèle là ?

— Oui, oui, c'est m'man qui garde chez eux. C'est elle qui m'a appelée pour me le dire. Y a juste cinq ans, cet enfant-là, maudit. Y va-tu être malade comme ça toute sa vie ?

— Bien non, ma femme, tu sais bien qu'à Sainte-Justine y vont trouver le remède pour le guérir, le petit !

— Je l'espère. M'man va nous appeler aussitôt qu'elle va avoir des nouvelles.

Après le souper, Roger installa ses enfants sur la pelle dans la cour arrière. La patinoire avait un urgent besoin d'être nettoyée.

— Ah bien, salut vous deux ! Rentrez ! Qu'est-ce que vous faites dans le coin à sept heures un soir de semaine ? Ça vous tentait, câline !

— On prend notre marche de santé ! Roger est pas là ?

— Tu l'as pas vu dans la cour, Gilbert ? Il est en train d'arroser la patinoire des petits !

— Bien non. Les bancs de neige sont assez hauts, on voit rien pantoute dans la cour ! Je vais aller le rejoindre.

— Déshabille-toi, Claudia, je vais te faire un café.

— On restera pas longtemps, Angèle. En milieu de semaine comme ça, on veut pas vous déranger.

— Arrête donc. Tu sais bien que je suis toujours contente de te voir, ma sœur ! Je viens juste de finir d'écouter *Symphorien* puis là c'est *Le ranch à Willie*. On aime moins ça… As-tu écouté le nouveau programme *Les Berger* avec le beau Steve Fiset hier ?

— Bien oui. C'était le premier épisode hier soir ; ça va être bon, je pense. Mais mon programme préféré — tu vas rire —, c'est *Le zoo du Capitaine* avec Michel Noël, puis *La cabane à Midas*. Ça, là, je trouve ça bien drôle... Changement de sujet, c'est quelque chose, la construction du nouvel aéroport à Montréal, hein ? Ça a-tu du bon sens : mille quatre cent huit maisons qu'ils ont jetées à terre !

— Oui, mais dis-toi bien que ceux qui ont été expropriés de là ont dû faire un maudit bon coup d'argent ! C'est de l'argent pareil ! Mirabel va coûter trois cents millions, c'est pas des farces ! Ils vont faire quoi avec Dorval après, câline ?

— C'est sûr que Dorval va opérer pareil. Mirabel va être prêt juste en 1975... As-tu eu des nouvelles du petit Sylvain à Richard ?

— Non, pas encore, mais faut qu'on soit positifs, Claudia. Moi, je suis certaine qu'on va avoir des bonnes nouvelles.

— J'espère, pauvres eux autres...

Les hommes ingurgitèrent leur café avec un petit coup de brandy et ils discutèrent une bonne heure avec leurs femmes.

— Puis, nos Canadiens vont encore bien cette année, Roger ? On va-tu avoir une autre Coupe Stanley ?

— Je suis pas sûr de ça, moi. L'année passée ils étaient bien forts : y ont gagné la Coupe en quatre parties, bonyeu ! C'est vrai qu'avec Worsley dans les buts, ça pouvait pas faire autrement ! Puis John Ferguson, qui leur a donné le but gagnant, y m'a bien impressionné, ce bonhomme-là, pendant les finales.

— Bien oui, puis Claude Ruel, comme coach, y se débrouille pas mal aussi ! Mais c'est sûr qu'y aura jamais personne qui pourra remplacer Toe Blake. Cet homme-là a remporté cinq coupes Stanley en ligne avec le Canadien. Fallait le faire, ça, mon homme !

— Ça, c'est sûr ! Puis, les élections, comment tu vois ça, toi, Bourassa contre Lévesque au mois de mars, Roger ?

— Moi, je te dirais que c'est Bourassa qui va rentrer, mais que Lévesque va faire élire au moins huit de ses députés. Y est pas prêt encore à prendre le pouvoir, mais j'aimerais bien ça, le voir mener le Québec dans quelques années d'ici pour voir comment y se débrouillerait avec sa loi 101 puis la Charte de la langue française. Je pense bien qu'y nous ferait un bon premier ministre, lui ! Changement de propos, mon Gilbert : ton voisin Basile, y s'est-tu fait refaire les dents d'en avant ?

— Bien non. Y est resté avec ses deux bouts de dents pétées. Ça lui fait un ostie de gros trou noir dans la bouche ! En plus de ça, il nous parle plus juste à cause que je suis ton beau-frère ! Remarque que c'est bien correct comme ça, j'étais pas capable de le sentir de toute façon, ce grand innocent-là !

— Oh !... pauvre lui. Toi, Claudia... les enfants, ça va ?

— Oui, oui, y a juste Michel qui me donne un peu de fil à retordre. Y a eu dix-sept ans la semaine passée puis on dirait que ça lui a monté à la tête, tornon ! Y se prend pour le chef, monsieur ! Un vrai boss des bécosses, maudite pauvreté ! Y est rendu que c'est lui qui décide pour ses sœurs si elles vont mettre ci ou bien ça, puis eux autres, tu sais bien qu'elles l'envoient promener assez raide ! Mais d'un autre côté, y sait où est-ce qu'y s'en va. Crois-moi qu'y sait sur quel bord que ses toasts sont beurrées ! Imagine-toi donc qu'y veut s'en aller pilote d'avion !

— Ah bien ça, c'est le bout de la marde ! J'aurais jamais pensé ça de lui, moi ! Un petit gars bien tranquille de même… je le voyais plus comme docteur, lui.

— Faut pas se fier aux apparences, Roger. Tu devrais voir sa chambre : y a juste des posters d'avions sur ses murs. J'te le dis, y en mange, des avions, joual vert !

— Ah bien, coudon ! Mais si il veut se lancer là-dedans, je trouve qu'il rêve pas mal en couleurs, Gilbert. Ça coûte cher sans bon sens, un cours de pilotage !

— C'est ça que je lui ai dit, Roger, mais y a la tête dure, y va trimer fort pour y arriver. Je le connais, quand il a de quoi dans la tête, il l'a pas dans les pieds ! Allô, Gabriel… Y est pas couché à cette heure-là, lui ?

— Y va y aller là. C'est Angèle qui lui laisse trop de corde. D'un autre côté, il la laisse dormir un peu plus longtemps le matin.

— Bien oui. Les enfants sont plus vieux, y sont capables de se faire à déjeuner tout seuls. Je les ai assez dorlotés, sainte bénite, que là, c'est à mon tour de me la couler douce le matin !

— Tu fais bien, ma sœur. Regarde, depuis que j'ai lâché Saurel Shirt, on est pas plus quêteux pour ça, puis je profite bien plus de mes journées ! Avant j'aurais jamais pu suivre des cours de couture par les soirs puis en plus, c'est regagnant : on dépense bien moins pour les guenilles des enfants !

— Ouin, ça, ma femme, c'est si on leur achète leurs jeans Levi's, parce que sans ça, y voudraient rien mettre de ce que tu leur fais !

Après que Claudia et Gilbert soient repartis au Pot au Beurre, Emma appela pour donner des nouvelles du petit Sylvain.

— Puis, m'man, t'as eu des nouvelles ?

— Bien oui, ma fille, puis ça sera pas facile pour Michèle puis ton frère, bonne sainte Anne !

— Pourquoi, qu'est-ce qu'y a, m'man ?

— Le petit, y a une leucémie…

— Non !... Dis-moi que c'est pas vrai, m'man ? La leucémie, c'est le cancer du sang, ça ?

— Oui, mais le docteur dit qu'il y a de l'espoir à cause que le petit en est au début. Ce docteur-là de Sainte-Justine dit qu'il peut s'en sortir avec les nouveaux traitements de… attends, je l'ai sur un papier, polychimiothérapie.

— Christ de maladie maudite. Pourquoi lui, m'man ?

— Ça donne rien d'agir de même, ma fille. Je le sais bien, que t'es revirée à l'envers, puis toute la famille va l'être aussi. Ce que Richard puis Michèle vont avoir de besoin, Angèle, c'est de nos encouragements, pas de notre colère !

— Oui, m'man. Va falloir les aider du mieux qu'on peut. Je vais prendre les trois autres enfants avec nous autres ici.

— Bien non, ma fille. Regarde, t'en as déjà six à t'occuper chez vous. Je vais aller rester chez Richard pour un bout dans le jour. Le soir, y vont revenir coucher à Sorel puis si tu veux, toi puis tes sœurs, vous viendrez me donner un coup de main dans le jour pendant que vos enfants vont être à l'école. Ça donne rien de se garrocher toutes en même temps.

— T'as raison, m'man. Eh que j'ai de la peine, sainte bénite !

Le jour du dix février, c'était le carnaval à la polyvalente Fernand-Lefebvre. Les filles se présentèrent vêtues de leur jeans, et les cours allaient se terminer à midi. Pour la journée, il y avait une multitude d'activités organisées : à l'extérieur, le ballon-balai, le hockey et le patinage libre ; à l'intérieur, dans les gymnases, il y aurait le volley-ball, le ballon-panier et le badminton.

Pour le souper, monsieur Ethier, le directeur de l'école secondaire, avait annoncé au micro, la veille, que le spaghetti serait gratuit pour tout le monde.

En après-midi, pour ceux qui ne s'adonnaient pas aux compétitions, une pièce de théâtre écrite par les élèves de deuxième secondaire serait présentée à l'auditorium.

De plus, à l'auditorium, dans la soirée, un concours musical aurait lieu avec des récompenses pour les trois premières positions. Les inscriptions se termineraient une heure avant l'ouverture du concours de chant.

À neuf heures, sur le terrain arrière de la polyvalente, un énorme feu de joie serait accompagné de musique populaire et folklorique. Aucune boisson alcoolisée — et encore moins de la drogue — n'était tolérée dans l'établissement. L'étudiant qui se ferait surprendre en possession d'une bière ou de marijuana serait expulsé immédiatement de l'école et les parents en seraient avisés immédiatement.

— T'as pas froid, Diane ? On peut rentrer si tu veux. On peut aller danser dans la salle des étudiants.

— Non, c'est correct. Avec ce gros feu-là, on risque pas de sentir le frette bien bien, hein ? Sais-tu à quoi je pensais, Martin ?

— Non ?

— La première fois qu'on est venus ici en arrière pendant que l'école était en construction... T'en souviens-tu ?

— Oh oui que je m'en souviens ! Je t'avais dit que je voulais me marier avec toi.

— Oui, puis qu'on va avoir au moins quatre enfants : deux filles puis deux gars.

— C'est sûr qu'on va en avoir, des enfants, ma belle doudoune, mais pour ça, y va falloir que je travaille ! Justement, monsieur Pinard m'a demandé si je voulais travailler à temps plein à son garage.

— Mais tu peux pas, Martin. Ton école, elle ?

— Je pense que je vais lâcher, Diane. Je connais assez la mécanique depuis que je travaille là les fins de semaine que je suis prêt pour travailler au garage à la semaine.

— Es-tu sûr, Martin ? C'est une grosse décision, ça. Puis moi là-dedans ?

— Toi ! Dans quatre mois tu vas avoir fini ton cours commercial puis tu vas être prête à aller travailler comme secrétaire ! Ça serait le fun si plus tard je m'achèterais un garage puis que tu serais ma secrétaire, hein ?

— Oui, mais si on est mariés, on va pouvoir le ramasser à deux, l'argent pour ce garage-là, Martin !

— C'est sûr que ça irait pas mal plus vite, ma pitoune ! Moi, j'aimerais qu'on se marie en hiver. Toi ?

— Oh… j'aurais un boléro en lapin blanc par-dessus ma robe de mariée !

— Wow ! Maudit que je t'aime, toi ! Je vais dire à monsieur Pinard que je vais commencer à travailler à temps plein. Y attend juste après ça, lui, que je lui dise oui, torpinouche, puis on va se marier au mois de décembre 1971.

— Mais, c'est dans… dans un an et demi, ça ?

— Bien oui. On va avoir dix-huit ans ! Mais on le dit pas aux parents tout de suite, OK ?

— Bien non ! Mais on pourrait annoncer nos fiançailles au mois de juillet ? Avant, faut que tu demandes ma main à mon père.

— Ouf… Ça, là, ça va me gêner ! Tout d'un coup qu'il dit non !

— Voyons, Martin, tu sais bien que mon père t'aime bien gros ! Y a juste ma mère : ça va lui donner tout un choc, crois-moi ! Elle m'a toujours couvée. Une vraie mère poule, celle-là !

— On n'ira quand même pas rester en Gaspésie, torpinouche ! Bon, on s'en va-tu ? On est pas obligés de rester devant le feu jusqu'à onze heures. On pourrait aller se coller un peu, qu'est-ce t'en penses ?

— Où ça ?

— Regarde, je vais t'amener à la même place qu'on est venus la première fois. Inquiète-toi pas, on va être bien cachés. Y a pas personne qui va pouvoir nous voir puis si t'as trop froid, je vais te reconduire chez vous.

— Je t'aime, Martin. Je veux rester avec toi toute ma vie !

— Inquiète-toi pas, je vais tout faire pour te garder avec moi. Je pourrai jamais aimer une autre fille que toi ; tu me rends trop heureux…

Guylaine fredonnait près du feu avec Marie-Martine, et Rose alla en avant de la polyvalente avec Joël. Francine et Benoît quittèrent le feu de joie pour pratiquer des chansons sur leurs guitares, mais ils ne jouèrent aucune note. Quand ils arrivèrent sur la galerie de la maison chez Benoît, celui-ci commença à embrasser Francine bien fort puis ils s'enlacèrent, langoureusement, à n'en plus finir.

Le jour de la Saint-Valentin, Rose reçut une lettre de Trois-Rivières. « Bien voyons, pensa-t-elle, Olivier qui m'écrit ! Sainte, ça fait quatre ans que je l'ai pas vu, lui ! »

Bonjour Rose,

J'espère que tu vas bien. Tu dois te demander pourquoi je t'écris. Tu me manques beaucoup et je veux savoir qu'est-ce que tu deviens. Je vais te parler de moi un peu si tu veux.

Mes cours en télécommunication sont presque finis et j'ai déjà une job qui m'attend pour le mois de septembre. Je vais travailler au Bell Téléphone à Victoriaville au Central Office sur la rue Saint-Jean-Baptiste. C'est sûr que j'aurais aimé mieux travailler au Bell Téléphone sur la rue Lindsay à Drummondville, mais je suis bien content quand même. Peut-être qu'un jour je pourrai avoir un transfert à Drummondville, on sait jamais.

Toi, t'es rendue en secondaire deux; tu étudies pour aller dans quoi? Regarde, quand je vais m'être trouvé un logement au mois de septembre, si tu veux, je vais aller te chercher à Sorel pour te montrer la ville. On m'a dit que Victoriaville, c'est une belle petite ville semblable à Drummondville. J'aimerais bien ça que tu viennes passer une journée avec moi.

Je veux pas déranger ta vie. Si tu as un chum, je vais comprendre, mais donne-moi au moins de tes nouvelles.

Je m'ennuie de toi, mon soleil…

Olivier xxx

P.-S. Je t'écris mon adresse et je vais espérer avoir une lettre de toi.

Olivier Beausoleil
3003, rue De Courval, app. 5
Trois-Rivières QC

Bonjour Olivier,

Je suis bien contente d'avoir reçu une lettre de toi. Je suis heureuse pour ta nouvelle job à Victoriaville. Enfin, tu vas travailler au Bell Téléphone comme ton père !

Pour mon école, j'aime beaucoup la nouvelle polyvalente, c'est très grand, on est trois mille élèves là-dedans. Les cours que j'aime le plus, c'est le français avec monsieur Gouin puis la biologie avec l'ancien professeur de Martin à Saint-Viateur, le frère Duguas. Pour ce que je veux faire plus tard, je vais être secrétaire parce que je suis en train de suivre mon cours commercial. J'ai eu de la misère à choisir entre ça puis hôtesse de l'air.

Pour ton invitation à Victoriaville à l'automne prochain, t'es bien fin, Olivier, mais j'ai un chum, il s'appelle Joël Mercier, ça fait deux mois que je sors avec lui. La seule affaire que je peux te dire, c'est qu'on ne connaît pas notre avenir, puis si on est pas faits pour être ensemble sur la Terre, on va être ensemble plus tard avec les anges au paradis.

C'est vrai que je t'ai toujours aimé, Olivier, je t'ai aimé la première fois que je t'ai vu à Drummondville en 1962, j'avais sept ans et tu en avais onze. Les années ont passé pendant qu'on faisait chacun notre petit bonhomme de chemin, tu sais ! Tu seras toujours dans mon cœur et dans mes pensées. Je te dis la même chose que tu m'avais écrite dans ta dernière lettre en 1966 : t'es mon ami pour la vie, Olivier.

Rose, ton soleil xxx

Le dix-huit février. Angèle avait quarante belles années d'accomplies dans son paradis terrestre et elle comptait bien accueillir les quarante prochaines années qui s'offraient à elle sur un plateau rempli d'amour. Elle choisit d'aller souper avec Roger chez Sorel-Tracy BBQ à Tracy. Elle ne voulait pas aller dans un grand restaurant chic ; elle avait envie de manger du poulet et en plus, il y avait des banquettes comme au restaurant Lambert à Sorel.

— Voyons, Roger, pourquoi t'arrêtes chez ma mère ?

— C'est parce que ta mère t'a fait ton gâteau de fête. Elle voulait qu'on aille le chercher en passant avant d'aller souper.

— Comment ça, que tu sais ça, toi ? Elle a même pas appelé à la maison pour me le dire, à moi !

— Elle a appelé pendant que t'étais dans le bain, ma femme !

— Ah bon ! C'est bizarre quand même, ça. Je comprends pas : d'habitude le téléphone, je l'entends sonner dans la chambre de bain !

Ah bien là, Angèle pleurait ! Sa mère lui avait organisé un souper d'anniversaire. Elle avait invité Claudia et Gilbert, Yolande et Fabien, et Richard était arrivé avec Michèle vingt minutes après eux. C'était Judith Nolin qui gardait Sylvie, Jules et Julien.

— Sainte bénite que je suis contente ! Jamais que j'aurais pensé ça ! Je me suis jamais doutée de rien, bande de ratoureux ! Roger était supposé de m'amener souper chez Sorel-Tracy BBQ !

— Tu perdras rien, ma fille, c'est ça qu'on va manger pour souper. J'ai commandé le poulet pour six heures. La seule affaire, c'est que j'ai pas de banquettes ici !

— Cré m'man !

— Hé ! Quarante ans, ça se fête ! On va ouvrir une champagnette avant de manger, puis ceux qui veulent une bière frette, bien, le frigidaire est là ! J'ai de la Laurentide puis de la O'Keefe.

— Moi, je vais te prendre une O'Keefe, Paul. La Laurentide, c'est pas ma sorte. Je la trouve trop sucrée, cette bière-là.

— Sers-toi, ma petite gueule fine de Fabien, elles sont dans la porte du frigidaire.

— Merci, mon Paul.

Avant que le repas du souper soit livré, les sœurs d'Angèle et son frère Richard lui firent don d'une délicate chaîne en or avec, comme breloque, une corne d'abondance. Emma et Paul lui avaient trouvé une jolie robe de plage en ratine blanche incrustée de petits palmiers de la boutique Marie Lingerie.

— Elle est belle en câline, m'man ! Ça fait drôle de recevoir un cadeau de même en plein mois de février, mais cet été, elle va me servir bien gros. Quand on est allés à Wildwood, je mettais le grand tee-shirt bleu à Roger par-dessus mon costume de bain. Là, je vais avoir l'air plus d'une vraie vacancière si un jour on retourne à la mer.

— Bien oui, ma belle noire, on sait jamais. Serge nous a dit que si il pouvait se trouver un remplaçant pour sa pépinière au mois d'août, on partirait peut-être une grosse semaine dans l'Ouest canadien. Des plages, y en a aussi là !

Ding dong !

— Ça doit être le poulet, ça. Vas-y donc, Paul, répondre. Je vais aller chercher l'argent.

— Ah bien, sainte bénite ! Laurette puis Serge ! Oh... vous voulez me faire brailler, vous autres !

— Hi hi ! On est venus voir qu'est-ce que ça a l'air une jeune poulette de quarante ans ! Bonne fête, ma belle Angèle. Tiens, on t'a apporté un petit cadeau, Laurette puis moi.

— Bien voyons donc, Serge, c'était pas nécessaire ! C'est bien assez de me faire cette belle surprise-là de venir me souhaiter bonne fête de Drummondville ! Oh… un sac de plage, wow !

— Tu sais, Angèle, c'est parce que ton autre sac de bain faisait pas l'affaire bien bien. Entre toi puis moi puis la boîte à pain, un sac de bain écrit Steinberg dessus, ça fait pitié en petit Jésus de plâtre, hi hi !

— Ho… hi hi ! C'est vrai que je faisais pas mal quétaine ! Merci beaucoup à vous deux. J'espère juste qu'il restera pas dans le fond de mon garde-robe puis que je vais pouvoir l'étrenner cet été, hein ?

— Crains pas, Angèle. Si y a pas de remplaçant pour ma pépinière, je vais la fermer pour une semaine, puis je vais me trouver un petit gars pour aller arroser mes arbres puis mes plantes de temps en temps.

Ding dong !

— Ça, ça doit être Sorel-Tracy BBQ ! Vas-y, Paul. L'argent est sur le coin de la commode du bureau.

Pendant que tout le monde se régalait de ce bon poulet, Gilbert se mit à raconter des histoires et ça déboulait pas à peu près. Au même moment, Emma apparut avec le gâteau d'anniversaire de sa fille. Suivant la tradition, comme tous les ans, il était blanc, lissé d'une crème rosée et orné de petites billes de couleur argent.

Ding dong !

— Encore ! On attend plus personne, Paul ?

— Pas à ce que je sache, ma belle hirondelle !

— Ah bien, maudite marde ! Hi hi ! Ça se peut-tu ?

Gaston avait revêtu un costume de coq rouge-jaune et il tenait un bouquet de ballons blancs. Très fort, il se risqua à fredonner quelques mots sur la mélodie *Le petit voilier* :

Quand t'étais une toute petite fille
T'avais déjà l'allure d'une princesse
Tu partais, sans le dire à ta mère,
Pour aller jouer dans la shop à fleurs.
T'avais fait un tout petit panier
Avec des roses puis des œillets
Puis ta mère pouvait pas te chicaner
C'était pour mettre sur son piano.
Garde, garde, tout au long de cette vie
Garde, garde, ton joli petit minois
Garde, garde, ta jeunesse éternelle
Garde, garde, ton petit cœur de porcelaine.

— Oh... Gaston, tu voulais me faire brailler, toi aussi, puis ça a marché !

— Bien non, bien non... Baptême qu'y fait chaud là-dedans. Je suis en train de ratatiner, bâtard !

— Hi hi ! Ça va sentir le wistiti !

— Mais avant d'enlever cet accoutrement-là, ma belle Angèle, j'ai un cadeau à te remettre de la part de ton Roger.

— Hein ! Roger, on s'était dit qu'on se faisait pas de cadeau puis qu'on gardait ça pour les vacances de cet été !

— Je t'aime, ma belle noire.

— Bon, c'est assez, le tétage, là ! J'ai deux lettres à te lire, Angèle. Assis-toi, tu vas en avoir de besoin, baptême !

— Mon Dieu, je commence à me checker, moi là, là. Le cœur me bat comme une patate, câline !

— Bon, pour la première lettre, c'est écrit : « Ma belle noire... » — ça, on le sait, que c'est sa belle noire, hein !

— Enwèye, Gaston. Aboutis, torrieu de torrieu !

— Toi, le frère, prends ton mal en patience. C'est moi le maître de cérémonie, puis si tu veux pas faire un boutte sur le poil des yeux, laisse-moi faire mon discours comme du monde, OK ? C'est juste le fun de faire traîner le plaisir, hein, Angèle ?

— Oui, Gaston, mais là, shoote parce que je me possède plus, sainte bénite !

— Bon, c'est écrit : « Ma belle noire, ce cadeau-là, c'est aussi un peu pour nous deux parce que je pense qu'on va en profiter ensemble... »

— Sainte bénite !

— « Depuis deux jours, tu es mariée avec un foreman de la Québec Iron. »

— Oh ! Je suis la femme d'un boss ! Roger !

— Bon, elle a fini par m'arracher mes lunettes pour le vrai cette fois-ci, maudit !

— OK, je continue… Pour la deuxième lettre, Roger m'a demandé de la donner en main propre à Angèle, ça fait que tiens, la belle noire à Roger !

— Mais c'est pas une lettre, c'est des billets de spectacle !

— Non, ma femme, regarde comme il faut !

— Oh non ! Aéroport de Dorval… Oh ! Roger !

— Continue, ma femme.

— Oh… « 5 au 11 mars. Destination : Martinique. »

Chapitre 17
L'ÉTÉ 1971

Le jeudi premier juillet, les Delormes étaient en visite à Saint-Bonaventure pour fêter le quatrième anniversaire de naissance de Gabriel.

Laurette était bien heureuse avec son Serge. Elle était spécialement attachée à sa nouvelle maison en pierres des champs et à sa grande galerie bleu royal. Elle n'avait rien changé à son cachet champêtre malgré que Serge lui ait offert d'y renouveler toute la décoration. Acajou et amande, pour elle, c'était parfait.

Les convives s'installèrent tous confortablement dans le grand solarium. Laurette avait préparé une fondue bourguignonne accompagnée de pommes de terre au four et un gros bol de salade printanière directement cueillie dans son potager. Le gâteau de son filleul, c'est Yvette qui l'avait cuisiné et décoré de jaune la veille.

— Sainte bénite, Yvette, vous avez fait un gâteau pour un régiment complet ! Ça a pas d'allure !

— C'est vrai qu'il est gros, mais j'ai pensé que vous aimeriez vous en rapporter à Sorel à soir.

— On se fera pas tordre un bras pour ça, madame Sawyer !

— Roger, appelle-moi donc Yvette, veux-tu ?

— Oui, Yvette… oups ! attention !

Quand Yvette arriva tout près de la grande table joliment décorée, elle perdit pied.

— Pourquoi tu prends pas ta canne, m'man ? Tu serais bien plus d'aplomb, crime !

— Ça vaut pas de la chnoutte, cette canne-là, ma fille. En plus, elle est bien trop courte… C'est pas d'avance, quand je la prends, je me pogne un tour de rein, Jésus Marie !

Enjoué, Gabriel découvrit ses cadeaux d'anniversaire. Aussitôt fait, il sortit s'amuser avec ses nouveaux camions Tonka dans l'entrée de gravier, accompagné de sa grande sœur Josée.

Guylaine et David sortirent pour faire le guet dans la pépinière afin de laisser la chance à Serge de terminer son repas tranquillement en compagnie de ses invités.

Guylaine commencerait son quatrième secondaire en septembre. Elle désirait étudier la coiffure, et David travaillait à l'usine Sylvania sur la rue Provencher à Drummondville. Il aurait souhaité travailler pour une compagnie de construction étant donné qu'il avait terminé son cours d'électricien avec succès, mais à la Sylvania le salaire était très profitable. Il travaillait également à la pépinière de Serge les fins de semaine. Pour le moment, il demeurait toujours à Saint-Bonaventure, mais il aimerait bien se dénicher un petit pied-à-terre à Drummondville, ce qui serait plus accommodant pour ses déplacements. Depuis cinq mois, il fréquentait une certaine Céline Boutin, une jeune fille de Saint-Guillaume. Les deux formaient tout un contraste lorsqu'on les voyait marcher main dans la main. Céline portait ses cheveux blond doré courts et David était noir comme un puceron.

Francine fréquentait assidûment Benoît et elle travaillait toujours au magasin À la bonne santé sur la rue Augusta. En septembre, elle entreprendrait son ultime année scolaire à la polyvalente Fernand-Lefebvre pour ensuite, si possible, accomplir son désir d'œuvrer dans le merveilleux monde de la décoration.

Martin travaillait toujours au garage Pinard sur le boulevard Fiset, et sa belle Diane venait d'achever ses études commerciales et avait été engagée comme secrétaire au magasin de construction Chapdelaine sur la rue du Collège.

— Ouf! Tout un choc qu'on a eu, ma Laurette, quand notre Martin nous a annoncé qu'il se mariait au mois de décembre! Sainte bénite que ça nous rajeunit pas, ça! Je suis quand même inquiète qu'ils se marient jeunes de même, ces deux-là! Dix-huit ans, Laurette, tu y penses-tu?

— Crime, Angèle, t'as pas besoin de te morfondre pour lui. Y est travaillant sans bons sens, ton Martin, puis sa Diane est déjà placée. T'as pas d'affaire à être inquiète de même! Toi, Roger, tu dois pas être inquiet pour ton gars, hein?

— Pas pantoute. C'est un bon mécanicien puis y a dans sa tête de cochon d'avoir son garage à lui. C'est sûr que ça va prendre quelques années pour ramasser l'argent de ce garage-là, mais comme on dit, on peut pas avoir le beurre avec l'argent du beurre tout de suite ! Va falloir qu'y trime pas mal dur, le Martin. Pourquoi tu ris, ma femme ?

— C'est parce qu'il m'a dit l'autre jour, quand monsieur Pinard était en vacances : « Je fais assez d'heures au garage que quand je me couche le soir, je suis crevé. Je m'endors en plein milieu d'un rêve, torpinouche ! » Mais il est toujours au poste quand même. Y a assez peur que sa belle doudoune soit pas heureuse avec lui que si y pouvait faire sortir le sang d'un navet pour elle, il le ferait, sainte bénite ! Câline qu'il l'aime, cette enfant-là !

— Pour le mariage, ça fait de la préparation en crime, Angèle ?

— Pas tant que ça, Laurette. C'est Jeanine et Pierre-Paul qui s'occupent de tout ça. Les bans sont déjà publiés à l'église Notre-Dame, la salle est réservée à la marina Beaudry à Sainte-Anne-de-Sorel puis l'orchestre est déjà choisi. Il leur reste juste à confirmer le nombre de couverts chez Traversy. En fin de compte, nous autres, on est dans les honneurs puis crois-moi qu'on va être sur notre trente-six, hein, mon beau foreman ?

— Hi hi ! Pourquoi être le vicaire quand on peut être le pape ! C'est sûr que la paye a changé un peu, mais pas de là à se péter les bretelles, ma belle noire ! La seule différence, c'est que je me mets plus les mains dans marde noire à shop puis ça fait bien mon affaire. En plus, j'ai des bons ouvriers. Fabien, c'est un bon travaillant, Clarence aussi, puis Denis Grenier, lui, quand y a pas mal à nulle part, bien, ça va pas si pire.

— T'en as un qui est souvent malade, Roger ?

— Ça, mon Serge, c'est une longue histoire ! Juste pour te donner une idée, la semaine passée Donald Tessier est arrivé avec un mal d'oreilles puis le lendemain matin, c'est mon Denis qui est arrivé avec un bas de laine attaché après l'oreille, bonyeu ! Laisse-moi te dire qu'y avait l'air pas mal plus insignifiant que d'autre chose !

— Crucifix, c'est une moumoune, ce gars-là !

— Si c'est une moumoune ? Y est toujours malade, maudit, c'est un hypocondriaque ! Mais je m'en accommode parce que c'est quand même un bon jack, parce que son frère Rosaire, lui, y donne pas sa place ! Denis, c'est un bon diable, mais Rosaire, c'est un petit christ… Hi hi ! Maudit que ce gars-là est têtu, une vraie tête de cochon ! Quand je lui demande de faire une job, y en fait une autre à la place… Mais qu'est-ce tu veux, on peut pas tout avoir, friser naturel puis rester dans un château avec une dent en or, hein !

— Hi hi ! Ça, c'est bien vrai, mon Roger. Y a toujours de quoi qui cloche, que ce soit dans n'importe quel métier ! Justement, je voulais vous parler de quelque chose pendant que Guylaine est avec David sur la pépinière.

— Mon Dieu, c'est-tu grave ?

— Bien non, la belle noire ! Qu'est-ce que vous diriez si je la prendrais pour travailler sur la pépinière jusqu'à la fin du mois d'août ? Elle travaillerait à la semaine puis son frère va être là pour l'aider en plus !

— Sainte bénite, je pense que la gazelle serait bien contente parce qu'elle s'est pas encore rien trouvé pour l'été à Sorel !

Elle fait une couple d'heures de temps en temps au guichet de la piscine municipale puis c'est tout ! Mais la pépinière, Serge, Guylaine connaît pas grand-chose là-dedans !

— Mais ça, j'y ai déjà pensé, Angèle. Je la mettrais vendeuse, puis quand ça serait plus tranquille, je lui ferais transplanter des jeunes plants. Après le souper, elle pourrait faire la tournée d'arrosage avec moi. Je la payerais trente-cinq piastres par semaine et elle serait logée, nourrie.

— Bonyeu, elle va être aux oiseaux avec une paye de même ! Penses-tu qu'elle va vouloir déménager à Saint-Bonaventure pour deux mois, ma femme ?

— Regarde, Roger, Guylaine a pas de chum, puis en plus, je suis certaine qu'elle va être bien contente d'être avec son frère tout l'été, moi !

— Ouin, juste ce frère-là parce que son autre frère, lui, on le voit pas souvent depuis qu'il reste à Victoriaville. Il descend à peu près aux deux mois, crime !

— Il s'est-tu fait une nouvelle blonde, ton Olivier, Laurette, depuis qu'il a laissé Isabelle ?

— Bien non, Roger. À chaque fois que je lui demande, il me répond qu'il attend encore la femme de sa vie, puis moi, j'ai bien hâte de la connaître, cette déesse-là ! En attendant, il reste dans son petit trois et demi sur le boulevard Jutras puis il ramasse son argent pour s'acheter une maison.

Quand Serge demanda à Guylaine si elle ne s'ennuierait pas trop de Sorel en venant travailler pour lui, elle lui répondit : « Les petits canards se suivent pas toujours en ligne, mon oncle Serge ; des fois y peut en avoir un qui s'écarte ! »

Cinq heures et vingt.

— Allô, ma belle noire ! Attends, Gabriel, laisse-moi le temps d'enlever mes bottines, bonyeu ! Une bonne bière-tomate, ça va être bon. Y fait chaud en titi aujourd'hui : quatre-vingt-huit à l'ombre !

— Bien oui. Une chance que c'est pas humide ! J'ai eu des nouvelles du petit Sylvain à matin.

— Puis, y va-tu mieux, le petit ?

— Les docteurs peuvent pas se prononcer tant qu'il aura pas fini sa polychimiothérapie. Pauvre petit poulet ! Ça fait déjà un an et demi qu'il est à l'hôpital Sainte-Justine ! Même Sylvie s'en ressent. Michèle dit qu'elle est plus agressive. Cet enfant-là, y a rentré à l'hôpital en février 70, y avait cinq ans. Y a eu sept ans au mois de mai, puis on sait même pas si y va sortir de là vivant !

— Ça peut être bien long, ma femme. C'est une maudite maladie plate, la leucémie ! Mais regarde, y faut garder espoir. Avant 1970, les enfants qui avaient la leucémie mouraient presque tous. Aujourd'hui, c'est pas pareil avec les nouveaux traitements ; y peuvent les prolonger puis même guérir le tiers de ces enfants-là !

— Je comprends bien ça, mon Roger, mais oublie pas que le petit a une leucémie aiguë puis qu'il a fait une méningite par-dessus ça ! Pauvre petit loup, y aura même pas eu une enfance normale… Michèle m'a dit que nos filleuls le cherchent partout dans la maison. Ils ont juste quatre ans puis ils voient bien qu'il manque un gros morceau, eux autres !

— Ça doit être bien dur pour Richard et Michèle, le voyagement, les repas… Une chance que de temps en temps tu prends Jules et Julien avec toi dans le jour, puis quand Emma y va dans l'après-midi, elles sont toutes seules avec Sylvie. Elle doit respirer un peu mieux, cette femme-là, maudit !

— Là c'est pas pire, mon mari, on est en été. Imagine-toi le voyagement à Montréal cet hiver ! J'espère juste qu'on aura pas une tempête comme au mois de mars passé ! On aurait dit que la terre avait arrêté de tourner, sainte bénite ! Tout le monde était pris dans leurs maisons. Y avait même pas un seul moyen pour se déplacer ; y avait de la neige par-dessus les chars, câline !

— Le 4 mars 1971. Je suis sûr que tout le Québec va se souvenir de cette année-là, ma femme ! Puis ça, c'est à part de la catastrophe du village de Saint-Jean-Vianney qui est arrivée deux mois après !

Le 4 mars 1971, une tempête spectaculaire s'abattit sur tout le Québec. Montréal fut le territoire le plus touché, avec deux pieds de neige et des vents de soixante-huit milles à l'heure. Il y eut dix-sept décès dont la plupart furent causés par des crises cardiaques. Des poteaux électriques arrachés laissèrent plusieurs secteurs dans le noir et le froid pendant une longue période de dix jours. Les bancs de neige rejoignaient le deuxième étage des maisons en raison des rafales. Tout fut fermé : les écoles, les commerces ainsi que le transport en commun. C'était la paralysie totale. Aucun journal ni aucune lettre ne furent livrés chez les citoyens.

Dans les rues, on voyait déambuler uniquement des motoneiges et de braves gens en skis de fond et en raquettes. Les camions de déneigement de la ville de Montréal durent effectuer cinq cent mille voyages de neige pour rendre les rues praticables.

Le jour de la tempête du quatre mars fut aussi celui où le premier ministre du Canada, monsieur Pierre Elliott Trudeau, se mariait à Vancouver avec la séduisante Margaret Sinclair.

Pour multiplier les mauvaises nouvelles, le 4 mai 1971, deux mois après la colossale tempête de neige, des pluies diluviennes provoquèrent un glissement de terrain qui engloutit le village de Saint-Jean-Vianney au Saguenay, tuant trente et une personnes. À onze heures du soir, trente-cinq maisons sur un total de soixante-dix avaient été noyées dans une mer de boue.

Le dimanche vingt-deux août, Fabien proposa son chalet au village des Beauchemin pour fêter l'anniversaire des gazelles et de leur sœur Josée.

Ce n'était pas si aisé pour Roger et Angèle de réunir tout leur monde quand chacun et chacune avait sa petite vie d'adulte. Laurette, Serge et Guylaine arrivèrent à deux heures, et David et Céline se présentèrent à trois heures.

Roger avait préparé le barbecue pour rôtir les hot dogs et les hamburgers. Sans délai, il avait informé Fabien qu'il faisait cuire des cuisses de grenouilles pour le souper, mais celui-ci l'avait « envoyé promener » assez vite.

Paul et Serge s'étaient occupés d'amener la bière, et Arthémise avait cuisiné une recette de sucre à la crème et un plat de fudge chocolaté truffé de noix de coco.

— T'es donc bien belle, ma Yolande, aujourd'hui, câline. Tu rajeunis tout le temps, toi !

— Mets-en pas tant, Angèle. À quarante ans, on se lève pas en courant le matin comme à vingt ans ! Tu devrais savoir ça, toi qui en as quarante et un !

— J'ai pas de misère à me lever pantoute le matin, moi ! Patou, veux-tu bien lâcher ma nappe, câline !

— Ça fait longtemps que vous l'avez, ce chien-là, Angèle ?

— Bien oui, c'est un vieux plouk, Patou. Y a sept ans, mais Nannie est plus vieille. Elle est déjà rendue à treize ans. C'est une vieille pantoufle ; elle pense juste à dormir... Regarde, m'man, on va mettre les liqueurs dans le cooler en dessous du chalet. On peut pas se servir de la glacière en dedans parce que ça valait pas la peine d'acheter un gros bloc de glace pour juste une journée. Comment ça va chez Richard, m'man ?

— Ça va bien. Les enfants sont bien fins avec moi. Ils me donnent pas une miette de misère ! J'aurais bien aimé que Richard puis Michèle viennent aujourd'hui, mais tu comprends bien que le dimanche, c'est la visite de toute la famille au complet à Sainte-Justine. Pauvre petit amour...

— C'est le Bon Dieu qui a ça entre les mains, m'man. Sylvain, c'est un enfant de la Terre, y devrait rester avec nous autres... Bon, c'est assez, le braillage. On a trois filles à fêter aujourd'hui puis j'aimerais bien que ça se fasse dans la joie et aussi, je pense que Richard et Michèle seraient déçus de nous voir s'apitoyer sur leur sort. Voyons, Rose, t'es pas avec Joël ?

— Non, m'man, j'ai cassé avec lui.

— Pourquoi ?

— Au début je l'aimais bien fort, mais là, il me tombe sur les nerfs bien raide, sainte !

— Comment ça ? Vous aviez l'air d'un beau petit couple de tourtereaux. Il te tombait sur les nerfs pourquoi ?

— Bof, toutes sortes d'affaires. C'est le plus fin, c'est lui qui sait tout, il décide toujours pour moi puis il est pas capable de passer devant un miroir sans s'arrêter pour se regarder à chaque fois. Une vraie catin ! Moi, je suis plus capable ! Les oreilles me frisent à chaque fois qu'on rencontre une vitre ou un miroir !

— Oh... hi hi ! Pauvre Rosie ! Tu lui as annoncé ça comment, que tu cassais avec lui ?

— Je lui ai dit juste la vraie vérité, m'man, qu'il est juste un narcissique puis qu'il revienne me voir quand il aura la tête moins enflée !

— Câline, Rose, t'es pas allée avec le dos de la cuillère ! T'es arrivée ici comment en fin de compte ?

— J'ai pas eu le choix, m'man, vous étiez tous partis. J'ai fait du pouce.

— Chut! Dis pas ça à ton père, que t'as fait du pouce. C'est assez pour qu'il ait la baboune toute la journée, sainte bénite!

— Crains pas, m'man. C'est Gaston qui m'a embarquée puis il m'a dit qu'il dirait rien à personne, surtout pas à pa! J'ai eu ma leçon quand j'ai fait du pouce avec Johanne Godin puis que c'est pa lui-même qui m'a embarquée en bas du pont Turcotte. J'ai eu l'air assez nounoune quand il m'a demandé où je m'en allais! « Bien, je m'en vais chez nous, pa. » J'avais été une semaine sans pouvoir mettre ma grosse orteil sur le perron, maudit!

— Voyons, Rose, parle pas de même! Moi, je pense plus que c'était à cause que t'étais avec la Johanne. Tu sais que ton père peut pas la sentir, elle?

— Bien oui, m'man. Toi non plus, d'ailleurs...

— Tiens, si c'est pas mon Gaston! Tire-toi une bûche, comme dirait mon père, on va s'ouvrir une boîte de clous! Une Labatt ou une O'Keefe?

— Je vais te prendre une petite 50, mon Roger. Hé, Paul, viens ici. J'en ai une bonne à te raconter! C'est qui, le petit là-bas, Roger?

— C'est le chum à Laurette, Serge. C'est un maudit bon gars. Y a une pépinière à Saint-Bonaventure. C'est à côté de Drummondville.

— Ah, OK! Viens t'assir avec nous autres, Serge! C'est le gars qui s'en va à la pharmacie pour acheter de l'arsenic...

— Bien voyons donc, voir si le pharmacien est assez fou pour lui donner de l'arsenic, bâtard !

— Eille, le frère, à chaque fois que je conte une histoire, faut toujours que tu me coupes le sifflet en plein milieu, torrieu ! Ferme donc ton grand clapet, baptême ! Ça fait que le pharmacien lui dit : « Bien voyons, monsieur, je peux pas vous donner de l'arsenic comme ça. Y vous faut une prescription ! » Ça fait que le gars lui a répondu : « Attendez, je vais vous montrer un portrait de ma femme puis je suis certain que vous allez vouloir m'en donner, de l'arsenic ! »

— Oh… maudit niaiseux ! Elle est bonne en viarge, ton histoire, Gaston ! Ouin, on dirait qu'y va mouiller. Y a un gros cul noir en arrière des bouleaux là-bas !

— Bien non, mon Roger, ça va passer en vent, ton affaire. Toi, Serge, es-tu un raconteux d'histoires ?

— Si c'est un raconteux ? T'aurais dû le voir dans la roulotte quand on est allés dans l'Ouest canadien l'été passé. Une attendait pas l'autre, maudit ! Conte donc l'histoire de la belle-mère, Serge !

— Ah, OK ! C'est quoi la plus belle caresse qu'on peut pas faire à notre belle-mère ? Toi, Gaston, la sais-tu, celle-là ?

— Non, pas pantoute. J'ai jamais caressé ça, une belle-mère, moi ! C'est quoi ?

— C'est caresse chez eux, crucifix !

— Oh ! Baptême qu'elle est bonne ! En as-tu d'autres comme ça, mon Serge ?

— Ouin, je pense qu'y va mouiller pour le vrai, moi !

— Bien, si y est pour mouiller, Gaston, c'est mieux qu'y mouille aujourd'hui au lieu qu'y mouille une journée quand y fait beau !

— Voyons, mon frère, t'as des bébites dans le traîneau ? C'est quoi le rapport ?

— C'est juste pour te faire parler puis ça marche, mon Paul ! Puis, Serge, c'est quoi ton histoire ?

— OK. C'est le gars qui dit à son chum : « Pourquoi t'as coupé la queue de ton chien ? » Son chum lui répond : « C'est parce que la belle-mère vient faire son tour après-midi puis je veux pas qu'y branle la queue pour montrer qu'y est content de la voir ! »

— Tabouère, si ça marcherait, y aurait juste des chiens pas de queue sur la terre, torrieu de torrieu !

— Bon, vous contez encore des histoires, vous autres ?

— Bien oui, Arthémise. En connais-tu une couple de bonnes, toi ?

— J'en savais bien gros avant, mon Roger, mais qu'est-ce tu veux, quand on vieillit, la mémoire fléchit, tu comprends ?

— Bien là, t'es pas si vieille que ça… T'as même pas une ride dans la face, ma belle Georgette !

— Pour ça, mon Gaston, c'est bien vrai. La seule ride que j'ai, je suis assis dessus, sainte pitoune !

— Oh… hi hi ! Ça, c'est une bonne joke !

Seulement trois grains de pluie furent expulsés des nuages, puis le ciel reprit son teint bleuté. Josée surveillait sur le quai son petit frère qui était en train d'essayer de pêcher un poisson. Une vraie petite mère poule. Son frère, elle l'aimait sans condition.

Les femmes se chargèrent de dresser la table pendant qu'Angèle préparait les salades, aidée de son amie Laurette.

— Puis, la Guylaine, a mérite-tu sa paye à la pépinière Laurette ? En tout cas, elle a l'air d'aimer la campagne !

— Ah, ma chère Angèle ! Ta fille, c'est pas le style de s'assir puis d'attendre que ça passe quand elle voit l'ouvrage devant elle, crime ! Une vraie petite abeille ; elle arrête pas deux minutes !

— Tant mieux ! Mais y a une affaire qui me chicote. À seize ans, me semble qu'elle devrait avoir un chum, cette enfant-là ? Elle a sorti juste une fois avec un gars, Samuel, puis ça a pas toffé longtemps.

— Tu sais, Angèle, on en a parlé, de ça, chez nous quand elle a sorti avec ce Samuel-là. Depuis ce temps-là, elle a pas eu d'autres chums parce qu'elle m'a dit qu'il buvait pas mal trop, ce gars-là !

— Ça a pas rapport. Les gars sont pas tous des ivrognes, câline !

— Bien, c'est pas juste ça, aussi. Je pense qu'elle a peur de s'embarquer avec un homme, Angèle !

— Pourquoi tu dis ça ?

— Bien, elle m'a dit qu'elle avait peur d'en rencontrer un puis qu'il parte se reposer comme son père Dario… Moi, je dis qu'elle vit juste en arrière et elle veut pas regarder en avant pantoute. Mais depuis qu'on s'est parlé, elle a un peu changé son fusil d'épaule quand je lui ai dit : « Si la vie a des ailes, bien l'amour, c'est les anges qui l'apportent. » Je pense qu'elle a compris que les anges sont pas juste là pour accueillir ceux qui arrivent au bout de leur route, ils sont là aussi pour guider les gens tout au long de leur vie sur la terre !

— Sainte bénite que tu parles bien, Laurette ! T'as encore réussi à me faire morver.

— Voyons donc, Angèle. Mais je peux te dire que ta Guylaine, elle regarde pas mal l'autre bord de la clôture dans ce temps-ci ! Le petit Gosselin à côté, y est pas mal ragoûtant !

— A sort-tu avec lui ?

— Je pense pas, mais je vois bien qu'elle a un petit penchant pour lui. Elle dit qu'Éric, c'est un pelleteux de nuages, mais si elle le connaîtrait plus, elle s'apercevrait que c'est pas juste un beau parleur. Y est vraiment intelligent. Il étudie pour être docteur. Y a vingt ans puis dans quatre ans y va avoir son diplôme de médecine générale. En attendant, y travaille sur la terre de ses vieux la fin de semaine.

— Sainte bénite, ça lui ferait un bon parti ! Mais si je dis ça, c'est pas juste parce qu'il va faire des bonnes payes, c'est bien sûr que c'est juste si Guylaine tombe vraiment en amour avec lui ! Mais ça, un amour à distance, c'est pas évident, Laurette !

— Pas tant que ça, Angèle...

— Comment ça ? Une chance que t'es là, ma Laurette, sinon je saurais pas grand-chose de ma Guylaine, hein ?

— Regarde, Angèle, je veux pas que tu sois frustrée avec ce que Guylaine me dit. Moi, je sais bien que quand j'étais jeune, j'aimais mieux me confier à mes tantes ou à mes amies, puis je pense qu'on est toutes faites pareilles, non ?

— Ouin, pour ça je te donne raison parce que regarde nous deux, on se dit tout ! C'est quoi tu voulais me dire ?

— Guylaine veut s'en aller coiffeuse, puis elle va finir son secondaire dans deux ans. Elle t'a-tu parlé où est-ce qu'elle voulait suivre son cours de coiffeuse ?

— Oui, avec le coiffeur Armand !

— Mais le coiffeur Armand, y est rendu à Drummondville. Y s'est ouvert une école de coiffure.

— Câline, j'étais pas au courant de ça, moi ! Mais elle va rester où, Guylaine, si elle s'en va étudier à Drummondville ?

— Avec son frère David sur la rue Brock.

— Hein ! Ah bien ! Mais elle a le temps de changer d'idée. C'est juste dans deux ans.

— Oui, mais elle a un autre plan dans la tête, Angèle !

— Quel plan ?

— Je peux t'en parler, mais va falloir que t'attendes que Guylaine te le dise elle-même. Comme ça tu vas être préparée.

— OK, mais je vais être préparée à quoi ?

— La pépinière, si elle veut, elle peut y travailler jusqu'au mois d'octobre la fin de semaine, et aussi au mois de décembre vu la vente des arbres de Noël.

— Son école là-dedans ?

— J'y arrive, Angèle. Elle voudrait changer d'école à l'automne puis s'inscrire à la nouvelle polyvalente qui va ouvrir sur le boulevard Jean-de-Brébeuf.

— Comment elle s'appelle, cette polyvalente-là ?

— La Poudrière.

— Tu parles d'un nom, toi, pour une polyvalente !

— Oui, c'est bizarre, hein ! Elle voudrait rester avec son frère sur la rue Brock puis dans deux ans suivre son cours de coiffure chez Armand sur la rue Heriot.

— Sainte bénite, elle nous aime plus ?

— Voyons, Angèle, elle arrête pas de vous louanger ! C'est juste que c'est parce qu'elle est rendue adolescente puis qu'elle veut faire son chemin dans la vie ! On choisit pas l'avenir de nos enfants, ma chère. Regarde Olivier, je le vois presque jamais, moi ! Si Guylaine vous en a pas parlé, c'est qu'elle a peur de vous faire de la peine, à toi puis à Roger, parce qu'elle vous aime trop. Braille pas, Angèle. Aurais-tu aimé mieux qu'elle se traîne les pieds partout puis qu'elle ait pas une miette d'ambition ?

— Bien non, c'est sûr. Mais ça va faire un gros vide de plus voir notre gazelle à la maison !

— Oui, mais c'est pas à l'autre bout du monde... Imagine-toi si son cours se donnerait à Saint-Zénon. C'est tellement ennuyant dans ce village-là que les chiens mangent le mastic après les fenêtres, crime !

— Oh ! hi hi... Maudite folle ! hi hi...

Et que la fête continue !

— Puis, Martin, je t'apporte-tu une petite bière frette avec du jus de tomate ?

— Je vais en prendre une dernière, pa, parce que ça fait deux que je bois. Je veux pas être obligé de mettre une chaudière à côté de mon lit à soir !

— Hi hi… Ta première brosse, c'était pas drôle, mais ça fait moins mal qu'un coup de pied dans le derrière avec une paire de bottes gelées, hein, mon Martin ?

— Ouais…

— Puis toi, la belle doudoune à Martin, ça va toujours bien, la job de secrétaire chez Chapdelaine ?

— Pour la job, j'aime bien ça, mais pour le patron, c'est toute une autre paire de manches, monsieur Delormes !

— Comment ça, Diane ?

— C'est un bon gars, mais bateau qu'il est bougonneux ! L'autre jour j'ai juste voulu donner mon point de vue sur la rédaction d'une de ses lettres puis il m'a répondu : « C'est moi qui a raison. Ferme ta pie puis on va être d'accord ! »

— Mon Dieu, c'est tout un air bête, ton boss !

— Ouin, puis si je peux me trouver autre chose, je vais lui donner ma démission assez vite ! Bon, cré Martin ! Il est pas capable de boire quelque chose sans en renverser sur lui tout le temps !

— Hi hi ! Y a pas changé, notre Martin. Quand il était petit, il était toujours crotté, notre Martin.

— C'est pour ça qu'on a toujours un sac dans la valise du char avec deux trois tee-shirts de rechange. On prend plus de chance.

— Je lui ai dit l'année passée quand il a pris sa brosse qu'il savait pas boire ! Ça a pas changé !

— Hein, hein, t'es bien drôle, mon père !

Le souper terminé, tout le monde s'aventura dans les jeux. Ils jouèrent au jeu de poches. Serge n'avait aucun « visou » : il aurait manqué une vache dans un corridor. Au tournoi de fers, c'est Paul qui lança tout croche, et il fallut que les spectateurs se retirent plus loin, car il tirait partout sauf à côté du piquet.

— Ouin, mon frère, t'as pas de visou pantoute, baptême. Si ça continue, on va être obligés de sortir les cannes à pêche pour aller à la pêche aux fers sur le bout du quai, tabouère !

— Toi, ma face de ragoût, va voir au coin si y mouille parce que je vais te faire faire un maudit boutte sur les coudes, moi !

— OK, OK ! Je m'en vais.

— Hon, hi hi ! Ils sont-tu drôles, ces deux-là, mon mari !

— Quelqu'un qui les connaît pas penserait qu'ils sont comme chien et chat. Le pire là-dedans, c'est qu'ils s'aiment comme ça, eux autres !

Dans la soirée, près du feu de joie, Martin s'esclaffait en regardant sa sœur Josée et son frère Gabriel, avec Patou, pourchasser les mouches à feu pour les emprisonner dans un pot de vitre, espérant en faire une lampe de chevet. « Elles tofferont pas, les mouches à feu. Y ont pas faite des trous dans le couvert ! »

Chapitre 18
LE PARADIS

Le samedi vingt-huit août, Josée et Gabriel ainsi que Rose étaient en visite chez Laurette pendant que Roger et Angèle se prélassaient dans le Vieux-Québec pour bénéficier de leur fin de semaine en tourtereaux.

Rose avait décidé, elle, d'aller chez Laurette pour passer un peu de temps avec sa sœur Guylaine avant que toutes deux commencent leur année scolaire.

En après-midi, elles se rendirent au marché public sur la rue Saint-Jean comme elles s'y rendaient dans les années 1962.

Quand Serge demanda à Gabriel s'il voulait demeurer avec lui pour lui donner un coup de main sur la pépinière, le petit acquiesça immédiatement.

Josée explora tous les endroits que ses sœurs avaient fréquentés lors de leurs visites à Drummondville : le magasin des biscuits à la livre, le banc des Proulx pour le délicieux pâté de jambon et le comptoir des poissons frais où Laurette s'était procuré, jadis, le gros morceau de filet de morue avec lequel elle avait amené Guylaine à apprécier le poisson. De plus, elle visita le parc Woodyatt où Rose et Guylaine avaient souvent discuté pendant des heures en buvant leur liqueur préférée au restaurant du Woolworth sur la rue Lindsay.

Le soir, Guylaine raconta à Rose comment elle s'était éprise de son beau Éric.

Au début, elle essayait tout simplement de l'ignorer ; elle le trouvait prétentieux. Mais lentement, elle se mit à l'apprécier. Elle conversait avec lui tous les matins quand elle allait chercher le courrier, même que, jour après jour, elle attendait fébrilement dix heures pour sortir au même moment que lui. Elle surveillait l'arrivée du facteur dans le petit tambour derrière la maison et quand elle l'apercevait, elle se précipitait à l'extérieur tout en se gardant une démarche nonchalante pour ne pas éveiller de soupçons.

Éric avait vingt ans, une taille de cinq pieds et huit pouces et des cheveux bruns très courts. De longs cils noirs balayaient ses yeux verts et une maturité bien sentie lui donnait un regard très personnel. Il portait continuellement des jeans Levi's accompagnés d'une blouse — de jeans également —, des espadrilles blanches et une casquette des Canadiens de Montréal qui ne le quittait jamais.

La toute première fois qu'il avait invité Guylaine à sortir avec lui, ils étaient allés souper au service à l'auto du Roy Jucep sur le boulevard Saint-Joseph dans sa Monte Carlo noire et la poutine avait été délicieuse, ainsi que l'orangeade Jucep.

Sous un ciel étoilé, ils avaient déambulé au centre-ville. Un petit vent du nord s'était dressé, et le Brut de Fabergé avait dangereusement stimulé l'odorat de Guylaine.

Ils s'étaient installés sur un banc au parc Saint-Frédéric et c'est à cet endroit qu'ils s'étaient embrassés pour la toute première fois. Guylaine était devenue écarlate quand Éric lui avait glissé tendrement à l'oreille que ses lèvres avaient un goût de vanille.

Chez Laurette, les gazelles dormaient au deuxième étage dans une chambrette agrémentée de deux petites lucarnes. Un lit de laiton et une coiffeuse en bois d'acajou s'harmonisaient avec les tentures de dentelle ivoire suspendues aux cadrages des fenêtres.

Le couvre-lit, une catalogne blanche ornée de sillons roses, reposait sur le lit avec de gros coussins blancs, roses et verts. Aux murs, Laurette avait accroché les photographies qui autrefois ornaient le corridor de la grande maison familiale de Saint-Cyrille-de-Wendover. Sur l'une des tables de nuit reposaient une lampe en papier de riz et une photo des filles aux côtés de David et Olivier lors de leur première visite au parc Woodyatt.

— Comme ça, t'es en amour par-dessus la tête, ma petite sœur !

— C'est l'homme de ma vie, Rose ! Il est tellement fin avec moi que je me sens comme une princesse avec lui, tu sais, comme Sissie dans la vue où elle est impératrice ?

— Tant que ça ! Eh bien, il te manquerait juste de vivre en Bavière comme elle, sainte ! Vous allez vous marier ensemble si ça continue, ma sœur !

— On en a parlé, mais tu comprends bien qu'on a nos études qui passent avant ! Après mon secondaire, je vais avoir juste un an à faire chez Armand le coiffeur, mais Éric, lui, y en a encore pour quatre ans à l'école de médecine de l'Université de Sherbrooke… Une chance qu'on se voit les fins de semaine, tornon, sans ça je mourrais d'ennui !

— Qu'est-ce que vous faites, vous deux ?

— Viens, Josée, on est en train de parler des gars !

— Ah ouin ! Vous avez du temps à perdre ! Moi, les gars, je les trouve bien niaiseux. Je vous dis que c'est pas eux autres qui ont inventé la dynamite dans le derrière des mouches à feu, calvette !

— Hi hi ! Tu parles donc bien mal, Josée ! On va te laver la bouche avec du savon, toi !

— Ça, Rose, quand j'ai de quoi à dire sur les gars, je trouve pas d'autre chose à dire. Je les trouve trop ti-counes !

— Tu changeras bien d'idée quand tu vas avoir tes quinze ans, ma sœur !

— Peut-être, Guylaine, mais en attendant…

— Ouin, en attendant, t'aimes mieux faire des coups plates avec ta Vivianne Cantin pour faire enrager notre mère, hein ?

— Ben non. On est plus tranquilles asteure ! Puis toi, Rose, t'as pas à parler, t'en as pas de chum, toi non plus, à ce que je sache !

— Bien non. Depuis que j'ai cassé avec Joël, je suis pas pressée de m'en faire un autre, sainte !

— Tu vois, y était pas mieux, lui aussi. Tu l'avais traité de tête d'eau, celui-là !

— Qui t'a dit ça, toi ?

— C'est m'man qui l'avait dit à pa à notre fête. Elle faisait juste rire !

— Ah bon ! Bon bien, faudrait bien se coucher. Il est déjà onze heures puis ici, à Saint-Bonaventure, on se lève à l'heure des poules, sainte !

C'était la rentrée aujourd'hui, et comme tous les ans, Angèle profitait de cette première journée de classe pour se rendre au carré Royal avec Gabriel. Un parapluie la protégeait, car le ciel était ténébreux et il pleuvait beaucoup. À deux reprises, elle faillit rebrousser chemin, mais lorsqu'elle arriva face au marché Steinberg, une accalmie avait succédé au mauvais temps et Galarneau venait de se pointer le bout du nez.

Au menu du jour chez Rheault, il y avait une soupe poulet et riz et des pochettes au chou. Gab, lui, voulait une frite sauce avec du « kèchop ». Il avait beaucoup de difficulté à comprendre cette lettre égarée qui était le « t ». Pareillement, quand il se rendait au *pet shop* avec son père, il disait qu'il s'en allait au « pèchop ».

Il avait quatre ans déjà, le petit bout de chou, et d'ici un an il se retrouverait sur les bancs de la maternelle à l'école Maria-Goretti.

Martin espérait bien amener Patou avec lui dans son nouveau logement sur la rue Phipps après avoir passé l'anneau de mariage au doigt de Diane, mais Angèle était sceptique : « À huit ans, ce chien-là, y a ses petites habitudes. C'est pas sûr qu'il va accepter de faire son nid ailleurs, lui ! En plus, la doudoune à Martin est allergique aux poils d'animaux. »

— Ah bien ! Salut, Jeanine. C'est le soleil qui t'a fait sortir de ton trou ?

— Bien oui. J'ai pris une chance de venir voir si t'étais ici… Allô, Gab. Maudine qu'il est beau, cet enfant-là, avec ses grands yeux bleus ! Lui laisses-tu allonger les cheveux, coudon ?

— J'ai de la misère à lui faire couper sa crigne noire, mais là, y va falloir que je me décide. Je vais l'envoyer avec Roger chez le barbier samedi matin parce que là, je suis à la veille de lui faire des tresses, sainte bénite ! Puis, nos hommes ont bien commencé leur saison de bowling dimanche ?

— Bien oui. Pierre-Paul a eu une bonne moyenne même si on était revenus à deux heures de chez son frère le samedi soir !

— C'est pour ça que t'es pas venue prendre ton café dimanche matin avec moi puis Antoinette. T'as fait la paresse au lit, ma vlimeuse ?

— C'est sûr ! En plus que les hommes vont dîner en ville après leur bowling, tu comprends bien que j'en ai profité ! Tu parles d'un temps de canard, toi. Y a dix minutes y faisait gros soleil, maudine !

— Ah, je donnerais n'importe quoi pour être en Martinique sur le bord de la *playa* comme l'hiver passé, moi ! Câline qu'on était bien! On avait juste à manger puis à mettre des bûches dans le poêle!

— Hi hi! Vous avez fait sortir la boucane par votre fenêtre de chambre d'hôtel? Vous avez pogné la piqûre, hein?

— Tu peux le dire, je vivrais là-bas tout l'hiver, moi! Faut croire qu'y faut revenir sur terre, comme on dit... Quand tu fais un beau voyage puis que t'es pas inquiète de ton monde à Sorel, tu penses juste à repartir!

— Vous avez été bien chanceux d'avoir Laurette pour venir garder chez vous pendant une semaine! Moi puis Pierre-Paul, on y pense aussi. On aimerait bien retourner à Miami cet hiver après les noces de Diane.

— En parlant de noces, ça s'en vient. Faudrait bien qu'on commence à aller magasiner pour se trouver une toilette! As-tu vu la robe de mariée de ta fille en fin de compte, Jeanine?

— Bien oui. Quand Diane est allée la réessayer chez Louise Péloquin, puis que je l'ai vue sortir de la cabine d'essayage avec, je me suis mise à brailler comme une débile, maudine!

— Ouin, les noces sont pas passées! Veux-tu un kleenex, Jeanine? J'en ai un gros paquet dans ma sacoche.

— Oui... Qu'est-ce tu veux, j'ai juste un enfant puis je me fais pas à l'idée de la voir partir de la maison!

— Bien voyons donc. Y s'en vont pas aux îles Moukmouk, ces enfants-là! C'est vrai que moi, quand Martin va partir de la maison, je vais avoir encore les autres avec moi pour un boutte. Ça change vite, hein? Regarde juste la Guylaine

à Drummondville. Je pense pas qu'elle revienne rester à Sorel, puis je pense même qu'Éric, c'est le sien… Pauvre petite,
elle était assez mêlée, cette enfant-là, qu'à un moment donné j'avais même pensé qu'elle resterait vieille fille, câline !
Ah bien, y est déjà deux heures ! J'ai bien l'impression qu'y
en a un qui va passer par-dessus son somme, hein, Gab ?

Cinq heures et vingt.

— Sais-tu quoi, ma femme ?

— Bien non, mon mari.

— Je pensais à ça aujourd'hui à shop puis je me suis dit :
« Pourquoi que j'emmènerais pas ma belle noire passer la
fin de semaine à Magog ? »

— Hein ! Au lac Memphré ?

— Oui. On va aller à la pêche puis, comme on dit : « Vaut
mieux rigoler dans une gondole que de gondoler dans une
rigole ! »

— Oh, hi hi… maudit fou ! C'est vrai que c'est grand, le lac
Memphré, mon mari !

— Mais on est pas toujours obligés d'aller pêcher au village des Beauchemin, ma femme. Y a d'autres belles places
au Québec, hein ?

— C'est sûr, mais les plus jeunes, on fait quoi avec eux
autres ?

— J'ai appelé ta mère après-midi puis elle va les garder chez
eux…

— T'es donc bien ratoureux, Roger Delormes ! À chaque
fois que tu me fais une surprise, ma mère est dans le coup !

— Qu'est-ce tu veux, ta mère, c'est la meilleure belle-mère au monde !

— Ah bon ! Puis ton bowling, lui ?

— J'ai déjà demandé à Charles de me remplacer. De toute façon, y faut que je le fasse jouer de temps en temps ! Y est juste remplaçant puis à tous les dimanches, y vient nous voir jouer pareil !

— Ça va nous faire du bien, mon Roger, de prendre une petite fin de semaine avant que l'hiver pogne. Va falloir apporter un gros capot parce qu'y doit pas faire chaud sur l'eau dans ce temps-ci le matin !

— C'est sûr. Je te connais, t'es toujours gelée, maudit !

— Ça, Roger, que le vent vienne de n'importe quel bord, pour moi, y fait toujours frette, câline. On dirait que j'ai pas de sang dans le corps, moi ! Puis depuis que je suis allée en Martinique, c'est encore pire : je suis encore plus frileuse qu'avant, on dirait !

— Cré petite soie. Si on pourrait se la couler douce à tous les ans comme ça, cré-moi qu'on se ferait pas casser un bras pour repartir ! Une chose qui est coulée dans le béton, c'est que dans trois ans on va fêter notre vingt-cinquième anniversaire de mariage puis on va y aller, dans le Sud, en maudit, puis deux semaines à part de ça !

— Vingt-cinq ans, nos noces d'argent...

Le samedi trente octobre, les gros sacs à feuilles étaient remplis de rouge, d'orange et de jaune feu. Les cheminées commençaient à fumer et les plateaux de bonbons pour la fête de l'Halloween étaient prêts pour la soirée du trente et un. Angèle s'était procuré une seule citrouille cette année pour la déposer sur la galerie étant donné que Roger lui avait enfin avoué que les tartes à la citrouille ne s'avéraient pas son dessert favori : « Y a pas à sortir du bois. C'est les tartes aux pommes que j'aime, moi ! »

Dans le voisinage, c'était toujours la même petite routine. À la télévision, pour enlever un peu de monotonie dans le cœur des plus jeunes, *Les 100 tours de Centour*, *Les Oraliens* et *Fanfreluche* attiraient l'attention des petits comme des grands.

Isabelle Pierre chantait *Le temps est bon,* et la grande vedette de l'heure était René Simard. Depuis que Guy Cloutier lui avait fait enregistrer *L'oiseau* en 1970 alors qu'il n'avait que dix ans — on en avait vendu 170 000 copies —, on le demandait dans tout le Québec. Il avait donné trois spectacles à la Place des Arts. Cette année, le petit Simard avait délaissé son île d'Orléans pour s'installer à Montréal dans le but d'entreprendre une tournée provinciale. Josée était déjà en possession de billets pour assister au spectacle en compagnie de Vivianne et de ses parents à Montréal.

On anticipait pour les Canadiens de Montréal une autre saison triomphale avec leur capitaine Jean Béliveau et leurs deux excellents gardiens de but, Ken Dryden et Rogatien Vachon. L'année précédente, le tricolore avait remporté la

Coupe Stanley contre les Blackhawks de Chicago avec un résultat final de quatre à trois, et c'était Henri Richard qui avait marqué le but gagnant. Roger et Martin s'étaient mis à crier comme des enfants dans le salon.

Le samedi soir, c'était assidûment le même rituel : *Jeunesse d'aujourd'hui* de six heures trente à sept heures et quart, la *Soirée canadienne* de sept heures et quart à huit heures, puis la *Soirée du hockey* avec René Lecavalier.

— Je vais lâcher un coup de téléphone à Michèle, mon mari, le temps que t'écoutes ton hockey. Ça fait longtemps que j'ai pas eu des nouvelles du petit Sylvain.

Le temps que Roger s'allume une cigarette, Angèle était revenue dans le salon.

— Bonyeu, ça a pas été long, ton coup de téléphone, ma femme !

— Bien non, ça répond pas ! Pourtant, le samedi soir, ils sont toujours dans leur maison à Sorel-Sud. C'est le dimanche qu'ils font leur visite familiale à Sainte-Justine ! Coudon, je rappellerai demain soir ! Bon… Laisse faire, je vais aller répondre, Roger.

— Allô !

— Salut, Angèle, c'est Marcel. Comment ça va chez vous ?

— Ça va bien, le beau-frère, puis vous autres, comment ça va ?

— Comme un pet dans l'eau frette, madame !

— Hi hi… Veux-tu parler à ton frère ?

— S'il est pas trop loin, j'aimerais ça lui demander quelque chose…

— Bien oui... Roger, c'est ton quêteux de frère qui veut te parler !

— Voyons, Angèle ! Allô !

— Salut, mon frère, je voulais te demander si tu me passerais pas ta Cougar demain midi. Je passerais la chercher après la messe demain matin.

— Bonyeu, Marcel, ton bazou est où ?

— Mon bazou est dans le fond de la cour puis y mettra plus jamais ses roues sur l'asphalte, verrat ! Martin m'a dit hier chez Pinard que la transmission était finie puis j'ai décidé de plus mettre une maudite cenne dessus !

— Ah bien ! Qu'est-ce que tu veux faire avec mon char demain ?

— Sainte bénite, Roger, passes-y pas ton char !

— Chut, ma femme !

— Je veux juste faire un aller-retour à Saint-Gérard-Majella pour aller chercher des dalles de patio chez le frère de Béatrice. Ça vaut la peine : y me les donne ! Crains pas, je vais y remettre du gaz après.

— Maudit, Marcel, ma Cougar, c'est pas un char pour charrier du ciment ! Puis j'ai mon bowling demain matin, moi ! Saint-Gérard, c'est un village reculé par le tonnerre ! Les chemins sont tout croches puis c'est plein de bosses !

— Ouin, c'est pas une bonne idée, hein ?

— Non, pas pantoute... Ton Gilles puis ton Pierre en ont un char, eux autres ? Pourquoi tu leur demandes pas ?

— C'est parce que Gilles est parti pour la fin de semaine à Berthier chez sa blonde.

— Ton Pierre, lui ?

— Y a plus de char, mon Pierre, y fait du pouce. Y me dit
que ça coûte moins cher de même, cette espèce de niaiseux-
là ! Tu parles d'un sans-dessein, toi !

— Ah bon. En tout cas, moi, je peux pas te le passer. J'en
ai besoin demain matin puis si tu y penses cette semaine, je
vais avoir besoin de mon banc de scie puis de ma drille !

Quand Roger reposa le combiné, il était écarlate.

— Sainte bénite, Roger, y a du front tout le tour de la tête,
ton frère !

— Ouin, en plus, il était rond comme un œuf. Il s'enfar-
geait dans tout ce qu'il disait, bonyeu ! Y va tomber des vaches avant que je lui passe mon char, lui ! Maudit que c'est
pas drôle. Y avait arrêté de boire ça faisait à peu près huit
ans, celui-là !

— Bien oui. Au moins, Béatrice m'a dit qu'y a pas de malice pour cinq cennes quand y est chaud.

— Non, mais c'est pas mieux. Y a juste l'air d'un maudit
niaiseux puis y dit juste des niaiseries ! C'est pas d'avance
bien bien non plus, hein ? Des fois je suis gêné quand je suis
avec devant le monde !

— Comment ça, Roger ? Qu'est-ce qu'il a dit ?

— Bof, je pense que ça se dit même pas, en plus !

— Mon Dieu ! Qu'est-ce qu'il a dit de si niaiseux, mon
mari ?

— La semaine passée, je jasais avec Jean-Marie Frappier
à côté quand il est arrivé dans la cour. Puis vu qu'il était
à veille de mouiller, au lieu de dire comme tout le monde :

« Y va mouiller »… Ah ! puis laisse faire, je peux pas te dire ça, c'est trop laid !

— Bien voyons, mon mari, je suis capable d'en prendre !

— OK. Y a dit : « Quand le goéland se gratte les flancs, c'est parce qu'y va mouiller longtemps puis quand y se gratte le cul, c'est qu'y fera pas beau non plus. » Tu parles d'un gnochon, toi ! Ça a pas d'allure d'être mal engueulé de même !

— Oh ! hi hi…

— Tu ris de ça, toi ?

— Toi aussi, tu ris, Roger !

— Ouais, mais je l'ai pas trouvé drôle sur le coup devant Jean-Marie, moi !

J'avais juste le goût d'aller me cacher en dessous du perron, bonyeu !

Le huit novembre, c'était dans les douces lueurs du crépuscule, à quatre heures et vingt, que le petit Sylvain quittait les siens.

Perdre un enfant est une tragédie inexplicable qui surgit dans la vie de parents sans demander de permission. Cet enfant-là était tellement épuisé qu'il n'avait plus eu de forces pour se battre contre cette impitoyable maladie.

La semaine précédente, il avait recommencé à faire de petits pas avec une marchette, mais Richard s'était bien rendu à l'évidence que si son fils les accomplissait avec toutes les misères du monde, ce n'était que pour faire plaisir à sa mère et lui donner de l'espoir, car il avait exprimé à son père qu'il en avait assez d'avoir mal dans tout son petit corps amaigri et qu'il avait demandé au petit Jésus de lui préparer sa deuxième maison au Ciel.

Au salon Mandeville et Mineau, le mardi matin, la porte du Ciel et les oiseaux du paradis accompagnaient le petit cercueil blanc. Michèle et Richard avaient incité les gens à faire des dons pour combattre les maladies infantiles à l'hôpital Sainte-Justine.

Le petit Sylvain reposait enfin. Il portait sur son petit crâne dégarni sa casquette des Canadiens de Montréal, et sur son oreiller de satin blanc avait été déposée une photo de sa jumelle, Sylvie, qui confia à ses parents : « On est des jumeaux inséparables puis je veux que ma moitié monte au Ciel avec lui. »

— Tu sais, Angèle, il est bien heureux comme ça, notre Sylvain. Les docteurs puis les gardes-malades l'ont pas lâché jusqu'à tant qu'il leur dise que les traitements puis les prises de sang aux demi-heures, il en avait assez et qu'il voulait juste dormir pour toujours.

— Oh, Richard !... Pauvre petit poulet. Toi, Michèle, comment as-tu pu être assez forte pour le voir partir dans tes bras ? Moi, je pense que je serais morte avec lui !

— Je voulais plus le lâcher, Angèle. Il est parti pendant que je le berçais et crois-moi que quand je te dis qu'il m'a fait tout un sourire juste avant de s'en aller, bien, j'ai compris que son repos, il l'avait mérité, mon petit ange ! Tu sais, quand on dit que les enfants nous sont juste prêtés, c'est bien vrai...

Avant, moi puis Richard, on le regardait courir partout et maintenant, pour l'avenir, on va avoir juste le réconfort d'aller lire son nom gravé sur du granit et lui parler pour qu'il se souvienne de nous. On va aller lui porter des nouvelles fleurs à toutes les semaines, puis on va lui demander qu'est-ce qu'il fait de bon avec les anges au paradis. Quand il va mouiller, on va aller le réconforter parce qu'il a une peur bleue des orages puis...

— Michèle, écoute-moi... T'auras pas besoin de faire tout ça. Sylvain va être à côté de vous autres tout le temps, et c'est lui qui va vous envoyer des fleurs, et pour la pluie, inquiète-toi pas, ça, il la gardera pas avec lui en haut. Il va tout simplement la laisser se déverser dans les rivières et les jardins...

Jules et Julien, âgés de quatre ans, ne comprenaient pas ce qui se passait. Pour eux, leur petit frère dormait.

À l'église Saint-Gabriel-Lalemant, le professeur de Sylvain, monsieur Durand, et tous les élèves de deuxième année étaient présents pour les funérailles. Pour le cortège qui se dirigerait vers le cimetière des Saints-Anges, Michèle et Richard avaient choisi un corbillard blanc pour conduire leur fils à son tout dernier repos. Le blanc était la pureté, le blanc était le battement d'ailes d'une colombe se dirigeant gracieusement au pays du repos éternel.

Chapitre 19
DIANE ET MARTIN

En ce matin de l'Immaculée Conception, un bon pied de neige avait chuté sur tout le Québec.

Paul était en train de nettoyer sa galerie pendant que Gaston, à côté de chez lui, enlevait le banc de neige que Ti-Clin Chouinard lui avait déposé devant son entrée.

Emma restait alitée à cause d'une grosse grippe qui la terrassait depuis quatre jours. Elle prenait tout simplement ses précautions : elle voulait être assurée de se délivrer de cette fièvre dans l'espoir d'être présente au mariage de son petit-fils prévu dans trois jours. Elle se disait : « Le sirop Lambert, les pastilles Wampole puis la mouche de moutarde vont faire leur job. »

— Hé, Gaston ! Je finis mon perron puis je vais aller te donner un coup de main ce sera pas long !

— Ce sera pas de refus, baptême ! J'en ai quasiment pour l'avant-midi à enlever cette marde-là, tabouère ! Dis à ton Emma qu'elle reste couchée ; je vais te garder avec moi pour prendre un café après !

L'ancienne rue Royale était beaucoup plus achalandée depuis quelques années. Avec le nouveau Miracle Mart, le Steinberg et le A&W qui avait remplacé l'Auto-Snack juste en face de chez Emma, dans deux ou trois ans, le boulevard Fiset ressemblerait vraiment à un boulevard.

— Torrieu de torrieu, on dirait qu'y a deux fois plus de neige que chez nous, Gaston !

— Bien oui, ça, c'est le remerciement que Ti-Clin Chouinard me fait quand Arthémise lui fait son petit *guérit-tout* quand il arrête à la maison pour prendre son break... Tabouère que c'est pas drôle. On l'a invité une fois pour se réchauffer puis depuis ce temps-là qu'il colle comme une vraie tache de marde, baptême ! Essaye donc de lui dire d'aller ailleurs asteure. C'est nous autres qui lui ont donné le mauvais pli, y faut vivre avec ! D'un autre côté, Ti-Clin, c'est pas un mauvais gars. Je me demande bien pourquoi y s'est pas remarié, lui, depuis le temps qu'il est veuf ?

— Oui, mais je l'ai vu l'autre jour dans sa charrue avec son casque de poil. Y a-tu un œil qui se crisse de l'autre, ce gars-là ? On dirait que quand y regarde à quelque part y regarde pas là pantoute !

— Bien oui, mon Paul, son œil gauche est figé là bien raide. Ça doit être de naissance, son affaire.

— Si y va souvent chez vous, c'est peut-être qu'y reluque ton Arthémise, aussi ?

— Baptême, je pense pas qu'Arthémise pourrait succomber à ses charmes. Y a rien pour lui, ce pauvre homme-là, y est laid comme la plaie d'Égypte, bonyeu !

— Fie-toi pas aux apparences, mon frère. Y est peut-être bien fin ! Regarde juste madame Thibeault à côté : son mari est laid comme un chromo puis elle, elle est toujours en extase devant lui ! Son Edgar, je te dis que c'est pas drôle !

— Ouais, mais je suis pas inquiet pareil ! Changement de propos : les noces du petit Martin s'en viennent vite !

— Bien oui. J'espère qu'Emma va filer mieux pour samedi !

Martin et Gaston avaient développé une certaine complicité depuis qu'ils s'étaient rencontrés en Ontario. Quand Gaston avait un problème de mécanique avec sa Shelby 65, il demandait toujours l'avis de Martin au garage Pinard. Comme de raison, Gaston n'avait pas eu le choix de se procurer de nouveaux vêtements pour les noces. Il n'était pas question qu'il se présente aux noces en pantalon et en chemise. Arthémise lui avait fait acheter un veston noir et des souliers neufs. « C'est sûr qu'il ira pas se planter sur le perron de l'église Lalemant avec ses gros botterleaux, sainte pitoune ! » avait-elle clamé.

C'était le matin du mariage dans la maison de la famille Dufault. Jeanine était très tendue. Elle piétinait de long en large dans sa cuisine sur la rue Victoria pendant que Pierre-Paul était parti chercher les bouquets de corsage chez le fleuriste. Il était neuf heures et demie et Diane n'avait toujours pas revêtu sa robe de mariée. Elle était assise sur le divan du salon en train d'enfiler ses bas de nylon blancs.

— Envoye, Diane, ton père va arriver avec les fleurs d'une minute à l'autre puis Gariépy va être là dans deux minutes pour prendre les portraits avant qu'on parte pour l'église ! Maudine que t'es pas nerveuse ! Comment tu fais, bonté divine ? Moi, le matin de mes noces, je me possédais plus !

— Bien oui, m'man. On dirait que c'est toi qui se marie, câline de bine ! Mais je peux te dire que ta robe bleue, elle est belle en s'il vous plaît ! Tu devrais en mettre plus souvent, du bleu. Ça te donne des couleurs !

— Oh ! merci, ma puce… Sais-tu qu'on va s'ennuyer de toi en pas pour rire, ton père puis moi, ma fille ?

— Je sais, mais regarde, on s'en va juste à côté sur la rue Phipps. Tu vas avoir juste deux coins de rue à faire pour venir me voir, c'est pas la fin du monde quand même !

— Oui, mais juste le fait que je vais voir ta chambre vide, je pense que je m'en remettrai jamais !

— Là, m'man, si tu brailles, tu vas être obligée de te regrimer une autre fois puis t'auras pas le temps parce que Luc est arrivé dans la cour avec sa Thunderbird pour venir me chercher !

Au même moment, dans la maison des Delormes, c'est Roger qui était le plus irritable. Il avait même oublié comment nouer une cravate.

— Voyons, Roger, calme-toi, sainte bénite ! Tu vas arriver à l'église en même temps que tout le monde !

— Cré maudit que c'est pas drôle. On dirait que c'est moi, le marié ! Maudit que t'es belle, ma femme !

Angèle s'était acheté une robe longue de gabardine rose cendré avec le boléro de la même teinte, mais en broderie de coton. Par chance, les plus vieux travaillaient et ils avaient pu débourser une partie de leurs vêtements. Guylaine était arrivée à Sorel avec Éric, Serge et Laurette, à dix heures quarante, et ils attendaient à l'extérieur pour voir venir le marié accompagné de son père. Martin démontrait une assurance particulière malgré une fébrilité intérieure qui le chatouillait. La veille, il avait failli déposer une chaudière tout près de son lit. Il avait été tellement anxieux que le mal de cœur l'avait empoigné juste avant d'aller au lit. Il avait fini par s'endormir au petit matin et quand sa mère l'avait sorti du lit à huit heures, il avait englouti deux œufs, du bacon et trois rôties tartinées de caramel.

David s'était directement rendu à l'église avec Céline. Josée et Rose étaient arrivées avec Rolland et Raymonde et leurs deux filles, Delphine et Grace.

Francine était très élégante au bras de Benoît. Il ne manquait que Richard, dans sa Chrysler New Yorker 71, qui venait prendre Martin et Roger pour les conduire devant l'église Saint-Gabriel-Lalemant.

Sur le parvis de l'église, cent vingt-cinq invités attendaient les futurs époux.

Martin, auprès de son père, attendait sa dulcinée dans un smoking noir et une chemise blanche rehaussés d'un nœud papillon noir et de boutons de manchette en argent.

Roger étrennait un habit bleu marine avec une chemise blanche et une cravate bleu foncé. Il portait une fleur à la boutonnière, une petite rose blanche, à l'instar du bouquet de la mariée orné d'un grand ruban rose, qui en contenait trois.

Quand Martin aperçut sa Diane dans sa longue robe de princesse en satin agrémentée d'une pelisse de lapin blanc, plus rien n'existait autour de lui : il ne voyait qu'elle, celle qui deviendrait madame Delormes.

Dans ses longs cheveux châtains, une couronne de perles nacrées avait été déposée et un voile interminable couvrait son visage.

La jeune bouquetière, Grace, vêtue d'une robe de dentelle rose et d'une couronne argentée, accompagnait le petit page, Julien, qui se déplaçait allègrement dans son costume blanc.

Le cortège des mariés défila dans le centre-ville, sans oublier de passer devant la maison des Delormes et celle des Dufault.

La cérémonie fut très touchante et remplie d'émotions.

Pour l'ouverture de la danse des mariés, l'orchestre interpréta *Ma vie, c'est toi*, de Chantal Pary. Angèle pleura, de même que Jeanine.

— T'as l'air à filer mieux de ta grippe, m'man ? J'avais peur que tu manques les noces quand je t'ai vue y a deux jours ! Y aurait pas fallu !

— Bien oui, ma fille. Mettons que j'y ai goûté. J'ai eu plus peur de me retrouver à l'hôpital avec une pleurésie comme il y a huit ans. Bonne sainte Anne que le temps passe vite. Ma fille qui est déjà rendue à marier ses enfants !

— Oui, mais pour une grand-mère de soixante-six ans, je t'ai trouvée pas mal en forme à te voir danser la polka avec ton Paul tout à l'heure, hi hi !

— Ah oui ? Mais c'est sûr que j'en danserai pas une autre, ma fille. Je vais m'en tenir à la valse puis au slow… Claudia ! Viens ici une minute.

— Oui, m'man ? Qu'est-ce qu'il y a, ma belle maman rose bonbon ?

— Hi hi… Je veux juste savoir si ta Marie va mieux.

— Pourquoi tu dis ça ?

— Quand je suis allée aux toilettes tout à l'heure, elle était en train de se faire vomir le cœur, Jésus Marie !

— Ah ouin, c'est vrai que dans ce temps-ci, elle file pas trop trop. Elle a peut-être attrapé un microbe encore.

— Ça se peut bien, ça, ma fille… Comment ça se fait qu'elle est pas avec son amoureux aujourd'hui, elle ?

— Ah, son Christian ? Ça aurait l'air qu'y lui aurait demandé pour prendre un break. Moi, je comprends rien là-dedans ! Prendre un break à dix-sept ans. Y va être fatigué raide mort si y se marie plus tard, lui ! De toute façon, c'est mieux comme ça. Y a rien à dire, cet enfant-là, puis quand y s'ouvre la trappe, c'est juste pour dire des maudites niaiseries plates. Gilbert aussi trouve ça ; je pense qu'y l'aime pas bien bien, lui non plus… En tout cas, je vais lui parler après la noce. J'espère juste qu'elle a pas un polichinelle dans son tiroir, elle, parce que ce serait pas drôle pantoute !

— Y manquerait bien juste ça, sainte bénite. La verrais-tu enceinte !

À trois heures, les mariés firent la tournée des tables pour s'entretenir avec la parenté et les amis avant de les quitter pour revêtir leur costume de voyage de noces. Un voyage de noces en saison hivernale, ce n'était pas aussi chaleureux que de s'étendre en dessous d'un palmier ; par contre, ils avaient quand même eu la très bonne idée de se louer un petit chalet pour trois jours à Saint-Michel-des-Saints pour dévaler les pentes de ski et ne penser qu'à s'aimer.

Diane se retrouva avec Martin chez ses parents. Diane s'était acheté une minijupe pied-de-poule avec un chemisier blanc accompagné d'un débardeur de laine noir, et quand Martin la remarqua en train de nouer sa cravate noire, il lui demanda s'ils avaient une petite demi-heure devant eux avant de retourner à la salle. Il portait un pantalon noir à plis français et un col roulé ivoire accompagné d'une veste torsadée de couleur taupe. Les convives lancèrent des pétales de rose après avoir formé, avec leurs bras, un arceau s'étalant jusqu'à la sortie de la marina Beaudry afin que monsieur et madame Delormes le franchissent pour se diriger vers le nord, pour enfin s'acheminer vers un tout nouveau chapitre de vie.

À la fête de Noël, la famille fut disséminée. Roger, Angèle, Josée et Gabriel réveillonnaient à Saint-Bonaventure avec

Serge, Laurette, Guylaine et Éric. Olivier ne pouvait pas être présent à cause d'une grosse fête qu'il avait organisée chez lui, à Victoriaville, en compagnie de ses confrères de travail. Francine avait été conviée chez les Daunais et Martin fêtait avec sa femme chez les parents de celle-ci.

Depuis sa rupture avec Joël, Rose n'avait pas eu d'autre copain. Elle avait commencé à travailler au A&W sur le boulevard Fiset les fins de semaine comme serveuse et elle accumulait ses gages, comme elle disait, pour monter son trousseau comme Francine au cas où elle se marierait un jour. Leur mère les aidait en leur procurant de la literie, des linges à vaisselle, des nappes, des draps, et à chacune, elle avait fait don d'une magnifique coutellerie en argent, étalée dans un grand coffre en bois capitonné de velours rouge. Les douces rêveuses avaient précieusement rangé leur trésor en escomptant qu'un jour prochain, elles diraient « oui, je le veux » à un prince charmant qui ravirait leur cœur.

Depuis que Martin avait quitté la maison familiale, c'est Josée qui s'était installée dans sa chambre, et Gabriel était bien enchanté de disposer de la sienne en solitaire. Martin et Diane étaient heureux dans leur petit nid d'amour sur la rue Phipps même si Martin rêvait toujours de posséder son garage de mécanique. Il travaillait d'arrache-pied pour y arriver. Un garage était à vendre dans le rang de Picoudi à Saint-Robert, mais Martin avait dit : « C'est bien trop creux, torpinouche. Y a pas personne qui va venir faire réparer son char ici. On va avoir le temps de sécher ! »

Au début de la semaine, Diane et lui allèrent visiter un grand local incluant une maison dans le rang Sainte-Thérèse, à proximité du Pot au Beurre. C'était une imposante maison datant des années vingt et les propriétaires ne l'avaient jamais laissée à l'abandon. La toiture était bien décente et les fenêtres en bon état pour encore une dizaine d'années. Un emplacement était prévu pour aménager un grand jardin et y installer une piscine hors terre, rêve que caressait Diane depuis son enfance. Pour les amoureux, il était permis de rêver même si cette magnifique maison ne les attendrait pas une éternité.

Emma et Paul étaient en Grèce avec Gaston et Arthémise. Le lendemain des noces, le dimanche, Gaston était arrivé chez son frère avec une invitation que ni lui ni Emma n'avaient pu décliner.

— Torrieu de torrieu, Gaston, prends ton souffle ! As-tu vu un ours, joual vert ?

— Bien non, baptême, je suis venu vous inviter à venir avec nous autres !

— Où tu veux aller, torrieu, avec la marde blanche qui vient juste de nous tomber sur la tête à matin, toi ?

— Moi puis Arthémise, on veut vous amener en voyage en Grèce !

— Bonne Sainte Vierge… les îles grecques ?

— Bien non, Emma, les îles de Sorel en plein hiver, bâtard !
Puis, ça vous tente-tu ?

— Ça a pas de bons sens, Gaston. On peut pas accepter
ça. Ça va coûter bien trop cher, c'est aux quatre coins du
monde ! Es-tu tombé sur la tête ?

— Arrête donc de te plaindre, Paul. Premièrement, tu
pourrais pas aller aux quatre coins de la Terre parce que la
Terre est ronde, tabouère !

— Maudit niaiseux, tu sais bien pareil comme moi que
c'est une façon de parler !

— Bien oui, mon frère. Toi, la belle hirondelle, aimerais-tu
ça y aller ?

— Regarde, Gaston, depuis que j'ai vu le pavillon de la
Grèce à l'Expo 67 que je rêve de voir si le ciel est aussi bleu
que sur les portraits ! Mais c'est un voyage qui coûte trop
cher, Gaston.

— Tabouère que vous avez la tête dure ! Y a pas plus sourd
que deux sourds qui veulent pas entendre ! Je vous ai dit que
je vous invitais ! Regardez bien, vous deux. Quand Blanche
est morte, elle m'a laissé quarante mille piastres, puis j'ai
décidé de pas emporter cet argent-là au paradis. J'suis rendu à soixante-sept ans puis c'est drôle, plus que je vieillis,
plus que j'ai moins de souffle pour éteindre les chandelles
sur mon gâteau de fête ! Puis toi, Paul, t'en as soixante-huit,
maudit verrat ! Dans deux ans, à soixante-dix, on sait pas si
tu vas pouvoir encore voyager !

— Va donc chez le diable, Gaston Cantara. On a quand
même juste un an de différence, à ce que je sache ! Je suis

plus en forme que toi, torrieu ! Maudit que t'es baveux, toi !

— Woh, ça va faire, là ! Des vrais enfants d'école ! Tu veux-tu y aller, en Grèce, mon mari, oui ou non ?

— Quand est-ce qu'on part, Gaston ?

— Hi hi ! Tabouère que je suis content !

Chapitre 20

CATHERINE CAMPEAU

26 février 1973

Nous étions à la fin février et c'était le même rituel qu'à la mi-janvier. Conrad Défossé, qui avait succédé à Ti-Clin Chouinard, était dépassé par le travail de déneigement des rues. Même avec un gros casque de poil et d'épaisses mitaines feutrées en laine de mouton, il était contraint de s'immobiliser aux demi-heures dans le but de se réchauffer. Le A&W était fermé depuis une semaine. Les écoles étaient vacantes ; par contre, ce n'était guère agréable pour les enfants qui aiment s'amuser à l'extérieur puisque le thermomètre indiquait quatre degrés sous zéro.

Roger avait covoituré avec Rolland pour se rendre à son travail étant donné que sa Cougar avait refusé de démarrer même s'il avait pris la précaution de la brancher la veille.

Rolland s'était enfin décidé à investir dans une voiture et s'était acheté une Plymouth 70, mais il continuait toujours de voyager avec son beau-frère. C'était plus avantageux pour les deux, et Raymonde pouvait profiter de la voiture pour aller faire son épicerie et ses courses avec Angèle pendant qu'Emma gardait les enfants le jeudi après-midi. Le lundi, une fois par mois, les deux belles-sœurs se rendaient à Tracy pour profiter des aubaines à un dollar et quarante-quatre sous au Woolco.

Il y avait eu beaucoup de modernisation durant l'année 72. Pendant la construction du centre commercial, les travailleurs de la voirie avaient bâti le boulevard des Érables et le nouveau développement des Bois d'Angoulême.

Le centre commercial de la Plaza Tracy avait ouvert ses portes le 15 novembre 1972 et cette journée-là, des milliers de personnes s'étaient déplacées pour visiter les lieux, occupés par quarante nouveaux magasins ainsi que le marché d'alimentation Steinberg. La cérémonie d'inauguration avait eu lieu la veille en présence de monsieur Arthur Pontbriand, maire de Tracy, monsieur Luc Poupart, maire de Sorel, Claude Simard, député de Richelieu, Florian Côté, député fédéral de Richelieu, sans oublier les promoteurs de la Plaza, monsieur et madame Ed. Woolner.

Même si le marché de l'emploi était très vigoureux à Sorel, beaucoup de gens partaient travailler à la Baie-James. Après que le premier ministre du Québec, monsieur Robert Bourassa, ait dévoilé son projet de construire plusieurs centrales hydroélectriques sur les rivières de la région de la Baie-James, Gilles et Pierre, les enfants de Marcel et Béatrice, oeuvrèrent sur les rivières Nottaway et Harricana, en 1971. En 1972, Gilles repartit pour le deuxième projet sur la rivière Opinaca, et Pierre, sur la rivière Eastmain.

C'est le 17 janvier 1970 que Robert Bourassa, le « père de la Baie-James », avait été élu chef du parti libéral du Québec devant René Lévesque qui, malgré sa défaite, avait fait élire sept de ses députés dont Camille Laurin et Claude Charron. René Lévesque avait été défait dans sa propre circonscription. C'est au congrès du Parti québécois en 1971 qu'il avait été réélu à la tête de son parti, fort d'une importante majorité.

Il est certain que beaucoup de Québécois auraient aimé voir René Lévesque premier ministre du Québec en 1970 ; par contre, Robert Bourassa avait quand même servi le Québec avec brio depuis qu'il était au pouvoir. Il avait fait adopter la Loi sur l'assurance-maladie, la Loi sur la protection du consommateur, la Charte québécoise des droits et libertés de la personne et la première loi ayant reconnu le français comme langue officielle du Québec.

Fin mars : le temps des sucres.
Les propriétaires de cabanes à sucre avaient raclé les augets, les seaux et les goudrilles, et les tonneaux étaient prêts à recevoir l'eau sucrée à l'érablière.

La première récolte cette année-là fut du sirop de bourgeon à cause de la température trop douce et de la tempête du nordet qui était tombée durant la fin de semaine du vingt-cinq mars. Aujourd'hui, le trente et un, tout était prêt dans le rang Rhimbault de Sainte-Victoire, chez les

Daneau, pour recevoir les visiteurs : la soupe aux pois, le beurre baratté à l'érable, le sucre mou et les grands-pères nageant dans le bon sirop. Angèle s'y était prise à l'avance et elle avait réservé la cabane pour trente-deux personnes.

— Maudit qu'on se bourre la face quand on vient ici, ma femme ! Ça a pas d'allure, je vais sortir d'ici en roulant !

— Bien oui, une chance qu'on mange pas comme ça à l'année, sainte bénite ! Attends, Gab, on reste assis pendant que le monde mange. Tu iras t'émoustiller après, OK ?

— Je veux juste aller voir Grace, m'man. Elle a fini de manger, elle !

— Eh, Seigneur ! Vas-y, mais à une condition : que tu restes assis bien tranquille sur le grand banc jusqu'à la fin du dîner.

— Bien oui, m'man, inquiète-toi pas.

— Puis, mon Roger, ça déboule chez vous. T'en as un autre qui va quitter le nid familial cet été ?

— Ouin, la Francine qui se marie au mois de juin avec son Benoît. Qui aurait pensé ça quand elle veillait sur le perron avec lui en 63 ?

— Ça nous rajeunit pas, hein ? Regarde juste les deux miens. Y sont partis tous les deux à la Baie-James puis je sais même pas si un jour y vont remettre les pieds dans la maison ! Qu'est-ce tu veux, c'est un coup d'argent à faire puis si j'aurais pas eu quarante-sept ans, je serais parti, moi aussi !

— Puis moi là-dedans, Marcel Delormes, tu m'aurais sacrée là ?

— Tu sais bien que non, ma belle Béatrice. Y a des camps pour ceux qui amènent leurs femmes puis leurs enfants. Tu serais venue avec moi, ma vieille, tu sais bien que je suis pas capable de me passer de toi !

— Ouf ! Parle pour toi, mon mari ! Tu veux dire que t'es pas capable de te passer de mon ragoût de boulettes puis de mon rôti de lard ! En tout cas, j'y aurais pas été de toute façon. Faire de la soupe puis regarder les hommes travailler dans le chantier à cœur de jour, je vois pas ce qu'y a d'intéressant là-dedans, moi !

— De toute façon, ma femme, on est trop vieux… Comment tu trouves ça, toi, la nouvelle loi à Bourassa qu'il a sortie le premier mars pour les permis de conduire, Roger ?

— Moi, je trouve que c'est bien correct. Le monde va arrêter de chauffer comme des malades puis surtout, ça va protéger les autres qui tiennent leur limite de vitesse, bonyeu !

— Je comprends bien ton point de vue, le beau-frère, mais douze points de démérite sur notre permis, je trouve que ça fait pitié. Y auraient pu nous en mettre au moins vingt !

— Bien non, Marcel. Le monde ferait les mêmes conneries pareil. Puis en plus, si tu brûles une lumière rouge ou un stop, tu viens d'en perdre deux !

— Mais tu y penses-tu, mon frère, que si tu perds tes douze points, tu perds ton permis pour trois mois ? Le monde ont besoin de leur char pour travailler !

— C'est correct, ça. En plus, si t'engueules la police quand tu perds tes derniers points, tu perds ton permis pour un an ! C'est à bien y penser avant de faire les fous dans le chemin. Ça prend deux ans avant de recommencer avec une nouvelle banque de douze points !

— Ça veut dire que si au début tu perds dix points, y t'en reste juste deux pour faire deux ans ?

— En plein ça, mon Marcel. Ça veut dire que t'es mieux de te tenir le corps raide puis les oreilles molles !

À deux heures, les musiciens venaient de terminer leurs tests de son et ils commencèrent à faire danser les gens avec *Le reel du sucre d'érable*, de Ti-Blanc Richard.

Il n'était pas évident de danser sur un set canadien avec les plus jeunes toujours « dans les pattes ». Ils prenaient le plancher de danse pour un terrain de jeu. Les parents attendaient seulement qu'il y en ait un qui aboutisse dans les chaises pour se décider à le retirer de là.

C'était une tradition de se réunir pour cette fête familiale. Les femmes étaient toutes installées à la même grande table et les adolescents aussi, mais complètement à l'opposé de la salle, attendant que l'orchestre interprète un slow. Les petits couraient partout en faisant le grand tour de la salle. Il y en avait toujours un qui tombait et se dirigeait vers sa mère en pleurnichant comme s'il allait mourir. Les hommes étaient tous postés debout au coin du bar en train de jaser plus fort que le son de la musique avec leur bière à la main.

Que les années s'écoulent à grands pas quand les enfants commencent à quitter la maison pour se marier ! Emma, qui maintenant avait soixante-huit ans, commençait à songer à vendre sa maison sur l'ancienne rue Royale étant donné que son Paul avait atteint ses soixante-dix ans et que la forme n'y était plus pour s'occuper du quotidien, que ce soit en saison estivale ou hivernale. Gaston, quant à lui, avait soixante-neuf ans. Il disait que si son Arthémise continuait à « péter le feu » comme elle le faisait, ils seraient encore bons tous les deux pour faire un bout de chemin dans l'ancienne maison de Paul-Emile et Aglaé Ethier.

Diane allait accoucher vers le milieu de juin et Martin rêvait toujours de posséder son garage.

Rose travaillait toujours au A&W. À chacune des tempêtes qu'il y avait eu au mois de février, Conrad Défossé ne déneigeait jamais à temps pour l'heure de l'ouverture du restaurant, et la propriétaire du A&W, Françoise Paquette, décida que cela ne valait pas la peine d'ouvrir le service à l'auto seulement pour le souper.

Rosie avait un nouveau copain depuis deux mois, Hubert Pétrin, un grand blond de vingt-deux ans qui ne vivait que pour sa Mustang rouge 70. Son auto, c'était de l'or. « Quand t'es rendu que tu dis à ta blonde que tu peux pas aller la chercher parce qu'y a trop de gadoue dans le chemin, c'est parce que t'as un problème en arrière du casseau », se plaignait Rose. Hubert travaillait à la Sidbec-Dosco à Contrecœur et son passe-temps du soir, c'était de laver son « maudit » char dans le garage de son père dans le rang Bellevue à Saint-Robert. Un gars qui faisait passer sa voiture avant sa blonde ne méritait pas de se marier puis d'avoir des enfants. Imaginons le petit assis sur le siège arrière de la Mustang avec, dans ses petites menottes, un cornet de crème glacée.

C'est pour cette raison que ce soir, en revenant de la cabane à sucre, Rose mettrait fin à cette relation. Hubert était assis près d'elle à côté du poêle à bois et il levait des regards furieux sur les pneus de sa voiture couverts de boue dans le grand stationnement de l'érablière.

Guylaine demeurait toujours à Drummondville sur la rue Brock avec son frère David et sa belle-sœur Céline. Pour son cours de coiffure sur la rue Heriot, tout se déroulait très bien. Son professeur, Armand, affirmait qu'elle était une de ses meilleures élèves et qu'elle n'aurait aucune difficulté à se trouver un emploi en terminant ses études. Elle et Éric filaient toujours le parfait amour et celui-ci caressait le rêve de s'ouvrir un cabinet de médecine générale à Drummondville dans les années à venir.

Josée, à onze ans, réalisait sa dernière année scolaire à Maria-Goretti. Sa mère disait : « C'est le mouton noir de la famille. Elle fait des mauvais coups, mais c'est pas méchant, ça fait juste déranger. Elle me fait penser à Martin quand il était à Saint-Viateur dans la classe du frère Duguas. Elle cache pas les craies à tableau, elle, elle prend les lunettes de madame Francœur puis elle les cache pour qu'elle puisse pas donner son cours ! »

Monsieur Duguas, l'ancien professeur de Martin, avait laissé le sacerdoce pour convoler en justes noces avec Fleurette Lajeunesse. Un jour de classe où Josée venait dîner à la maison, elle ressortit de la salle de bain en criant : « M'man !

Je pisse bleu ! » À bien y penser, il y avait du monsieur Duguas dans cette histoire-là. Ce jour-là, il leur avait vanté les
mérites d'une petite pilule bleue : « Si vous prenez cette
petite pilule-là, vous allez tomber en amour. »

Le beau Gabriel aux yeux bleus comme le ciel commençait sa première année scolaire à Maria-Goretti. En
attendant, il s'amusait avec Michaël Hamel, le garçon de
Christianne.

« On invite tout le monde dehors à venir manger de la
bonne tire d'érable ! »

Après avoir dégusté des omelettes, du jambon et des
pommes de terre cuites dans l'eau d'érable, ce n'étaient pas
tous les gens qui avaient envie de se sucrer le bec. Concer-
nant les enfants, il n'y en avait plus un seul sur le plancher
de danse. Ils étaient tous en train de souiller leurs bottes
de boue en se roulant une toque de tire d'érable sur la neige
molle.

Le vingt-cinq avril. Sur la pépinière de Serge, le travail dé-
bute, et les cultivateurs commencent à se montrer le bout
du nez à Saint-Bonaventure.

Ils avaient déjà semé leurs fines herbes et leurs légumes,
nettoyé, biné, fumé et paillé leurs champs de fraises. Maintenant, c'était le temps de se procurer des arbustes et des
fleurs pour aménager leurs rocailles. Dans une serre de la

pépinière, les chrysanthèmes, les géraniums, les bégonias et l'odeur de menthe attiraient les acheteurs précoces.

Guylaine et David n'avaient pas une minute de répit. Ils sortirent les pelles, les sécateurs ainsi que les ciseaux pour transplanter les jeunes plants et tailler les arbustes pour qu'ils soient présentables aux clients.

Laurette était dans son grand ménage du printemps. Sa mère, Yvette, qui était rendue au cap de ses soixante-dix ans, se voyait davantage comme un fardeau qu'une aide précieuse sur la pépinière. Elle ne pouvait plus aider aux travaux aussi fréquemment qu'auparavant étant donné qu'elle devait parfois utiliser un fauteuil roulant. Elle était assez forte pour se déplacer pendant toute la matinée, mais quand arrivait l'après-midi, ses jambes ne la supportaient plus. Elle se plaignait d'être bien inutile, mais Serge et Laurette n'écoutaient plus ses lamentations. Cette femme ne s'arrêtait jamais. Tôt le matin, à sept heures, elle faisait le tour de la pépinière avec sa canne et elle préparait le dîner, et cela, sans compter toutes les marinades qu'elle mettait en conserve à l'automne.

Malgré elle, elle glissait très souvent dans le passé. Quand elle vit son ancienne maison à vendre dans le journal, elle devint bien nostalgique. Si elle pouvait revenir en arrière et que son Bermont fût encore de ce monde, elle vivrait encore dans sa grande maison. Quand elle entrevoyait les chevaux dans le clos du voisin, Léandre Marceau, elle voyait Bermont en train de brosser Fanfaron et de donner des pommes à Belles Oreilles.

La vie d'Yvette avait basculé quand elle avait quitté sa maison pour venir s'installer dans celle de Serge et de sa fille Laurette. Même si elle s'y trouvait très à l'aise, elle rêvait toujours de retourner dans son passé. Son Bermont avait l'habitude de dire : « On marche toujours de travers sur un plancher qui nous appartient pas. »

— Il était bien bon, ton stew, Yvette. Je suis plein comme un œuf !

— Merci bien, mon Serge. As-tu de la place pour un morceau de tarte aux œufs ?

— Oh ! non merci, belle-maman. Je vais plutôt vous en voler un après-midi quand je vais prendre mon break avec mon café. En attendant, je vais aller faire un somme une petite heure. J'étais sur le piton à cinq heures à matin ; si je veux finir ma journée, faut que je dorme un peu. Toi, David, en attendant, tu pourrais commencer à étendre le fumier de poule dans le jardin de ta mère. Toi, Guylaine, tu prends un break jusqu'à tant que je me lève. T'es pas obligée de te morfondre comme à matin. Les cèdres puis les épinettes bleues sont capables d'attendre pour se faire toiletter. C'est pas obligé que ça se fasse dans une seule journée. Relaxe un peu, ma fille...

— Oups ! Je pense que ton chien est mort pour ton somme, mon mari. T'as une cliente qui vient d'arriver.

— Crucifix, le monde dîne pas toute à la même heure dans le coin ?

La femme entra dans la serre pour humer et choisir ses fleurs annuelles. « Une femme de la ville c'est certain, pensa

Serge. Elle est trop bien endimanchée pour travailler sur une terre. »

Quand Serge se rapprocha et vit cette jolie femme-là se balader entre ses plants de tomates roses chaussée de talons hauts, il s'exclama : « Crucifix, elle va tout cochonner ses beaux souliers blancs ! »

Catherine Campeau, une grande femme d'une vingtaine d'années, le salua d'un sourire avenant. Elle portait une jupe-culotte noire et un chemisier blanc tacheté de petits pois noirs. Ses cheveux brun chocolat se mariaient à merveille avec ses yeux noisette au-dessus de ses pommettes rosées.

— Bonjour, mademoiselle.

— Bonjour, monsieur Perron.

— Vous vous cherchez des plants de tomates ?

— Bien oui, mais je veux aussi des fleurs annuelles pour mon parterre. Mais les plants de tomates, on plante ça quand ?

— Ça, ma petite dame, c'est pas avant le quinze de mai. Y fait bien beau aujourd'hui, mais on est juste à la fin d'avril. On peut encore avoir du gel la nuit. Vous êtes nouvelle dans le coin ?

— Oui, oui... excusez-moi. Je suis Catherine Campeau. Moi puis mon mari, Gustave, on vient juste d'acheter la terre de Dolorès Arcand dans le 6e Rang de Saint-Germain. C'est-tu vrai qu'avant ça le village s'appelait Saint-Germain-de-Headville ?

— Oui, madame, en 1877 !

— Oh là là ! C'est un vieux village, Saint-Germain !

— Eh oui ! Parlant de la terre que vous avez achetée de Dolorès Arcand, je connaissais son mari, Honoré. Y est mort y a trois mois. Pour en revenir à vos plants de tomates, ça va vous prendre du fumier si vous voulez avoir des belles tomates rouges... De quel coin vous arrivez avec votre mari, Gustave ?

— On arrive du nord. C'est mon mari qui a demandé un transfert. Il travaille pour Télébec. Y voulait s'installer sur une terre puis quand y a eu un poste d'ouvert, y a eu le choix entre Sainte-Rosalie ou Saint-Germain.

— Ah oui ! Sainte-Rosalie, je connais ça en pas pour rire. J'ai été élevé là avec mes vieux !

— Je sais tout ça, monsieur Perron.

— Pourquoi vous dites ça ? Vous avez l'air bien mystérieuse tout d'un coup.

— Regardez, on peut-tu s'asseoir sur le petit banc au soleil là-bas ? J'ai pas trop chaud ici et j'aurais une histoire à vous raconter. Si vous avez une petite minute, c'est bien sûr. Je voudrais pas vous déranger...

— Bien sûr, bien sûr... Voulez-vous que je vous présente ma Laurette ? Elle pourrait vous faire un bon café chaud au percolateur. Entre voisins de village, on peut bien en prendre un pour faire connaissance !

— Peut-être, mais avant, laissez-moi au moins commencer mon histoire, si vous voulez... Bon, ça vous dit quelque chose, la famille des Rivard dans le 2ᵉ Rang de Sainte-Rosalie, monsieur Perron ?

— C'est sûr, crucifix, j'ai été élevé à côté d'eux autres ! J'ai même fréquenté leur fille dans le temps ! Mais… comment ça se fait que vous connaissez ce coin-là, vous, madame Campeau ?

— Attendez, je continue. C'est avec leur fille Lizette que vous avez sorti ?

— Exact, mais… mais…

— Je suis Catherine Campeau, mais mon nom de fille, c'est Perron…

— Ma fille ?

— Oui… puis vous pouvez pas savoir comment j'ai été contente le jour que ma grand-mère Rivard m'a dit que vous aviez déménagé à Drummondville dans le temps puis que vous aviez acheté une terre à Saint-Bonaventure !

— Non ! Ça se peut pas ! Ma Catherine à moi ? La dernière fois que je t'ai vue, t'avais quatre ans puis tu courais partout dans le champ en arrière de la maison de ton grand-père. Depuis ce temps-là que je prie le Bon Dieu à tous les jours pour que je puisse te prendre dans mes bras avant de mourir !

— Pourquoi tu le fais pas, papa ? Moi aussi, j'ai toujours rêvé d'être dans tes bras !

— Oh, ma fille, si tu savais !

En lavant ses fenêtres dans le solarium, Laurette aperçut son mari en train de pleurer sur l'épaule de cette jeune fille. Elle pensa : « Crime ! La petite Perron est de retour au bercail après vingt-quatre ans ! »

— Venez vous asseoir, Catherine. Moi, c'est Laurette, la conjointe de Serge, et elle, c'est ma mère, Yvette. Y a mon gars David et ma nièce Guylaine qui restent ici aussi, mais là, ils sont à côté chez monsieur Gosselin, le père d'Éric, le chum de ma nièce. Crime que je suis contente de vous connaître puis de voir mon Serge heureux comme ça !

— Et moi donc ! Une chance que ma grand-mère me l'a dit pour mon père. Elle aurait pu emporter son secret dans sa tombe !

— Tu parles juste de ta grand-mère Rivard, ma fille. Ton grand-père est-tu mort ?

— Bien oui, il est mort ça fait déjà huit ans… En tout cas, ma fille va être bien contente de savoir que j'ai retrouvé son grand-père !

— Ah bien, ah bien, j'ai une petite-fille ?

— Bien oui. Elle a sept ans. Elle s'appelle Cendrine.

— Oh… En plus d'avoir la joie de retrouver ma fille, je suis grand-père !

— Crime que vous êtes beaux à voir tous les deux ! Ta mère reste-tu encore à Saint-Jérôme ?

— Bien non, elle est morte juste avant que la petite vienne au monde. Elle était encore avec Damien quand le cancer des os l'a emportée.

— Oh, mon doux doux ! La maladie la plus souffrante qu'y peut pas avoir sur cette terre, crime ! Ma sœur, la mère de Guylaine, est morte de ça puis elle a bien souffert, la pauvre. Ton beau-père, Damien, il reste toujours dans le nord ?

— Quand ma mère est partie, il est parti s'installer à Shippagan, au Nouveau-Brunswick. Il disait que ce serait plus facile pour lui de faire son deuil en travaillant sur les bateaux de pêche. Moi, je pense qu'il retournera plus jamais à Saint-Jérôme… En fin de compte, il me reste juste ma grand-mère Rivard qui vit encore à Sainte-Rosalie. Elle veut vendre sa terre pour peut-être venir s'installer pas loin de nous autres à Saint-Germain. Mais elle veut juste une petite maison ou un logement pas trop grand.

— Regarde, Cath… ma fille, y a la sœur d'Yvette qui reste dans une petite maison dans le village de Saint-Germain, sur la rue Notre-Dame, tout proche du presbytère. Elle veut vendre sa maison pour s'en aller rester à Saint-Nicéphore. On pourrait peut-être l'appeler ?

— OK, si vous voulez l'appeler, je vais en glisser un mot à ma grand-mère. En attendant, est-ce que je pourrais vous inviter à souper chez nous en fin de semaine ? Ça vous donnerait du temps pour y penser puis Gustave serait bien content de faire votre connaissance. Pour ma petite Cendrine, je pourrais lui expliquer cette semaine que j'ai enfin, oui, enfin retrouvé son grand-père et lui dire qu'elle a un papi en or comme elle a toujours rêvé d'avoir ! Puis vous, Laurette, je vous connais depuis juste une heure puis je vous aime déjà !

— Crime, me v'là rendu avec une grande fille asteure !

Chapitre 21
LE TEMPS DES LILAS

Comme tous les printemps, l'arôme du lilas et celui du muguet faisaient tout un alliage avec l'odeur du fumier de poule dans le jardin des Delormes.

— Salut, Rolland. As-tu fini de semer tes petites fèves puis tes concombres ?

— Bien oui, j'ai fait ça hier. Regarde, mes radis sont déjà sortis !

— T'es en retard, mon frère, parce que des radis, on en a mangé hier soir au souper !

— Hein, hein… La mauvaise herbe, ça pousse vite, mon Roger. Sarcle ton jardin comme du monde, tu vas voir que c'est pas des radis, ton affaire !

— Puis c'est quoi, ça ?

— Cibole, as-tu mis de l'engrais bionique dans ton jardin ?

— Bien non, c'est juste que je suis un bon jardinier. En plus, on est à veille de manger des carottes !

— Bien là, pousse, mais pousse égal, mon Roger. Les carottes, c'est pas avant la fin de juillet, puis encore, des fois ça va juste au mois d'août !

— Moi, je te garantis qu'on va mettre des carottes de jardin dans notre bœuf bourguignon au mois de juillet !

— On verra ! Moi, j'ai de la misère à croire aussi que tu te fais pas manger tes graines. J'ai été obligé de me mettre un bonhomme à corneilles dans mon jardin parce que sans ça, je sèmerais à répétition !

— Qu'est-ce tu veux, quand on mène une bonne vie, on est récompensé !

— Va donc au diable, Roger Delormes, avec ta bonne vie. Je suis dret comme un manche de faux puis je me les fais manger pareil, mes graines de semence ! En plus, les corneilles cette année sont assez grosses, on dirait des dindes, calvince !

— Hi hi ! Tu les engraisses trop bien avec tes bonnes graines, les corneilles... Ah bien, salut Charles ! T'es en congé aujourd'hui ?

— Oui, c'est ma fin de semaine off. Puis, ça a-tu bien marché, le tour que tu voulais jouer à Angèle avec les radis que t'as achetés au Steinberg hier ? Salut Rolland, ça va ?

— Ah ben, bâtard ! T'as planté des radis du Steinberg dans ton jardin, mon escogriffe ? Je le savais bien que ça se pouvait pas, moi, cette affaire-là !

— Hi hi ! Ça a marché pareil quand je t'en ai sorti un du jardin tout à l'heure, hein ?

— Mon maudit niaiseux, toi !

— Hon... je pense que je me suis trop ouvert la trappe, moi ! Je pensais que tu voulais jouer le tour à ta femme !

— C'est ça que j'ai fait, bonyeu ! Mais c'est encore plus profitable d'en pogner deux !

— De quoi vous parlez de si profitable, les hommes ?

— Allô, ma belle noire !

— Je vais te le dire, moi, c'est quoi qui est si profitable que ça, Angèle !

— Sainte bénite, ça a l'air plus choquant que d'autre chose !

— Écoute bien ça, la belle-sœur... Hier, là, t'as mangé des bons radis frais du Steinberg !

— Pourquoi tu dis ça, Rolland ? Roger les a pris dans notre jardin, ces radis-là !

— Bien, ton innocent de mari a acheté une botte de radis au Steinberg, puis il les a plantés dans ton jardin pour te jouer un tour !

— Ah bien, maudite marde ! Je trouvais que c'était de bonne heure pour manger des radis, aussi, puis moi, la nouille, je l'ai cru !

— Hi hi ! Il nous a bien eus, mais je me reprendrai bien, Roger Delormes. Des tours comme ça, ça se joue à deux, mon frère.

En après-midi, Guylaine arriva avec Éric pendant qu'Angèle préparait la pizza du souper. Quand sa grande fille lui avait téléphoné le vendredi soir pour la prévenir qu'elle irait faire un tour à Sorel avec son amoureux, Angèle lui avait demandé ce qu'elle voulait manger pour souper. Il n'y avait eu aucune hésitation : « Ta bonne pizza avec des olives dessus, m'man. »

À dix-huit ans, Guylaine était devenue une vraie beauté. Depuis qu'elle suivait ses cours chez Armand le coiffeur, elle n'avait jamais la même coiffure. Ce jour-là, elle avait gaufré ses longs cheveux noirs et elle portait une barboteuse rouge avec une casquette des Canadiens de Montréal qu'elle avait empruntée à Éric.

Éric admirait sa dulcinée ; il la contemplait sans arrêt. Ses études étaient très ardues à l'Université de Sherbrooke. Quand il terminait ses longues journées d'étude, il passait ses soirées la tête plongée dans ses gros livres de médecine, et cela, jusque tard dans la nuit. Par chance, il n'était pas contraint de se lever deux heures avant le début de ses cours le matin puisqu'il s'était déniché une chambre tout près de l'université.

Le souper terminé, Guylaine téléphona à son amie Marie-Martine, avec qui elle était allée à l'école Didace-Pelletier, et l'invita à venir à Drummondville au cours des prochains jours pour faire connaissance avec Éric et, par la même occasion, rencontrer son frère David.

— Pourquoi tu m'invites pas à me promener chez vous, moi ? Je suis pas un coton !

— Cré petit Gab. Quand tu vas venir chez ta marraine avec pa puis m'man, je vais aller te chercher pour te montrer mon logement à Drummond puis si tu veux, je vais te garder à coucher et je vais te ramener le lendemain à Sorel avec Éric !

— Oui ! On va se coucher tard, on va aller au Dairy Queen, on va jouer aux cartes, on va aller au parc, puis on va...

— Woh, les moteurs ! Calme-toi le pompon ! On aura pas le temps de tout faire ça dans la même veillée ! Hi hi.... sacré petit frère, va ! Bien, nous autres, on va lever l'ancre, m'man. J'ai de l'ouvrage en masse qui m'attend à la pépinière demain matin puis Éric a toute la clôture à solidifier en arrière de chez son père, aussi.

— Comment ils vont, tes parents, Éric ?

— Ils vont bien, madame Delormes. Y a mon père qui est un peu déçu que je prenne pas la relève des Gosselin sur la terre, mais d'un autre côté, il m'encourage bien gros à devenir docteur. Il s'est quand même essayé pareil : il m'a dit que si je voulais être docteur de campagne, il serait prêt à me faire un cabinet en haut de la maison à la place des deux chambres puis du boudoir qui servent plus à rien. C'est juste que j'ai peur de manquer d'ouvrage, ça serait pas comme en ville.

— Je comprends ton point de vue, mon gars, mais avec tous les villages aux alentours, tu pourrais te faire une bonne clientèle, non ?

— Je pense pas, monsieur Delormes, à part Saint-Guillaume, Saint-Bonaventure et Saint-Gérard-Majella, dans les autres villages comme Saint-David, Saint-Aimé puis Yamaska, en s'en allant vers Sorel, le monde aime mieux aller se faire soigner là, puis l'hôpital Hôtel-Dieu est proche s'il arrive de quoi de plus grave.

— Ça, c'est un fait.

— Bon, on y va, Éric ? Il est neuf heures. On est pas rendus avant dix heures. Six heures du matin, ça vient vite, hein ?

Jeudi le dix mai, c'était la *Soirée du hockey* à Radio-Canada. Roger était calé dans son La-z-boy, muni de sa bière et de son sac d'arachides. Martin venait tout juste d'arriver avec Diane pour regarder le sixième match des Canadiens de Montréal contre les Blackhawks de Chicago. Le tricolore menait la série trois à deux, et dans le salon régnait une atmosphère de Coupe Stanley. Angèle avait bien hâte que ça se termine pour passer à autre chose.

— Sainte bénite, Diane, tu sais bien que tu vas accoucher avant ton temps !

— Si vous saviez, madame Delormes ! J'en peux plus, bateau ! Le docteur m'a dit pas avant le quinze. J'aimerais bien mieux que ce soit avant ; je serais sûre d'être en forme pour les noces de Francine le seize.

— C'est sûr que ce serait plate si tu retardais.

— Eille, Gabriel ! Mets une paille à ta place, je vois rien, maudit !

« Il lance et compte ! »

— Maudit de maudit que je suis content ! Une autre Coupe Stanley, bonyeu ! As-tu vu le beau but d'Henri Richard, mon Martin ?

— Bien non, pa, Gab était devant moi, maudit ! Pourquoi t'as crié, ma doudoune, me semblait que t'aimais pas ça, le hockey ?

— Maudit niaiseux, j'ai pas crié pour tes Canadiens, j'ai crié parce que j'ai eu une douleur ! Je pense que le bébé s'en vient.

— Hein ! Comme ça, là ? Vite de même ?

— Bien là, Martin, tu trouves pas que ça fait assez longtemps qu'on l'attend, cet enfant-là ? Va chercher le char dans la rue pour le mettre à côté du perron.

— Où sont mes clefs ? Mes clefs !

— Calme-toi, Martin, sainte bénite ! Tu vas faire une syncope avant d'arriver à l'hôpital !

À onze heures, Diane était rendue à neuf centimètres d'ouverture et les douleurs la saisissaient sans relâche. Tout se déroulait normalement, sauf que Martin ne se sentait pas très bien. L'infirmière lui suggéra de descendre à la cafétéria pour prendre une pause étant donné qu'au lieu d'accompagner sa femme dans ses grandes respirations, il les accomplissait avec elle du début à la fin et il avait un teint verdâtre. Après plusieurs efforts, Diane donna la vie à une belle grosse fille de huit livres et onze onces.

À minuit et demi, après que l'infirmière ait installé Diane dans une chambre à l'étage de la pouponnière, Martin s'assit tout près de sa femme sur le bord de son lit. Diane dormait déjà profondément. Si la garde n'avait pas persuadé Martin d'aller se reposer chez lui, il aurait regardé dormir sa femme jusqu'au petit matin.

— Roger, on a pas eu de nouvelles de Martin puis il est rendu neuf heures. Diane a peut-être eu de la misère !

— Bien non, ma femme, tu sais bien que notre gars va venir nous voir quand y va se lever ! Queue de veau comme il
est et avec les émotions qu'y a eues, y doit dormir les fesses
dans l'eau frette à l'heure qu'il est là !

— Tu imagines-tu, mon Roger, on est probablement
rendus grand-mère puis grand-père à l'heure qu'il est là,
câline !

— Braille pas comme ça, ma femme. C'est une joie de plus
qui arrive dans notre vie !

À dix heures et demie, Angèle se décida à faire le remue-
ménage du déjeuner. Gabriel regardait *Banana Split* avec
Josée dans le salon et Roger était sorti pour aller sarcler son
jardin. Rose travaillait au A&W. Elle avait commencé son
quart de travail à dix heures. Francine avait rendez-vous
chez Peinture Style avec un couple de nouveaux mariés qui
avaient besoin de ses conseils pour décorer leur nouvelle
maison.

— Patou, bonyeu, ôte-toi donc de dans mes jambes... Ah
bien ! Tu sais te faire attendre, mon Martin ! Puis, c'est-tu
fait ?

— Oui, pa, mais j'ai de la misère à croire que je suis rendu
un père de famille, moi !

— Viens ici, mon gars. C'est pas parce qu'on est des hommes qu'on a pas d'émotions, hein ? Braille, ça fait sortir le
méchant !

Martin était éreinté, mais heureux comme un roi même
s'il n'ignorait pas qu'il se dirigeait vers l'inconnu.

— Là, mon Martin, accouche qu'on baptise ! As-tu eu une petite fille ou un petit gars ?

— Vous avez une petite-fille, pa. Elle est belle comme ça se peut pas !

— Maudit de maudit que j'suis content ! Viens, on va aller voir ta mère en dedans.

Quand les hommes entrèrent, Angèle était dans le salon avec Gabriel et Josée en train d'écouter *Les petits Pierrafeu*.

— Sainte bénite, te v'là, toi ! Puis ?

— Une belle grosse fille, m'man !

— Oh... je suis mémé...

— Bien oui, ma femme, une belle grande mémé de quarante-trois ans. C'est jeune en maudit pour être mémé, ça !

— Bien oui, mon pépé de quarante-cinq ans, hein ! Félicitations, mon gars ! Comment va ta Diane ?

— Quand je l'ai laissée hier à minuit et demi, elle dormait comme un bébé. Je vais aller chez Quessy fleuriste à midi pour lui faire livrer des fleurs et je vais retourner la voir après-midi.

— Avez-vous choisi un nom pour la petite ?

— Oui, pa. Elle va s'appeler Maria.

— Ah bien, maudit ! Vous allez l'appeler comme ta grand-mère Delormes ? Bonyeu que vous me faites plaisir !

— C'est Diane qui m'a demandé de choisir son nom. Quand j'ai regardé cette petite puce-là dans les bras de sa mère, je me suis souvenu que tu m'avais dit que grand-maman avait un tempérament très doux avec un visage d'ange.

— Oh! maudit que je suis émotif, moi! Josée, donne-moi donc la boîte de Kleenex sur le frigidaire... C'est Francine puis Rose qui vont être contentes d'apprendre qu'elles ont une petite nièce... Oublie pas d'appeler Guylaine, ma femme.

— Crains pas, mon mari.

— Bon bien, je vais aller chez le fleuriste, moi.

— Mais avant de partir tu vas manger une croûte?

— Non, non, fais rien pour moi. Je vais aller voir Rose au A&W puis en même temps je vais me commander un Teen Burger avec une root bière ; après je vais aller voir Francine chez Style.

Chapitre 22
PAUVRE ROGER

Septembre. La saison automnale s'infiltrait à petits pas dans tous les foyers. Josée commençait son secondaire à la polyvalente Fernand-Lefebvre ; Gabriel entamait sa première année scolaire à l'école Saint-Viateur ; Francine travaillait toujours au magasin de peinture et de décoration Style et Benoît entreprenait sa toute dernière semaine de travail au Canadian Tire. Il n'avait pas décroché l'emploi qu'il avait sollicité à l'usine Fabspec, mais il avait été recruté à la Sidbec-Dosco à Contrecœur, une usine de récupération et de transformation de ferraille.

Peu après son mariage avec Francine le seize juin, le couple s'était acheté une maison vieille de quatre-vingts ans dans le village de Saint-Robert.

Rose avait reçu le titre d'« hôtesse en charge » au restaurant A&W. Pauline Paquette, la propriétaire, lui avait confié ce nouveau poste à la suite du départ de la gérante, Danielle Comptois, qui s'était mariée au mois d'août et qui était ensuite déménagée à Verchères avec Léonard Déziel. Un mois plus tôt, Rose avait renoué avec Joël, mais à sa grande déception, depuis leur dernière rupture, celui-ci ne s'était guère amélioré. S'il avait cessé de s'admirer dans les glaces, il avait jeté son dévolu sur sa voiture qu'il astiquait constamment.

Quand il se rendait au A&W pour savourer un Whistle Dog, Rose ne pouvait pas déposer le cabaret de nourriture sur le rebord de la fenêtre de son auto sans qu'il proteste : « Fais attention, tu vas grafigner mon char ! » En plus, s'il décidait de s'y rendre le dimanche à l'heure du souper et qu'il n'y avait plus aucun stationnement en dessous de la marquise, il partait et revenait plus tard pour que son auto ne soit pas exposée aux rayons du soleil qui abîmaient et décoloraient la peinture.

Chez Emma, tout allait bon train, malgré que son Paul se plaignait de ses rhumatismes et qu'il se déplaçait à l'aide d'une canne. Ses enfants, Marie-Louise et Robert, qu'il ne voyait presque jamais, avaient recommencé à aller le visiter plus régulièrement.

— Torrieu, y venaient jamais ici avant, ces deux-là, puis depuis que j'ai l'air d'un infirme, ça me donne l'impression qu'y viennent me voir juste parce qu'y savent que leur héritage s'en vient !

— Voyons, mon Paul, pense pas comme ça, bonne sainte Anne ! Ils font probablement juste réaliser qu'y ont pas été assez proches de toi par les années passées.

— Un fou dans une poche ! Remplis-moi pas toi aussi, je suis pas une cruche, tabouère !

— C'est comme tu veux. Si tu veux penser de même, c'est à toi, la tête, puis c'est à toi, les oreilles, mon mari. Là je trouve plus que tu te cherches des poux dans la tête. Vois donc le bon côté des choses.

— En tout cas, si ils pensent qu'y vont avoir tout mon avoir, y sont bien loin de leur profit ! Y vont rester bien surpris de voir que je les ai couchés juste à moitié sur mon testament ! Y ont toujours eu le cordon du cœur qui leur traînait dans la chnoutte, tabouère ! Y étaient paresseux sans bon sens puis ça a pas changé d'un poil. L'argent suit pas le corbillard puis si y en reste, on va le donner aux pauvres.

— Bien voyons donc. T'es pas pour te mettre dans la dèche avant de mourir ! T'as des belles années devant toi, y faut que tu te gardes de l'argent, puis moi, je veux te garder pour vivre les années qu'y nous reste ! Puis, pour penser à partir, bien, on est pas pressés… pas moi, en tout cas.

— Oui, ma belle hirondelle, c'est vrai que mon arthrite me fait mal, mais c'est pas comme si j'avais une grosse maladie incurable. Avec les pilules que Richard me donne, je suis quand même capable de vivre avec. Une chose qui est cer- taine, j'arrêterai jamais de donner mon cent piastres au ca- nal 13 pour le Noël des pauvres à tous les ans. Ces enfants- là font bien plus pitié que mes deux grands sans-cœur.

— Là, tu parles à travers ton chapeau encore. Marie-Louise élève ses trois enfants puis Robert travaille.

— Ben oui ! Marie-Louise a une engagée qui fait tout dans sa maison puis Robert travaille juste trois mois par année comme émondeur ! Y ont toujours été paresseux, ces deux- là. Ma première femme — que Dieu ait son âme — leur disait : « Là, aujourd'hui, vous allez faire de quoi de votre grande carcasse. J'ai eu assez mal au derrière pour vous mettre au monde que vous allez vous grouiller le cul à votre tour ! »

— Hon... hi hi ! Elle disait ça pour vrai ?

— Oui, ma femme, cré-moi comme je suis là ! Mais ça changeait pas grand-chose. Elle avait pas de malice pour cinq cennes ! Elle faisait juste parler puis ça passait dans le beurre.

— Puis toi, tu disais rien ?

— J'aimais mieux rien dire. Quand je leur disais de quoi, ils comprenaient rien, ni du cul ni de la tête. J'aimais mieux me pousser, sinon je les aurais écrapoutis, torrieu !

— Oh ! hi hi... Comme ma pauvre mère disait chez nous : « Si vous arrêtez pas vos niaiseries, je vais vous écrapoutir jusqu'à tant que le bouillon sorte ! » Hi hi !

— Ah bien ! Vois-tu, c'est pas juste moi qui pense de même ! On a bien beau dire qu'on met pas un corbeau dans un nid de colombes, mais quand la marmite saute, y a pas personne qui est à l'abri de ça !

— Bonjour. Madame Delormes ?

— Oui, c'est moi.

— Je suis le docteur Provençal de la Québec Iron. Je vous téléphone pour vous dire que votre mari a eu un petit accident ce matin et on l'a reconduit à l'Hôtel-Dieu.

— Oh non ! C'est-tu grave ?

— Je peux juste vous dire qu'il est tombé puis qu'on l'a envoyé en ambulance pour prendre des radiographies. Mais inquiétez-vous pas, il était bien lucide quand il est parti puis il n'y avait aucun signe d'hémorragie.

— Eh, mon Dieu ! Je m'en vais là tout de suite ! Oh ! merci docteur.

C'est Raymonde qui alla reconduire Angèle à l'hôpital en l'assurant qu'elle s'occuperait de Josée et de Gabriel à leur sortie de l'école.

— Richard ! Y va pas mourir, mon Roger ?

— Bien non, ma sœur, on a eu peur pour sa colonne vertébrale, mais tout est beau de ce côté-là.

— Mon Dieu ! Qu'est-ce qu'il a ?

— Là, tu vas te calmer, ma sœur, sans ça je vais être obligé de te faire faire de l'inhalothérapie ! Viens t'assir, je vais te faire prendre des grandes respirations.

— Je veux bien respirer, Richard, mais qu'est-ce qu'il a, Roger ?

— Là, il est dans la salle quatre au fond là-bas en train de se faire faire des plâtres.

— Hein ? Des… plâtres ?

— Bien, un au bras gauche et un autre au pied gauche.

— Tu veux dire qu'il a le bras et le pied cassés ?

— Bien oui. J'ai bien peur qu'il en ait au moins pour un bon trois mois à rien faire.

— Coudon, c'est pas drôle, mais je suis quand même soulagée… Y aurait pu se tuer ! Je peux-tu aller le voir, Richard ?

— Oui, oui. Viens avec moi. Y va pouvoir te raconter comment c'est arrivé. Un accident bien niaiseux !

— Au four deux, y avait un char qui a débordé. Les chars, c'est des wagons que les gars remplissent de *slag* puis la *slag*, c'est du titane. Je marchais assez vite puis quand j'ai passé en avant du four quatre, ce four-là est parti en *run-out*...

— Qu'est-ce ça veut dire, Roger ?

— Ça veut dire qu'il était parti en fer tout seul, ma belle noire.

— Ah bon... Après ?

— Quand le four est parti en *run-out*, j'ai fait un maudit saut puis je suis parti en courant pendant que la fournaise coulait. Pas loin y avait la table de transfert. C'est une section de la track qui sert à déplacer les chars jusqu'aux douches. Mais, cette table de transfert là était pas à sa place habituelle à matin puis moi, bien, j'ai tombé dans le trou !

— Sainte bénite ! Mon pauvre mari ! Oh...

— Braille pas, Angèle. J'ai eu bien plus de peur que de mal ! Un coup que j'ai eu les membres cassés puis qu'ils ont enflé, je sentais plus rien... Une chance que Fabien était pas loin puis qu'il m'a vu tomber. Ça aurait pu prendre plus de temps avant que les gars s'en aperçoivent ! T'es pas chanceuse, ma femme : tu vas m'avoir dans les pattes pendant au moins trois mois !

— C'est pas grave. Je vais m'occuper de toi, mon mari, inquiète-toi pas... Pauvre toi ! Tu vas trouver ça dur de pas marcher ; c'est toi qui vas être le plus misérable dans tout ça !

— Hein ? Bien non, ma belle noire, je chauffe le char avec le pied droit, à ce que je sache ? Puis dans trois semaines Richard m'a dit qu'il va me poser un talon après mon plâtre. Je vais pouvoir marcher dessus, hein, Richard ?

— Oui, le beau-frère, mais en attendant, tu vas me faire le plaisir de rester tranquille pour que ta cassure reprenne comme il faut, OK ?

— Crains pas, mais avec des béquilles je vais pouvoir me rendre à mon char pareil ?

— Ostine, bottine, t'auras pas le lacet, Roger : tu fais rien de ta peau avant trois semaines ! Là, je vais te signer ton congé puis je vais aller te reconduire chez vous avec Angèle. Je finis de travailler dans une demi-heure.

La télévision, Roger l'usait « en masse », comme il le disait. Déjà la mi-novembre et il ne se possédait plus : « À force de rien faire et de manger tout le temps, j'ai engraissé d'un bon dix livres, bonyeu ! » Angèle, elle, commençait à anticiper son retour au travail pour enfin retomber dans sa petite routine.

Parfois, pour se rendre utile, il entreprenait de cuisiner les repas, mais Angèle écopait de la corvée de la vaisselle, et Dieu sait qu'il y en avait. Il expliquait qu'il avait fait son effort de guerre et qu'il était nécessaire pour lui de s'asseoir dans le but de reposer sa jambe.

— Tu dois être bien tannée, ma femme, de me voir dans tes pattes, hein ? Si je pouvais faire enlever ça, ce maudit plâtre-là, au moins, puis si je pourrais faire mes affaires dehors, puis si...

— Voyons, Roger, comment que tu supposerais tout le temps, si, si... si y avait juste des scies, y aurait plus de poteaux, sainte bénite !

— Voyons, ma femme, es-tu en maudit ? Moi, je fais quand même mon possible pour t'aider !

— Je sais bien, mon mari, mais c'est bien pire pour toi ! Tu peux même pas aller jouer au bowling ! Une chance que t'as Charles pour te remplacer puis que Rolland y est allé une couple de fois ! C'est sûr que d'être juste spectateur, c'est pas pareil non plus.

— Veux-tu que je fasse le souper à soir, ma belle noire ?

— T'es bien fin encore une fois, mon Roger, mais j'avais prévu de faire ma sauce à spaghetti...

— Ah ça, je comprends ! Je touche pas à ça ! Ta recette de sauce, je voudrais pas la débaptiser ! Ça sonne à la porte, ma femme. Je vais y aller.

— Ah ben ! Rentrez donc, vous deux ! Êtes-vous perdus ? Ça fait belle lurette que je t'ai pas vu, mon Paul ! Puis vous, madame Bilodeau, vous vous ennuyez pas trop de vos jeudis après-midi depuis que je travaille pas ?

— Bien non, mon Roger. Ça me donne la chance d'aller faire des commissions en machine avec Angèle puis Raymonde ! Comment ça va, ma fille ?

— Bien, m'man. Puis vous deux, les tourtereaux, je vous fais un café ? Comment ça va avec vos rhumatismes, Paul ? Regardez, je vais accrocher votre canne en arrière de la porte... Tasse-toi donc, Patou ! Comment ça va, vos jambes à vous, Paul ?

— Ça, ma fille, je suis rendu que je prends plus les journées à cœur, je les prends à l'heure ! Avant je me disais : « Je pourrai plus rien faire ! » Mais quand le mal revient je prends mes pilules puis ça se passe pour un bout de temps ! Puis toi, mon Roger, tu continues toujours à te la couler douce, maudit chanceux ?

— Bonyeu ! Au début c'était ben le fun de pas rentrer à shop, mais là y serait temps que ça bouge. Je suis en train d'ankyloser, maudit !

— Bien oui, je vois ça. T'as pris une couple de livres, si je me trompe pas ?

— Pas juste une couple, Paul, j'ai pris la bibliothèque au complet !

— Ha ha ! Mon pauvre gendre, ça paraît presque pas puis en plus, ça te fait bien ! Coudon, t'es rendu les tempes grises, Roger ?

— Ouin. En plus, j'ai pas assez d'en perdre sur le dessus de la tête que je blanchis par en bas ! J'ai été obligé de couper ma moustache ; elle s'en venait trop blanche !

— Tu fais donc pitié, mon vieux. À quarante-cinq ans, y faut que tu t'attendes à ce qu'y te sorte des traces de sagesse. On recule pas en arrière !

— Ouais... c'est facile pour toi, ma femme. T'en as quarante-trois puis t'es encore noire comme une puce, toi !

— Qu'est-ce tu veux, regarde ma mère, j'ai de qui retenir !

— Nounoune, tu sais bien que ça fait au-dessus de vingt ans que je me teins les cheveux !

— Chut ! T'es pas obligée de le dire, ça ! Regarde ton Paul, aussi. Y a l'air d'un petit jeune avec ses cheveux roux puis il est rendu à soixante-dix ans !

— Ça, ma fille, si tu regarderais comme il faut, tu verrais pas mal plus de fils blancs que de fils roux !

— Qu'est-ce tu veux, je peux pas me les teindre. Y disent que des cheveux roux, ça se teint pas. Ça sortirait pas pantoute de la bonne couleur.

— Hi hi... C'est sûr que vous feriez un maudit saut si ça sortait mauve !

— C'est ça. Ça fait que je vais rester de même, torrieu ; je prendrai pas de chance !

— On est venus vous parler d'un petit projet, moi puis Paul.

— Je le sais ! Vous allez encore en vacances avec Gaston puis Arthémise ?

— Bien non, ma fille. Ce que je rêvais de voir, je l'ai vu. Les îles grecques sont aussi bleues que sur les portraits... Notre projet, c'est qu'on veut mettre la maison à vendre puis qu'on voulait vous en parler avant de mettre la pancarte devant.

— Hein ? Tu y vas pas par quatre chemins, m'man !

— C'est parce qu'on savait pas comment vous l'annoncer puis au lieu de faire des détours, bien, on pense que c'est mieux comme ça, bonne sainte Anne !

— Y a pas moyen de moyenner puis de vous trouver quelqu'un pour faire votre gazon puis s'occuper du dehors l'hiver, madame Bilodeau ?

— On aimerait bien ça, avoir juste le dedans à s'occuper, mon Roger, mais tu sais comme moi que l'argent pousse pas dans les arbres ! C'est sûr qu'on en a un peu, mais faut prévoir pour nos vieux jours aussi !

— Si c'est mieux comme ça pour vous deux, on peut pas vous en empêcher, c'est votre vie ! C'est juste que ça va me faire de la peine sans bon sens de voir d'autre monde rester dans ta maison, m'man.

— Voyons, Angèle. Quand la maison de mes parents a été vendue à Saint-Robert, j'ai pas eu le choix de me faire à l'idée !

— Je comprends bien, Roger, mais tes parents, toi, ils étaient plus là ! Où tu veux aller rester avec Paul, m'man ?

— On avait pensé s'en aller à la campagne. Si on se trouverait un logement au village de Saint-Robert ou de Sainte-Victoire, on haïrait pas ça.

— Loin comme ça ?

— Regarde, ma fille, des vieux comme nous autres, on n'est pas pour s'en aller en plein cœur de la ville non plus !

— Ouin. Puis votre frère Gaston, Paul, y est au courant de ça ?

— Non, pas encore. Ce sera pas facile de lui annoncer ça ! On est comme deux culs dans la même culotte, lui puis moi !

— Eh bien ! Si on s'attendait à ça aujourd'hui ! Vous voulez la mettre en vente quand, votre maison, madame Bilodeau ?

— Ça serait pas tout de suite, Roger. On va attendre à la fin de l'hiver, au mois de mars.

Chapitre 23
RETOUR AU BERCAIL

Fin novembre

Sur la pépinière de Serge, à Saint-Bonaventure, les sapins s'empilaient sur le grand terrain dénudé, et dans les villages avoisinants les consommateurs venaient de terminer de planter leurs vivaces ainsi que d'achever la mise en terre de leurs rosiers. Les arbres fruitiers venaient de se départir de leurs fruits desséchés et les bulbes de floraison hivernale avaient été ensemencés dans le sol avec tous les soins du jardinier qui dut respecter la bonne profondeur pour chaque variété, que ce soit pour les perce-neige, les crocus ou bien les tulipes.

Guylaine venait tout juste d'arriver de Drummondville avec David et elle était déjà postée au bord du chemin pour attendre l'arrivée de son Roméo.

La nuit précédente, une minuscule couche de neige était tombée, et ce matin, il n'y avait plus aucune trace de ces cristaux blancs grâce à une température agréable qui régna dès le lever du jour.

Laurette, assistée de sa mère Yvette, avait déjà amorcé la préparation de ses tourtières et de ses pâtés au poulet.

— Ça sent donc bien bon ici !

— Tiens, si c'est pas mon Olivier ! Viens-tu passer la fin de semaine avec nous autres ?

— Bien oui, grand-mère, si vous avez de la place pour me loger, j'aimerais bien ça ! J'ai des affaires à régler en fin de semaine à Drummondville... Salut, Serge ! Comment ça va, mon beau-père préféré ?

— Ça va bien, mon gars. Je suis content que tu viennes passer du temps avec nous autres. Demain y faut que je classe tous mes sapins en ordre de grandeur puis si tu veux me donner un coup de main avec David, ce serait pas de refus !

— Je vais t'aider, c'est certain... Mon rendez-vous est juste à deux heures demain après-midi.

— Bon, enfin, tu t'es fait une nouvelle blonde ?

— Bien non, m'man, c'est un rendez-vous d'affaires.

— Comment ça ?

— Je vais tout vous raconter ça. Je vais me faire un café si tu veux, puis on va s'asseoir à la table pour que je vous l'explique.

— Crime, ça a l'air important, ton affaire !

Oliver avait vingt-deux ans et depuis deux ans, il travaillait à Bell Canada sur la rue Saint-Jean-Baptiste, à Victoriaville. Quand il avait été engagé comme technicien, il avait fait couper ses longs cheveux et il avait opté pour le port de la moustache.

— Là, mon gars, arrête de tourner autour du pot puis crache le morceau, crucifix !

— Bien oui, Serge. J'ai enfin eu un transfert...

— Hein ! Où ça ?

— Christie, m'man, donne-moi une chance, hi hi ! Je vais être transféré au début du mois de mars, mais je le sais pas si vous allez être contents de la place.

— Crime, j'espère que tu t'en vas pas au diable vert ! T'es assez loin comme ça !

— Bien non, m'man. Je m'en viens sur la rue Lindsay à Drummondville !

— Oh ! Enfin, tu reviens avec nous autres ?

— Oui, puis je suis bien heureux de ça !

— Vas-tu venir rester ici avec nous ?

— Voyons, Serge, j'ai vingt-deux ans, je suis pas pour vous encombrer ! Mais pour une couple de mois, si vous voulez m'héberger, bien, je dirais pas non.

— Le temps de te trouver un logement. C'est ça, ton rendez-vous demain après-midi ?

— T'es pas loin, grand-mère. C'est juste que c'est pas un logement, c'est une maison.

— Comment tu vas faire pour rencontrer tes paiements, mon gars ?

— Regarde, m'man, ça fait deux ans que je travaille puis que je ramasse mon argent pour l'acheter, cette maison-là. J'ai pas étudié trois ans de temps à Trois-Rivières pour rien ! On dirait que tu penses que je gagne le salaire minimum ! Avec le cash que je vais mettre dessus cette maison-là, mes paiements d'hypothèque vont avoir bien de l'allure !

— Ouin, tant qu'à ça, tu ferais pas de paiements dans le vide, ça va te rester. L'as-tu achetée, ta maison ?

— C'est pour ça, mon rendez-vous demain après-midi. Je rencontre le notaire Malo avec les propriétaires. J'ai fait une offre d'achat puis elle a été acceptée.

— Ah bien, on aura tout vu ! Crucifix que je suis content pour toi puis ta mère ! Ses deux gars qui vont rester dans la même ville !

— C'est pas tout à fait à Drummondville, Serge.

— C'est où ?

— Toi, grand-mère, si je te dis le nom des propriétaires, je pense que tu vas être contente...

— Comment ça, Olivier ?

— J'ai acheté la maison des Potvin à Saint-Cyrille-de-Wendover.

— Jésus Marie ! Oh... t'as racheté notre maison ?

— Bien oui, je m'en vais rester dans ta maison, grand-mère !

— Ça se peut pas ! Je vais pouvoir retourner voir ma maison ?

— Bien oui, tu viendras quand tu voudras, puis si tu veux venir passer une, deux ou trois semaines, j'en serais bien content ! M'man... braille pas comme ça ! On dirait que t'es déçue !

— Olivier, imagines-tu que quand je vais aller chez vous, je vais replonger dans ma jeunesse ? C'est comme dans un rêve ; jamais j'aurais pu penser qu'un jour je pourrais vivre ça ! Puis toi, Serge, tu vas pouvoir connaître tous les petits racoins de la maison et te promener dans mon passé où j'ai vécu avec ma sœur Denise puis mes parents ! Oh... Quand Rose puis Guylaine vont apprendre ça !

— Penses-tu qu'elles vont pouvoir venir avec leur chum quand je vais pendre la crémaillère ?

— C'est sûr, voyons donc ! Guylaine va y aller avec Éric, mais Rose, elle, je le sais pas si elle va y aller avec quelqu'un. Aux dernières nouvelles, elle avait cassé une deuxième fois avec son Joël... Crime que je suis contente ! La petite maison en haut de l'écurie doit plus être là, Olivier ?

— Y a rien de changé, m'man ! Le petit lit en bois rose est encore là, même le chapeau noir que j'avais mis quand je jouais à la visite avec David, Rose puis Guylaine !

— Oh... Si mon Bermont pouvait voir ça !

— Grand-père voit tout ça de son nuage, grand-mère, mon père, puis ma tante Denise aussi. Je suis sûr que mon père doit être bien content aussi de voir que je reviens à Drummondville pour travailler au Bell Téléphone.

Chapitre 24
DÉCEMBRE 1973

À l'occasion de leur vingt-quatrième anniversaire de mariage, Francine avait invité ses parents à souper.

Dans leur coquette maison sur la rue Principale à Saint-Robert, Francine et Benoît filaient le parfait bonheur. Leur petit bébé naîtrait en juin 74 et Benoît envisageait d'entreprendre la construction de leur nouvelle maison sur le terrain qu'ils avaient acheté aux abords de la rivière Richelieu, sur le chemin Saint-Roch. Francine avait quitté son travail au magasin Style sur le chemin Saint-Ours et elle se consacrait maintenant au curé Biron en tant que secrétaire trois jours par semaine au presbytère de l'église.

— Coudon, ma fille, y a bien plus de neige à Saint-Robert qu'à Sorel! Déneigez-vous les rues par ici?

— Bien oui, pa, mais Elzéar Gravel est tout seul pour déneiger le coin! C'est pas comme à Sorel ici. On est une petite population!

— Elzéar... tu parles d'un nom! Y doit pas être jeune, lui, c'est pour ça qu'il est pas vite! Salut, Benoît! Ça va toi?

— Bien oui, monsieur Delormes, ça va bien! Elzéar arrive à sa retraite; je pense qu'il finit de travailler pour la ville au mois de mars. C'est son gars Urbain qui va prendre sa run.

— Bonyeu, Urbain! Sa femme à lui doit bien s'appeler Fédéline!

— Hi hi... non, pa, elle s'appelle Rose-Aimée puis elle est bien fine. C'est la cuisinière de monsieur le curé... Viens t'assir, m'man, je vais te donner une coupe de vin blanc.

— Merci, ma fille. Qu'est-ce que t'as fait de bon pour souper, ma fille?

— On mange une fondue à l'orignal.

— Ah bon! Penses-tu que je vais aimer ça?

— Voyons, Angèle, c'est la meilleure viande sauvage au monde! Y a pas une miette de gras après ça puis c'est plein de fer! Eh que je vais me régaler! Vu que c'était la première fois que t'allais à la chasse, Benoît, as-tu pogné le *buck fever* quand t'as vu l'orignal planté devant toi à La Tuque?

— Bien oui. Vous savez bien que j'ai pas passé à côté de ça, hein! Je me suis mis à trembler comme une feuille, caltor!

— Je te comprends bien. J'aurais fait pareil, moi aussi, je pense!

— Vous aimez pas ça, la chasse, monsieur Delormes? Vous pourriez venir avec nous autres à l'automne prochain. Ça se peut que Martin vienne aussi!

— Maudit! Si tu penses que je vais aller vivre dans le bois puis me faire geler le cul à cinq heures du matin, non merci. J'aime mieux voir l'orignal dans mon assiette comme à soir!

— Hi hi! Cré Roger! Toi, c'est le bowling puis la pêche; t'as jamais voulu t'initier à un autre sport!

Le souper était délicieux et Angèle apprécia ce nouveau mets. Francine avait préparé un croustillant aux pommes et des carrés aux dattes. Diane et Martin se présentèrent juste au bon moment avec Maria pour empêcher Roger de vider le plat de carrés aux dattes.

— Viens voir mamie, Maria... T'es donc bien belle, câline ! Moi, je te dis que ce sera pas long qu'elle va marcher, ta fille, Diane !

— Bien voyons, madame Delormes, elle a juste sept mois !

— Bien regarde, là, elle fait la même chose que quand je l'ai gardée la semaine passée. Elle s'est jamais traînée à quatre pattes quand je la mets à terre. Elle fait juste se lever debout après les meubles. Une bonne journée, elle va partir juste sur une patte, cette enfant-là, crois-moi !

— Peut-être... En attendant, bon anniversaire de mariage ! On vous a apporté un petit cadeau.

— Ah bien, mon chocolat préféré ! Trois palettes de Caravan !

— Hi hi... On te donne pas juste ça, m'man ! On sait bien que t'aimes le chocolat, mais on sait bien aussi que t'aimes sentir bon avec ce parfum-là !

— Oh ! du Chantilly en crème ! Merci ! Puis toi, Roger, tu l'ouvres pas, ton cadeau ?

— Bien oui. T'es pressée, ma femme ! Mais juste à voir la boîte, je pense que c'est un Beau Geste !

— Pour une fois, pa, t'es dans le champ, parce que c'est pas ça !

— Maudit de maudit! Un Courvoisier! C'est bien trop, Martin! Vous auriez pu nous donner une carte puis ça aurait fait pareil!

— Bien non, pa. Puis si tu veux l'ouvrir, ton Courvoisier, on a une nouvelle à vous annoncer.

— Sainte bénite, encore mémé!

— Hi hi! t'es drôle, m'man. Écoutez, tout le monde! J'ai trouvé mon garage!

— Ah bien, bonyeu! Où ça?

— Sur le chemin des Patriotes. L'ancien garage d'Oscar Janvier.

— Tu parles d'un maudit nom bizarre encore!

— Oui, puis ce monsieur-là, y est assez petit que quand y travaille dans le hood d'un char, faut qu'y monte sur un petit banc puis quand y pète, la poussière lève en arrière de lui!

— Hi hi... maudit fou! Mais ça va te faire loin pour voyager, puis monsieur Pinard doit être débiné de perdre son meilleur mécanicien?

— Pour monsieur Pinard, c'est sûr qu'y a pas applaudi quand je lui ai annoncé que je le quittais, mais y savait bien qu'un jour je partirais à mon compte. Pour le voyagement, bien, on déménage!

— Hein! Où ça?

— Sur le terrain y a une maison mobile puis je vais toute la remettre d'aplomb pour ma belle doudoune puis ma petite puce!

— Câline, c'est du changement, ça!

— Si t'as besoin d'un coup de main, mon Martin, je vais aller t'aider pour ta peinture, puis tu devrais avoir des bons prix chez Style vu que Francine travaillait là !

— C'est pas de refus, mon Benoît, parce qu'y a pas mal d'ouvrage à faire. Juste d'enlever les tapis à la grandeur puis poser du prélart, ça va bien prendre au moins trois jours juste pour faire ça !

— Puis moi, ton vieux père ? Je suis pas impotent à ce que je sache !

— Bien non, pa ! Je voulais justement te le demander, à toi aussi ! Les trois chambres sont toutes en préfini foncé puis je voudrais tout arracher ça pour les mettre en stucco blanc.

— Câline, c'est grand, trois chambres ! Tu vas pouvoir te faire une chambre de couture, Diane !

— J'aimerais bien ça, madame Delormes, mais j'ai bien peur que ma machine à coudre va se retrouver dans la cuisine parce que la troisième chambre, on la garde pour le bébé qui s'en vient.

— Ah ben ! mémé puis pépé encore une fois ! As-tu compris ça, mon Roger ?

— Maudit de maudit que ça va vite ! Aux fêtes l'année prochaine on va être rendus avec trois petits-enfants !

— Trois petits-enfants, ouf... Ça me fait penser à la chanson d'Emmanuelle :

Et c'est pas fini, c'est rien qu'un début
Le vrai soleil on l'a pas encore vu
Et jusqu'aujourd'hui, on n'a rien vécu

La grande extase on l'a pas encore eue
Non, c'est pas fini, c'est rien qu'un début,
Mais c'est le plus beau des commencements[8]

Le treize décembre, Roger reprit le travail. Il boitait encore légèrement, mais le docteur Provençal, à la Québec Iron, le rassura en lui disant de ne pas se soucier de ce petit détail et que, dans un mois, il serait remis sur pied à cent pour cent. En attendant, il allait travailler seulement dans son bureau et probablement que la semaine suivante, il pourrait se déplacer sur le plan.

Cinq heures et vingt.

— Maudit qu'y fait frette aujourd'hui !

— Bien oui, mon mari, l'hiver est pas passé ! Ça fait changement : depuis le début du mois de décembre, on a eu deux bonnes bordées de neige puis après, y a pas arrêté de mouiller ! Comment ça s'est passé, ta première journée ?

— Pas si pire… Fabien, Denis, Donald puis Clarence étaient bien contents de me revoir. Ils m'avaient même préparé une petite fête pour l'heure du dîner !

— Ah oui ? C'est rare qu'on voit ça, un boss se faire fêter à son retour !

— Qu'est-ce tu veux, quand on est un bon boss, c'est ça qu'on mérite, ma femme !

---

8 *Et c'est pas fini*, interprétée par Emmanuelle, 1973. Paroles et musique de Stéphane Venne.

— Hum...

— Tu sais pas la nouvelle ?

— Bien non, tu vas me la dire.

— Notre secrétaire, Sabine Forcier, a pris sa retraite.

— Ah oui ? C'est qui qui va la remplacer ?

— C'est madame Saint-Arnaud.

— La connais-tu ?

— Bien oui, c'est Edwidge !

— Ah bien, maudite marde ! Qu'est-ce qu'elle fait à Sorel, elle ? Elle était pas partie rejoindre son mari à Joliette, cette pimbêche-là ?

— Elle a laissé son mari puis elle est revenue à Sorel.

— J'ai mon voyage ! A reste où ?

— Clarence m'a dit qu'elle s'est trouvé un loyer à Tracy sur la route Marie-Victorin, pas loin de chez eux.

— Y doit être content, le Clarence. Ça lui fera pas loin pour aller tremper son pinceau !

— Hi hi... voyons, Angèle, tu parles donc bien mal !

— Bien là, a doit pas avoir changé tant que ça ? Elle doit quand même pas être revenue déguisée en sœur Teresa, quand même ! A s'habille-tu toujours aussi mal ? Puis elle, est-ce qu'elle est toujours aussi laide ?

— Hi hi ! je pense que c'est pire qu'avant ! Elle essaye de s'habiller comme une jeune de vingt ans, mais elle a l'air plus folle que d'autre chose.

— Maudite niaiseuse ! Elle rempironne au lieu d'emmieuter !

— Hon... Angèle, parle pas de même.

— Pourquoi tu ris, d'abord ?

— Pour rien, ma femme. Je vais aller donner un petit coup de pelle dans les marches puis essayer d'arranger mon whiper qui est pris dans la glace en attendant le souper. Maudit que j'ai hâte de le changer, ce char-là ! Il est en train de tomber en ruine, bonyeu !

— Ta Cougar est pas si vieille que ça ! Mais si tu veux la changer, tu serais mieux d'attendre après les fêtes. Les 73 vont être moins chères de deux mille piastres !

— Yess ! C'est ce que je voulais entendre !

— Cré Roger...

Le dimanche vingt-trois décembre, Roger assistait à la messe de minuit à l'église Saint-Maxime en compagnie de Josée et de son amie Vivianne pendant qu'Angèle achevait ses préparatifs pour la fête de Noël. Gabriel dormait depuis huit heures même s'il n'avait pas cessé de bougonner juste avant d'aller au lit.

À une heure moins quart, Martin arriva avec Diane et Maria, et à une heure, les autres invités se présentèrent chacun leur tour. Dans l'obscurité de cette nuit ténébreuse, les étoiles venaient de réintégrer leur place dans le ciel, car la neige venait de cesser de parsemer ce paysage angélique.

Les bottillons et les manteaux furent déposés au sous-sol et Angèle ne savait plus où disposer les présents tellement ils étaient nombreux.

Les tourtières et les tartes aux pommes se réchauffaient dans le four et les chandeliers argentés de grand-mère Ethier se trouvaient sur la table de cuisine qui était adossée au mur.

Cette année, les convives firent l'inverse de ce qu'ils avaient l'habitude de faire : ils dégustèrent le repas qu'Angèle avait cuisiné et après, ils distribuèrent les cadeaux aux enfants. Quand Francine et Benoît arrivèrent avec leurs guitares, Emma sortit son accordéon. Le diable était aux vaches et ça swinguait dans la cabane.

C'est Marcel et Béatrice qui partirent les derniers. Roger avait prié son frère pour qu'il aille se coucher, car lui, il aurait continué à boire et à se répéter jusqu'à six heures du matin.

Chapitre 25
LE MOIS DES CORNEILLES

Dans la nuit du huit mars, un bon pied de neige avait chuté sur les dix pouces déjà accumulés de la veille. Les fils électriques étaient tendus et glacés et on aurait dit que les arbres voulaient s'affaisser tellement ils en avaient pesant sur les branches.

Rose était en congé, car le A&W était fermé depuis trois jours. Conrad Défossé n'en finissait plus de déneiger le boulevard Fiset et les avenues.

— Coudon, Conrad, tu la fais-tu à mesure, ta maudite neige, baptême?

— Voyons, Gaston, prends pas le beurre à poignée, sacréfice! Je suis toujours bien pas pour mettre un banc de neige en plein milieu du boulevard Fiset! Regarde bien, si tu veux, je peux changer ma run avec Joseph-Aimé Blette, mais tu vas t'apercevoir que c'est pas lui qui a inventé la vitesse! Le temps que je déneige le grand boulevard, lui, y a le temps de déblayer juste un coin de rue, bâtard!

— Avale-toi pas, mon Conrad, c'est juste que j'ai la tête dans le cul à force de pelleter, moi! As-tu le temps de venir prendre un café en dedans?

— Ouin, je peux bien… Tu sais, Gaston, y faut pas déshabiller Pierre pour habiller Jacques. Si ce serait un autre que moi qui ferait la run du boulevard Fiset, y aurait pas de miracle non plus ! À moins de passer la neige par-dessus le toit de ta maison !

— Bien oui, bien oui… Viens donc.

Dans la maison, Arthémise chantait à tue-tête : « Je me sens bien auprès de toi, j'ai l'impression d'être en vacances… Même quand tu dis rien… Même quand tu fais rien, je suis bien, avec toi, je suis bien… Oh, yep, yep, yep… Oh…[9] »

— Sainte pitoune, je vous ai pas entendus rentrer !

— On a bien vu ça, ma Georgette !

Arthémise était enveloppée dans sa robe de chambre en velours mauve et ses rouleaux verts étaient encore agrippés à ses cheveux. Elle prépara du café bien corsé au percolateur et le déposa au centre de la table entre le pot de confiture Habitant et la bouteille de brandy.

— Ouin, vous avez l'air en forme à matin, madame Arthémise !

— Bien oui, monsieur Conrad. Je suis en train de faire mes vocalises pour mon récital à soir !

— Hein ! Vous chantez dans un pestacle ? Où ça ?

— Hi hi… Bien non, c'est juste une farce, Conrad. Si le monde m'entendraient chanter, y se sauveraient en courant, sainte pitoune ! Je détonne bien trop ; quand je commence une chanson puis que je chante le refrain, je tombe dans l'air d'une autre !

---

9 *Je me sens bien auprès de toi*, Petula Clark (1963).

— Oh... Comme ça, je vous demanderai pas de venir chanter au mariage de mon gars Lucien à l'église Saint-Pierre au mois de mai ?

— T'as un gars qui se marie, Conrad ?

— Bien oui, Gaston, puis y commence à être temps, bâzwelle. Y est rendu à trente-huit ans puis depuis qu'y est au monde qu'y est collé à la maison. Un vrai pot de colle !

— Tabouère ! Un petit gars à môman ?

— Exact ! C'est moi qui l'a forcé à demander sa grande slack en mariage, sinon y aurait resté dans les jupes de sa mère jusqu'à tant qu'a lève les pattes !

— Hi hi ! Pourquoi vous l'appelez la grande slack, votre bru ?

— Sacréfice ! Si vous la verriez, madame Arthémise, vous auriez peur ! C'est une ben bonne personne, mais crétaque qu'elle est maigre. Quand elle se fait griller, le soleil passe au travers !

— Pauvre elle. Quand le soleil plombe sur elle, y faut qu'elle fasse attention pour pas ressembler à une tranche de bacon !

— Vous voulez dire à une couenne de lard ? Ce serait plus le mot, je pense.

— On rit, mais c'est pas bien drôle dans le fond. À vous entendre parler, elle a pas mangé beaucoup de patates dans sa vie, elle !

— Eh non ! Puis mon gars Lucien, lui, y est pas mieux : y roule, sacréfice ! Y travaille, y travaille pas... Je lui ai dit : « C'est en forgeant qu'on devient forgeron puis c'est en se mouchant qu'on devient moucheron, fait que choisis ! » Depuis ce temps-là, y travaille chez Électromoteur, le nouveau magasin qui vient d'ouvrir. Ah bien, regarde donc ça ! Ton frère Paul, y est en train d'installer une pancarte sur son banc de neige en avant !

— Hein ! Attends, je vais aller voir... Je vois rien, torvisse, les châssis sont tout bués.

— Vas-y donc, mon Gaston. Moi, je vais aller continuer ma run, puis merci pour le café, madame Arthémise, et aussi pour la petite rasade de brandy.

Maison à vendre. S'adresser au 3-7281.

Gaston était trop affligé pour rendre visite à son frère. Il retourna chez lui. C'est dans la soirée qu'il se décida enfin à aller chercher les explications que son frère lui devait.

Toc, toc. Toc, toc.

— Torrieu, mon frère, t'es pas obligé de défoncer la porte. Je fais du rhumatisme, mais à ce que je sache, je suis pas encore sourd !

— Pourquoi tu nous fais ça, Paul, à moi puis Arthémise ?

— Je vous fais rien pantoute. Je suis juste plus capable de pelleter puis de faire mon jardin l'été ! Puis c'est encore bien plus défendu que mon hirondelle touche à une pelle !

— C'est sans génie, ton affaire. T'aurais pu m'en parler avant de mettre une pancarte devant ta maison.

— Qu'est-ce que t'aurais pu faire ? Un miracle ? Te déguiser en prêcheur puis me débarrasser de ma canne ?

— Regarde bien, ma tête de cochon de frère, là, je suis trop émotionné. Je vais aller voir au coin si y neige puis je vais revenir pour parler après. Y faut que je prenne de l'air, moi.

Gaston chemina jusqu'au carré Royal. Il venait de réaliser que son frère Paul avait soixante-dix ans et lui, soixante-neuf, et que la réalité venait de tomber dans leurs vies comme une grosse pierre.

Ils avaient eu du bon temps, tous les deux, et quand on voit que la route rétrécit de plus en plus, cela donne un grand coup au cœur. À vingt ans, quand on regarde cette route qui s'allonge à l'infini, c'est comme contempler la mer et le ciel. Personne ne peut déterminer où l'horizon s'arrête. Mais à soixante-dix ans, on aperçoit ce petit bout de sentier qui se dirige vers soi à grands pas et cela fait mal, car au bout de ce petit passage étroit, il y a un pont qui relie la terre au paradis.

Dans sa conscience, les souvenirs défilaient. Quand Paul était arrivé chez lui à Kingston avec Emma et les enfants de Roger, ses yeux s'étaient mis à scintiller, comme la journée où il avait emprunté l'identité du sergent Godbout pour inciter son frère à lui faire payer des contraventions. Et aussi, quand Blanche avait décidé de partir après qu'il lui ait demandé de l'épouser, il avait eu beaucoup de chagrin de ne pas pouvoir vivre ce bonheur-là.

Depuis qu'il était heureux avec son Arthémise et qu'il pensait vivre toutes les années à venir aux côtés de son frère, il avait bien mal calculé le temps ou bien, tout simplement, c'étaient les années qui avaient glissé trop rapidement puisque le bonheur ne voit pas passer le temps quand il est trop parfait.

— Puis, as-tu assez mijoté pour comprendre que j'ai plus vingt ans puis que les années nous ont rattrapés, mon frère ?

— Ouais. Mais je comprends pas, je suis tout mêlé dans mes bobines... Je m'habituerai jamais de voir quelqu'un dans votre maison ! Vous voulez déménager où ?

— On avait pensé se trouver un logement pas trop grand dans le village de Saint-Robert ou de Sainte-Victoire. C'est tranquille puis c'est probablement là qu'on pourrait finir nos jours, à moins d'être obligés de les finir à l'Hôpital général...

— Baptême de baptême que je prends ça dur ! On va s'ennuyer de vous autres en tabouère ! Je peux pas croire qu'on en est rendus là !

— Là, Gaston, tourne pas le fer dans la plaie, parce que moi, ça paraît pas là, mais j'ai le cœur en compote, torrieu ! Pourquoi tu viendrais pas, toi aussi, rester à Saint-Robert avec Arthémise ? Elle aimerait ça, elle vient de là.

— Ça me tente pas pantoute, Paul, de m'en aller au fin fond de Saint-Robert ! Y doit bien avoir un moyen de moyenner ! Je peux bien te parler de quelque chose qu'on avait pensé, Arthémise puis moi, mais je pense que ce serait comme parler dans le vide.

— Aboutis, Gaston. C'est mieux de se tromper que de s'étrangler, tu penses pas ? Donne ton idée puis si ça a pas d'allure, je vais te le dire.

— Tire-toi une bûche, toi aussi, Emma, parce que d'après moi, c'est toi qui vas avoir à prendre la décision.

— Bonne sainte Anne, tu m'inquiètes, toi là ! Je vais m'asseoir certain pour pas tomber de haut !

— Cré belle Emma. Tu sais-tu que je t'aime bien gros, ma belle-sœur préférée ?

— Arrête de téter, Gaston, puis dis-nous-la, ton idée ! Puis, en passant, c'est sûr que je suis ta belle-sœur préférée : t'en as juste une, maudit innocent.

— Hi hi... Bon, si moi, je vendrais ma maison pour aller vivre chez vous avec Arthémise ?

— Baptême, es-tu tombé sur la tête, mon frère ? On est quand même pas pour vivre en commune à notre âge !

— Écoute-moi donc, tête de raisin ! Votre maison est plus grande que la nôtre. On payerait notre manger, le déblayage de la cour l'hiver puis tout ce qui concerne le dehors l'été. On pourrait même splitter les comptes en deux ! Je peux payer le Bell Téléphone, toi, tu peux payer le Cablovision puis si y a des réparations à faire dehors ou dans la maison, on peut les séparer en deux ? Ça vous coûterait pas mal moins cher puis vous auriez pas à déménager de la rue Royale, je veux dire, du boulevard Fiset !

— Ben oui, c'est facile pour toi de dire ça, mais c'est qui qui s'occuperait du dehors l'hiver comme l'été ?

— Regarde madame Millette à côté avec son Alphonse. Y sont rendus à quatre-vingts puis y sont toujours dans leur maison, eux autres ! C'est le petit Durochers qui fait tout sur leur terrain. Le p'tit, y a même mis une annonce dans le *Rivièra*. Y fait ça à temps plein !

— Là, mon frère, tu me prends les culottes à terre. Ton idée a bien de l'allure, mais c'est malaisé de te donner une réponse tout de suite comme ça… C'est la maison d'Emma puis moi, je peux pas rien décider. Y faut qu'on en parle ensemble.

Le trois avril. Si le trois fait le mois, le six était mieux de le défaire, car à ce moment-là, cela n'allait pas bien du tout. L'air était très lourd, il pleuvait à torrents, et depuis le matin, le tonnerre avait encore monté le ton pour annoncer un autre orage. Les éclairs étaient incalculables dans le ciel ténébreux et menaçant. Les arbres secouaient leurs branches pour se débarrasser de la poussière accumulée qui se plaquait sur eux depuis cinq jours et les rivières roulaient à une vitesse fulgurante.

Cinq heures et vingt.

— Ça a pas d'allure !

— Mon Dieu ! Mon mari, tu pourrais me dire au moins bonjour au lieu de rentrer en bougonnant !

— Salut, ma femme… Y mouille assez que je voyais pas un pied devant moi en m'en revenant ! Fabien m'a dit qu'il est allé voir à son chalet à Sainte-Anne puis qu'y manque à peu près un pied d'eau pour que le chenal déborde sur son terrain.

— Sainte bénite, y doit être nerveux sans bon sens ! Puis, avec la glace qui reste sur les rivières, y a des municipalités qui vont y goûter, je pense !

— C'est sûr… Qu'est-ce t'as fait pour souper, ma femme ?

— On va manger le restant du pâté chinois si ça te dérange pas.

— Bien oui. Gab est où ?

— Il est chez Raymonde à côté. Y a passé l'après-midi avec Grace. Josée est dans sa chambre puis Rose est partie souper à Sherbrooke avec son boss, madame Paquette, puis France Saint-Arnaud.

— Comment ça ?

— Madame Paquette vient de Sherbrooke puis elle leur a demandé d'aller magasiner avec elle sur la rue King. Après y vont aller souper chez son père à elle. Y a un restaurant de crêpes bretonnes.

— Des crêpes bretonnes ?

— Bien oui. Ça a l'air que tu peux manger des crêpes aux épinards, au jambon, au sirop puis même au pepperoni.

— Ouache ! Dans ma tête à moi, des crêpes, ça se mange avec du sirop d'érable. En tout cas, ça va lui faire une sortie, à notre Rosie. J'espère juste qu'y mouille pas comme ici, à Sherbrooke… Je trouve qu'elle est bien tranquille, notre grande fille de dix-huit ans. Elle a même pas de chum encore !

— C'est pas parce qu'elle en a pas eu, Roger. Elle a sorti assez longtemps avec Joël puis y a eu Hubert Pétrin aussi…

puis Samuel, ou Michaël, je me souviens plus là. Tu sais, les jumeaux ?

— Bien oui. Mais Hubert Pétrin, c'est le gars qui frottait toujours son char dans le rang Picoudi à Saint-Robert, ça ?

— Ouin, un autre pareil comme Joël, celui-là. C'est vrai qu'il était pas trop trop brillant, celui-là. De toute façon, notre Rosie mérite bien mieux que ça. Elle va se changer les idées en fin de semaine. Elle va souper avec Guylaine puis Éric chez Olivier à Saint-Cyrille. Tu trouves pas qu'elle a embelli, notre Rosie, Roger ?

— C'est sûr. Je la regardais travailler l'autre jour quand on est allés manger au A&W. Je la trouve belle en maudit, notre fille ! Mais veux-tu bien me dire comment ça se fait qu'elles sont toutes obligées de travailler avec des perruques sur la tête puis des gros souliers Patof, ces filles-là ? Pour la perruque, a va bien pogner des poux en dessous de ça cet été !

— Madame Paquette lui a bien expliqué que c'était la même loi pour tous les A&W. La même chose pour leurs costumes jaune, orange et brun. La perruque, elle dit que c'est pas des vrais cheveux et que ça risque pas de tomber dans le manger.

— C'est bien niaiseux, leur affaire ! Une chance que notre Rosie a les cheveux courts !

C'est dans la deuxième semaine du mois de mai que Gaston vendit sa maison et qu'il alla s'installer chez Paul avec son Arthémise. Sa maison, comme il l'avait dit, il l'avait vendue tout habillée. Arthémise et lui avaient seulement apporté leur télévision ainsi que leurs effets personnels, sans oublier le banc de quêteux qui jadis avait appartenu au grand-père d'Arthémise.

L'adaptation fut aisée pour Emma et Arthémise étant donné qu'elles se connaissaient depuis belle lurette. En ce qui concernait les deux frères, ils argumentaient toujours, mais ils étaient bien conscients de ce que la Providence leur avait alloué : de ne pas s'éloigner l'un de l'autre malgré les années qui s'écoulaient à grands pas.

Tous deux s'inscrivirent au club de pétanque voisin de la Maison des Gouverneurs, mais ils n'arrivaient pas à convaincre leurs femmes de se joindre à leur équipe.

Emma refusait catégoriquement de les accompagner étant donné qu'elle trouvait cette discipline trop facile et qu'elle la considérait comme un sport de vieux. Folâtrer dans ses fleurs lui plaisait davantage que de courir après un cochonnet rouge.

Arthémise s'était procuré un métier pour piquer des courtepointes et ainsi, elle tricotait des tapis multicolores qui s'étalaient au pied des lits comme sur le seuil de toutes les portes de la maison.

Si les quatre étaient heureux, c'est qu'ils avaient opté pour vivre, selon leur souhait, quelques années supplémentaires sur le boulevard Fiset.

Conrad Défossé leur rendit visite pour leur annoncer qu'il avait perdu sa femme. Elle était décédée subitement, et son garçon Lucien venait d'emménager chez lui en compagnie de sa femme, Mireille, qui attendait du nouveau pour le mois de janvier.

Le Canadien de Montréal, cette année-là, remporta encore la Coupe Stanley. Ils gagnèrent la série quatre de sept en remportant quatre parties contre deux pour les Blackhawks de Chicago. Le but gagnant fut compté par Yvan Cournoyer.

En ce qui concernait les Expos de Montréal, on espérait qu'ils fassent honneur aux Québécois tout comme l'année précédente en terminant si possible en quatrième position de la division Est et peut-être, dans les années à venir, en en devenant les vainqueurs.

Depuis 1972, on ne parlait que des Jeux olympiques qui se dérouleraient à Montréal en 1976. En 1973, la Ville érigea avec fierté le Vélodrome. Le Stade olympique était la discussion de l'heure depuis les débuts de sa construction au mois de février précédent.

Le petit Gabriel jouait ses toutes premières parties de baseball dans le champ à côté de chez lui en compagnie des deux jumeaux de Michèle et Richard, et Michaël, le garçon de Christianne.

La vie suivait son cours ; il y avait toujours place à la continuité. Les anciens joueurs de baseball se mariaient et prenaient racine dans leurs nouveaux foyers, et les plus jeunes prenaient la relève. Tout cela, c'était sans oublier l'éternelle inquiétude des parents et la surveillance accrue qu'ils avaient à exercer pour que leurs enfants ne fument pas à la dérobée en dessous de la grande glissade en bois et, surtout, qu'ils ne glissent pas dans ses marches pendant la saison hivernale.

Chapitre 26

AU FIL DE LA VIE

Décembre 1984

— Marie-Soleil ! Viens prendre ton bain. Il est déjà dix heures et il faut qu'on soit à Sorel pour deux heures et demie !

— Oui, m'man ! Je vais juste donner des pommes à Fanfaron puis j'arrive.

— Qu'est-ce tu dirais, Rose, si on achèterait un autre cheval pour tenir compagnie à Fanfafon ?

— Je serais bien d'accord avec toi, Olivier, mais ça serait à une condition : c'est qu'on l'appelle Belles Oreilles en souvenir de ton grand-père Bermont puis ta grand-mère Yvette.

— Cré petite beauté que je t'aime, toi !

Rose et Olivier s'étaient mariés le vingt-quatre août 1974, et à la suite de cette union, Marie-Soleil les avait émerveillés par sa venue le 29 septembre 1975. Ils demeuraient toujours dans la maison familiale à Saint-Cyrille, et Laurette leur avait fait don du chalet de ses parents sur le chemin Hemming. Rose attendait un bébé pour le mois d'août. À temps partiel, elle travaillait au restaurant Mikes sur le boulevard Saint-Joseph, à Drummondville. Olivier travaillait toujours pour Bell Canada, au central téléphonique sur la rue Lindsay, et un soir par semaine, il suivait des cours en génie électronique à Trois-Rivières dans le but de se perfectionner, disait-il.

— Va falloir qu'on se presse un peu, Rose. La 122 est jamais belle l'hiver ! Y faut pas arriver en retard pour le trente-cinquième de tes parents, en plus qu'y faut arrêter chez m'man à Saint-Bonaventure en passant ! Tu m'as dit que Guylaine puis Éric partaient à midi, eux autres ?

— Oui, oui. Ils vont aider Josée puis Francine à installer les tables et les chaises. Ça va tout être décoré en rouge. Ça va être beau.

— Hein, en rouge ?

— Bien oui ! Un trente-cinquième, c'est des noces de corail ! Puis j'espère que Guylaine accouchera pas aux noces. Elle attend ça pour le début de la semaine ! J'ai hâte d'être marraine, moi !

Guylaine et Éric s'étaient mariés au mois de septembre 76 et ils avaient hérité de la maison familiale des parents d'Éric étant donné que ceux-ci s'étaient pris un logement dans le village de Saint-Guillaume. Guylaine était coiffeuse. Elle s'était ouvert un salon de coiffure dans le village de Saint-Germain et Éric possédait son cabinet de médecine générale sur la rue Saint-Jean, tout près du marché public à Drummondville. Ils n'avaient pas encore d'enfants vu leurs occupations, mais Guylaine avait dit récemment : « Là, va falloir se décider, Éric. T'as trente-deux ans puis moi vingt-sept. Si ça continue, on va être rendus trop vieux pour en avoir ! » Aujourd'hui, ils attendaient l'arrivée de leur chérubin avec une joie ineffable.

— Voyons, Martin, tu peux pas mettre une cravate fleurie rose avec un habit vert !

— Bien là, Diane, j'ai juste celle-là, torpinouche ! Bon bien, on va être obligés d'aller en ville avant de se rendre à la salle !

Martin et Diane avaient trente ans. Ils demeuraient toujours dans leur maison mobile sur le chemin des Patriotes, mais ils projetaient d'acquérir un terrain aux abords de la rivière Richelieu. Leur garage, Chez Martin Delormes – Mécanique générale, était très prospère, et Martin avait comme projet de l'agrandir aussitôt après avoir démantelé la vieille maison mobile. Maria était une jolie fille de onze ans aux cheveux d'or ; Jacob, la copie conforme de Martin, allait avoir dix ans le cinq septembre.

Francis, le garçon de Francine et Benoît, avait maintenant onze ans. Malheureusement, Francine et Benoît étaient divorcés depuis trois ans.

Francine fréquentait Nicolas Larose, un amour perdu du temps où elle n'avait que treize ans, et lui, dix-sept. Ils s'étaient laissés parce que Nicolas avait pris la décision de partir travailler à Mont-Tremblant, et ils ne s'étaient jamais revus jusqu'à ce que Francine le rencontre à son travail chez Peinture Style, qu'elle avait repris depuis un an.

Josée était très téméraire. À dix-huit ans, elle s'était exilée dans la ville de Québec pour travailler sur la Grande Allée au restaurant Le Bonaparte, situé dans une maison ancestrale érigée en 1823. Aujourd'hui, elle était à Sorel pour le trente-cinquième anniversaire de ses parents. En soirée, elle s'envolerait pour l'Amérique centrale, plus exactement à Antigua, au Guatemala, pour y perfectionner son espagnol dans le but de voyager dans le monde entier et d'y enseigner le français et l'anglais aux enfants défavorisés.

À quinze ans, Gabriel était en quatrième secondaire à Fernand-Lefebvre, caressant le rêve de quitter la maison pour étudier à Nicolet à l'École nationale de police du Québec. Sa petite blonde, Josianne, essayait par tous les moyens de convaincre ses parents de la laisser aller vers son rêve de devenir sapeuse-pompière, ce qui, selon elle, pourrait se réaliser dans les années 90 étant donné qu'en France, des femmes exerçaient ce métier depuis le décret du 25 octobre 1976.

Richard et sa femme, Michèle, se plaisaient dans leur nouvelle maison sur les rives du fleuve Saint-Laurent, à Sainte-Anne-de-Sorel. Michèle avait recommencé à être professeure. Elle enseignait la morale à l'école secondaire Bernard-Gariépy, à Tracy. Leur fille Sylvie, à dix-huit ans, travaillait comme secrétaire à la Banque de Montréal sur la rue du Roi, et Jules et Julien étaient en quatrième secondaire. Dans leurs temps libres, ils s'adonnaient au hockey, au tennis et à la plongée sous-marine, en plus d'arbitrer les parties de baseball au stade municipal et sur les terrains avoisinants.

Yolande et Fabien demeuraient toujours sur la rue Goupil et ils passaient leurs étés à leur chalet de Sainte-Anne dans le village des Beauchemin.

Claudia et Gilbert étaient enfin partis du Pot au Beurre pour s'installer à Saint-Laurent-du-Fleuve dans un grand chalet quatre saisons.

Béatrice était membre des Filles d'Isabelle et elle aimait bien garder ses petits-enfants quand ils lui rendaient visite en faisant la route de Valcartier avec leurs parents, Gilles, sa femme Gaby et leurs trois enfants, Isabelle, Mélissa et Jessica ainsi que Pierre, son épouse Sophie et leurs trois filles, Vana, Alexandra et Bianca. Marcel avait quitté le paradis terrestre en 1979 et il n'avait toujours pas rapporté le taille-haie de Roger.

Rolland et Raymonde résidaient encore à côté de chez Roger et Angèle, et le jardin de Roger était toujours plus prospère que celui de son frère. Delphine, à dix-huit ans, travaillait sur la terre des Faucher à Saint-David, fidèle à sa passion pour les chevaux ; Grace, la petite dernière, du haut de ses quatorze ans, était en troisième secondaire. Consciente de sa beauté, elle caressait le rêve de devenir une vedette de la télévision.

Laurette ne s'était jamais mariée avec son Serge. Par contre, ils étaient bien conscients qu'ils feraient leur route ensemble jusqu'au bout du petit pont.

Yvette était décédée heureuse et en paix, car la veille de la nuit où elle était partie rejoindre son Bermont, elle était dans sa maison à Saint-Cyrille en compagnie d'Olivier, de David et de Laurette.

David avait rencontré sa perle rare lors de son dernier voyage au Nouveau-Brunswick. Elle se prénommait Marie-Odile et elle était native de Bouctouche, la ville de la Sagouine. Elle était venue passer la saison estivale chez David à Notre-Dame-du-Bon-Conseil pour s'initier au métier d'agricultrice.

Jeanine, Pierre-Paul, Charles, Antoinette et Denis Grenier seraient tous présents pour le trente-cinquième anniversaire de Roger et Angèle, même que madame Langevin serait de la partie avec son Armand.

— Penses-tu que je peux mettre ces pantalons-là avec ma chemise carreautée noire pour les noces, Emma ?

— Ouf... Veux-tu, Gaston, on va aller chez Gauthier & frères te choisir des pantalons neufs ? Pour ta chemise, ça peut aller, mais tes pantalons, on dirait qu'ils ont fait la guerre, bonne sainte Anne.

— Baptême, rendu à soixante-dix-huit ans, penses-tu que le monde vont remarquer qu'est-ce que j'ai sur le dos ?

— Fais ce que tu veux, mon beau-frère, mais si mon Paul aurait été encore là, il t'aurait dit : « Torrieu, Gaston, t'es donc bien mal attriqué ! » Puis si ton Arthémise vivrait encore, elle aurait rouspété, elle aussi : « Sainte pitoune, Gaston, t'as pas dans tête de sortir avec ça sur le dos ? »

— Tabouère que tu te trompes pas, ma belle-sœur. On dirait qu'y sont jamais partis, ces deux-là ! J'suis rendu que quand je vois une police, je pense juste à Paul puis au sergent Godbout !

— Hi hi, cré Gaston...

Emma avait atteint l'âge de la sagesse avec dignité. Une jeune femme habitait toujours en dedans d'elle et continuait de s'épanouir. À soixante-dix-sept ans, l'apogée de sa vie n'avait pas encore frappé à sa porte et elle était immensément fière de se retourner et d'admirer tout ce qu'elle avait accompli.

Paul avait quitté les siens le 21 mai 1979, le jour où son hirondelle fêtait ses soixante-treize ans.

Gaston était aussi auprès de son frère et en pleurant, il lui avait souhaité un bon voyage. Paul lui avait fait la promesse de lui envoyer une carte postale du paradis. Gaston lui avait répondu : « Quand je vais la recevoir, ta carte, Paul, je vais t'en envoyer une, moi aussi, mais je vais aller te la livrer moi-même quand celui d'en haut va avoir décidé que je vais être rendu au bout de ma route. »

Arthémise était partie au mois d'octobre en poussant de grands soupirs de soulagement à cause des grandes douleurs qui la terrassaient depuis trois mois et qui ne lui laissaient aucune qualité de vie. Gaston l'avait entourée de tendresse et d'amour jusqu'à son dernier souffle.

— Joyeux anniversaire de mariage !

— Ah bien, maudite marde ! Oh... Roger... As-tu vu ? Tout notre petit monde est là !

— Maudit de maudit que je suis content !

REMERCIEMENTS

Je tiens à remercier madame Linda Roy, présidente et directrice des Éditions JKA, qui pour une quatrième fois a cru en moi.

Je remercie également mon conjoint Gérald, mon amour, mon complice. Je veux aussi remercier mes parents, Henriette et Fernand Dutremble, mon fils Jessey Tousignant et mes petits-enfants Sarah-Maude, Myalie et Benjamen, ainsi que ma fille Mélissa Tousignant et mes sœurs, mes amies fidèles depuis toujours.

Merci à la Société historique Pierre-de-Saurel de Sorel-Tracy et à Mathieu Ponbriand, historien, pour m'avoir si bien guidée dans mes recherches.

Merci aussi aux lecteurs qui ont bien voulu parcourir mon manuscrit avant qu'il ne soit publié :

Madame Thérèse Grenier

Madame Louise Sauvé

Madame Hélène Sarrazin

Madame Francine Desrosiers Dupuis

Madame Gisèle Bilodeau Tremblay

Madame Mélissa Tousignant

Madame Nicole Mondion

Monsieur Paul-Émile Gagné.

Achevé d'imprimer en janvier 2010
sur les presses de l'imprimerie Gauvin,
Gatineau, Québec